JN307462

フェイク

楡 周平

角川文庫
14359

目次

第一章　聖病《ひじりやまい》　五
第二章　誘惑　一〇〇
第三章　実行　一五三
第四章　誤算　二二九
第五章　復讐　三三一
エピローグ　四三〇
解説　西上心太　四三八

第一章　聖病《ひじりやまい》

八月が最後の週を迎えた日、西新宿から新大久保に通じる細い路地で、僕は行きつ戻りつを繰り返していた。

まだ十時を回ったばかりというのに、雲一つなく晴れ上がった空からは、真夏の太陽が容赦なく照りつけてくる。アスファルトの路面から、ジーンズの裾《すそ》を通して這《は》い上がってくる熱がことのほか不愉快だった。

この一週間ばかり、東京に雨は降っていなかった。そのせいもあってか、スニーカーの底を通して伝わって来る路面の感触が、妙に粘り気を帯びたものに感じられ、足取りがいつになく重く感じられた。

通りに人影はほとんどなかった。時折すれ違うのは、サマースーツにネクタイを締めたサラリーマンか、乳母車を押した主婦といったどこの街でも見かけるごく普通の人ばかりで、通りすがりの僕に特別の注意を払うはずがないことは分かっていた。

だけど平日の午前中に、いい歳をした若い者がうろうろしている……。それだけで自分の目的を見透かされる気がして、僕は落ち着かなかった。

何しろ場所が場所だ。歌舞伎町という東京最大の歓楽街に隣接し、もう少し駅の方に近づけば、体を売る街娼《がいしょう》が立つ一帯があり、ラブホテルや風俗店が軒を連ねている。

実際この通りに立ち並ぶ電柱には、派手な謳《うた》い文句と、毒々しい色に彩られた怪しげな捨て看板や、消費者金融のチラシといった、まともな住宅地ではまず見られない広告があちらこちらに貼り付けてある。それよりも遥《はる》かに高い位置に掲げられている看板には、『高峰医院　産婦人科　性病科　入院手術随時』――まるでここに来る者の目的を予《あらかじ》め察しているかのような文字が並んでいた。

大きな溜息《ためいき》が漏れた。

何でこんな病気に罹《かか》っちまったんだろう。いや本当に貰《もら》ったのかなあ……。

強い日差しが目に眩《まぶ》しい。寝不足の目蓋《まぶた》がやけに重く感ずる。不安と後悔に苛《さいな》まれた夜を過ごすために吸い続けた煙草のヤニが口の中に残り、不快さに拍車をかけた。

病院の場所はすでに確認してあった。いやもう四度はその前を往復しただろう。病院が病を治すためにあることは百も承知だけど、人目をはばからずに門をくぐれるかどうかは罹った病気にもよる。仮にも性病を専門の一つにしている病院に入るところなど、いかに見ず知らずの人間にでも見られたくはないと思うのは僕に限ったことじゃないだろう。周囲に人の目が完全になくなる。そのタイミングを計るためだけに、僕は行きつ戻りつを繰り返していた。

重い体を引きずりながら通りを進むと、その高峰医院が見えてきた。

住居と病院が一緒になっているのだろうか、それは看板がなければ普通の民家といったたたずまいで、中には人がいるのかいないのか、ひっそりと静まり返っていた。

そうだよな。性病なんて貰うやつ、世の中にそういるもんじゃねえよな。

僕は今、世界の中で最も不幸な人間になったような気がして、また一つ溜息をついた。

突然背後から短くクラクションが鳴った。

振り返ると、狭い路地を一台の乗用車が走ってくる。道を開けた僕を追い越しざまに、車外に放出された熱が足元から伝わってきた。それはジーンズの裾から太腿《ふともも》へと駆け登り、股間《こかん》の辺りに微妙な刺激を与えた。

瞬間、尿道の辺りにむず痒《がゆ》い感触が走り、亀頭《きとう》が俄《にわか》に熱を持ったような気がした。

性病の菌にかかわらず、大腸菌や他の細菌だって適度な熱が活発な活動を促すものだ。何だか急に体の中で菌がまた増殖を始めたような恐怖に駆られ、慌てて周囲を見回した。

幸いなことに人影は全くなかった。

チャンスだ。

僕は、病院というにはあまりに粗末な白くペンキの塗られたドアを開け、中に飛び込んだ。狭い上がり口に立ち、急いで後ろ手でドアを閉めた途端に、言い様のない違和感に襲われた。それが何に起因するものかを悟るまでに、然程《さほど》の時間はかからなかった。

第一に目の前にある八畳ほどの待合室に椅子というものがないのだ。順番待ちの患者はおろか、人の気配すらない。病院特有の消毒液の匂いも、薬の匂いもしなかった。受付の窓口はあったが、そこは固く閉ざされたままで、よく見ると床の上にはうっすらと埃《ほこり》が積もっている。

もちろん、これまでに病院と名のつくところへは、何度も出入りしている。街の小さな医院、大学病院。だけど、病院の待合室というのは、まるで世の中の全ての人が、何かしらの病に冒されていると思わせるように、いつも患者で溢《あふ》れ返っている場所だった。仄《ほの》かに漂う消毒液の匂い。清潔に磨き上げられた床。診察の番がきたことを告げる声。病を治療する場に活気という言葉が適当なのかは分からないけれど、憂鬱《ゆううつ》なエネルギーが満ち溢れている場所だった。どんな辺境の地にある病院だって、順番待ちの患者の一人や二人いない方が不思議というものだろう。しかも大都会のど真ん中にある病院ともなれば、尚更のことだ。

マジかよ。ここ本当に病院かあ。

一瞬、黙ってこのまま引き返そうかと思った。しかし考えてみれば、怪しげな病気の治療を生業《なりわい》とする病院とは、こんなものなのかも知れない。

少し気後れがしたけれど、また新しい病院を探してこの街を彷徨《さまよ》う気にはどうしてもなれなかった。

堂々と看板を掲げているんだ。まさか偽医者ってことはないだろう。

「すみません」

意を決して声を上げると、

「はあい」

予想に反して、奥から女性の声が返ってきた。

げっ！　女医かよ……。

部屋の中が微《かす》かに明るくなった。それまで待合室の中に照明さえも灯《とも》っていなかったことに、初めて気がついた。

奥に続くカーテンが引き開けられると、小太りの中年のおばさんが姿を現した。白衣を着ているところをみると、やっぱりこの人が医者なのだろうか。

「どうしたの」

おばさんは、ふくよかな顔に微かな笑みを湛《たた》えながら訊《たず》ねてきた。

「あのですね。何だか、尿道の辺りがむず痒くて……。それに亀頭がですね、熱を持ったような気がして……」

思わず視線を落としながら言った。

「何か心配なことあったの？」

「心配なことといいますか……。二週間前にですね、彼女とセックスしまして……それ以降どうも調子がおかしいんですよね」

「そう。それは心配ね。ちょっと診てみましょう。中に入って」

全てを聞くまでもないといったふうで、おばさんは先に立って奥へ歩いて行く。

安っぽいタイルが貼られた床は、やはり長いこと掃除がされていなかったらしく、スリッパの底からざらつく感触が伝わってきた。狭い廊下を進むと、右手に小さな部屋があった。『入院手術随時』と看板に書いてあった文字を思い出した。おそらく中絶手術をした女性がここで休むのだろう。開け放たれたカーテンの向こうには粗末なベッドが置いてあった。その上には、貸し布団業者から調達したかのような、ピンクの地に派手な柄の入った掛け布団が掛けてある。薄暗い空間に目を凝らすと、垢《あか》や汗で薄汚れている黄ばんだ布団カバーが目に入った。

「こっちの部屋ね」

「はい」

どうやら診察はその反対側にある部屋で行なわれるらしい。言われるまま部屋に入り、そこに置かれたものを見た瞬間、僕はぎょっとなった。そこは十畳ほどの部屋で、入るとすぐのところに産婦人科で使われる開脚台が置かれていた。ベッドの上には白いシーツが敷かれていたが、U字形にくぼんだところ、つまり女性の局部にあたる部分には茶色く乾いた染みがこびりついていた。その周りには本や書類が乱雑に積み上げられ、曇りガラスの前に置かれた机の上には手術器具が無造作に並べられている。

本当にここは病院かよ。

おおよそ、清潔という概念からかけ離れた部屋の雰囲気に、不安は募る一方だ。

いきなり部屋を仕切っていた背後のカーテンが引き開けられた。

振り向くと、初老の男が立っていた。脂気の抜けた髪は寝癖がついたままで、白いものが交じった無精髭《ひげ》が顔の下半分を覆っている。小太りの体に纏《まと》った白衣は、皺《しわ》が目立ち、長く洗濯すらしていないのか、ところどころに赤茶けた染みが目立った。猫背のせいもあって、安っぽい黒縁眼鏡の下からこちらを見据える瞳《ひとみ》が三白眼になっている。瞬間、脳裏にいつか見た映画の一シーンが浮かんだ。タイトルは忘れてしまったけれど、貧民街の片隅にあるバラックで、ポン中の人間たちを相手に注射を打って生計をたてている闇医者の姿だ。痩《や》せ衰えた獲物の腕にゴムバンドを巻き、医者としてのプライドや、世間体といったものはとうの昔に捨て去ったといった感じのする醒《さ》めた目で針を突き刺す。金のためなら何でもやる。そんな凄《すご》みをこの男も持ち合わせていた。

「どうしたんだあ」

割れるような大声で男は訊ねてきた。

「亀頭と尿道に違和感があるんですって」

すかさずおばさんが応《こた》えた。やり取りから察するに、どうやらこの男が医者らしい。

「ふう〜ん」

男はゆっくりと視線を上下に走らせ、僕の全身を舐《な》め回すように見た。

「何か、覚えがあるのか」

まるで犯罪者に刑事が尋問するような口調だった。

「あの、二週間前にですね、彼女とセックスをしまして——」

僕はもう一度さっき玄関で話した通りのことを繰り返して説明した。

「それで、今日は一人で来たのか」

話が終わったところで、男が訊ねてきた。口ぶりが取り調べをするような詰問調だったので、僕は思わず姿勢を正して問い返した。

「と、言いますと」

「相手から貰《もら》ったんだったら彼女も一緒に診察しないと意味ないじゃないか。その女が治療しないうちにまたやると、同じことの繰り返しだぞ」

「いや、今日診ていただいてですね、それで何かあったら、今度は彼女も治療していただこうと……それに、彼女、今日は学校があって……」

咄嗟《とっさ》に嘘を言った。

本当のことを言えば、特定の彼女なんかいやしない。二週間前に身に覚えのあることをしたというのは本当だけど、それは歌舞伎町にあるファッションマッサージでのことだ。こんな状況に陥って、今さらでまかせを言ってもしかたがないのは分かっていたが、金で欲望を処理した果てに聖病《ひじりやまい》を貰ったなんて、あまりに恰好《かっこう》が悪い。

「相手は学生か」

「ええ、まあ、専門学校ですけど」

「最近は素人でも、いろんな病気持っているのが多いからな」男はそう言うと、「まあいい。それじゃ診てみるから、ズボンとパンツを下ろして」

診察にとりかかるところからすると、やはりこの男が医者であるらしかった。

こういう展開になることはもとより覚悟していた。僕はジーンズのベルトを緩め、ボタンを外すと、パンツもろとも膝《ひざ》の辺りまで引き下げた。診察に使用するとは思えない、ブリキの笠《かさ》がかかったスタンドに黄色い光りが灯った。至近距離からの光りを浴びたペニスは、表面が乾いた肉の棒といった感じで、グロテスク極まりない。いつも小便の度に目にしているのと同一のものとはとても思えなかった。医者は露《あらわ》になったペニスを、料理用の使い捨ての手袋をはめた手でおもむろに握ると、根元から先端に向かって思いきり絞り上げてきた。

「痛《いて》え！」

思わず悲鳴を上げたが、医者はお構いなしである。

「あれ？　出ねえな」

そう言いながら、いつの間にか手にしていたプレパラートを二度三度と尿道に押し付けた。曇りガラスから差し込んでくる日に翳《かざ》すと、微かだが白く乾いた痕跡《こんせき》が残っているのが見えた。

「もうパンツ上げていいよ。あんた今日小便は」

「いえ、まだです」

「それじゃ、すぐに出るね。これに取ってきて」

医者は傍らに置いてあった透明なコップを差し出してきた。手に取ると、ぶ厚いガラスの底に小さな丸い凹凸が細工されている。どこかで見たことがあるぞと思ったのも道理、カップ酒の空き容器だった。

普通、こういう時に用いるのは、使い捨ての紙コップとか、理科の実験でよく使ったビーカーとか、もっとましなものだろうが。それがよりによってカップ酒の空き容器はねえだろう。ほんと大丈夫かよ、この病院。

不安はますます増幅されるばかりだったが、ここまで来て引き返すわけには行かない。

「トイレは向こうよ」

傍らで一部始終を見ていたおばさんが言ったが、もはや彼女が何者なのかは関係ない。部屋を出て、トイレのドアを開けた。本来、僅《わず》かに水が溜《た》まっているはずの和式の便座の平たい部分は、長いこと使った人間がいなかったらしく干からびていた。

ズボンのファスナーを下ろして、最初の尿をコップ三分の一ほどのところまで注ぎ込むと、診察室に戻った。

「取れたか」

「はい」

コップを手渡すと、男はそれを曇りガラスから漏れてくる日の光に翳した。

「ウ、ウロは浮いていねえな」

「ウロ？」

「膿《うみ》のことだよ、膿。淋病《りんびょう》やクラミジアなら、一週間も経てば、この中に膿が浮いているもんなんだ」

「それじゃ、僕はクラミジアや淋病には感染していないんですか」

「そりゃ何とも言えねえな。おい母さん」

医者は背後に控えていたおばさんに呼び掛けると、コップを手渡した。彼女はそれを受け取ると、スポイトで僅かばかりの小便をプレパラートの上に垂らし、顕微鏡を覗《のぞ》き込んだ。ものの数秒もしないうちに、

「菌は見えないけど」

いとも簡単に言った。

「でも、先生。俺、本当に尿道がむず痒《がゆ》くて。それに亀頭《きとう》も熱を持ったような気がするし」

「まあ、もっと精密な検査をしてみないと、何とも言えないけどさ。罹《かか》っていたとしても抗生物質を飲めば大丈夫だ」

割れるような声で断言した。

精密な検査も何もあったもんじゃねえだろう。ペニスの先をプレパラートに擦《こす》って、小便、それもカップ酒の空き容器に入れたのを日の光に翳したただけで、そんなことが分かるのかよ。

そう言いたくなったが、たとえ性病に罹っていたとしても、治療法は抗生物質しかないことは、素人でも知っている。とにかく、この二週間悩まされ続けてきた不快感から解放される。それだけでも良しとすべきだ、と考えて僕は黙ることにした。

「それじゃ、これに一応あなたの名前と住所を書いてね」おばさんが粗末な紙を差し出してきた。「一応カルテは作らなきゃならないから」

僕は、所定の事項を紙に書き込むと、保険証を添えて手渡した。おもむろに医者がそれを横から引ったくった。それに一瞥《いちべつ》をくれると、

「岩崎陽一《いわさきよういち》さんね。あんた仕事は」

舐めるような視線を向けながら訊《き》いた。

「飲食関係の仕事をしています」

「これは、君の名誉のために返しておく」

保険証だけを突き返してきた。

「はあ?」

一瞬、意味が分からずに問い返すと、

「社会保険に入っているような会社に勤めているんだったら、性病に罹ったなんてことが知れたら恥だろう。将来のある身だ、これは返しておく」

男は恩着せがましい口調と共に、保険証を目の前でひらひらと振った。

病院の前を何度も往復する間に、入り口の前に掲げられた看板に『入院手術随時。各種保険取り扱い』と書かれていたのは確認してあった。当然、今行なわれた検査にも処方される薬にも、保険が適用されるはずだ。しかし、いざ医者の口からそう告げられると、そこはかとない不安が頭を擡《もた》げてくる。

もともと僕は山形の田舎に農家の次男坊として生まれ育ち、大学へ進むのを機に上京した。大学といっても、その名前を口にすると誰もが訊《たず》ね返してくる、偏差値ヒエラルキーの最底辺にある大学の経済学部だった。塾もなければ、特別な受験指導がされるわけでもない。進学者も各種学校を含めても学年の一割もいない高校から、その程度の大学にでも合格できたのは、むしろ幸運と言わなければならない。

そんなせいもあって就職には大変な苦労を強いられた。バブルの頃ならいざ知らず、今は企業の完全な買い手市場である。インターネットでエントリーをしても、返事は皆無だった。面談はおろか、企業説明会の予定すら知らせてこなかった。結局、就職が決まったのは、大学を卒業する一月前。それも就職情報誌を見て、応募した会社にかろうじて滑り込むことに成功したのだ。

『株式会社アクセスコーポレーション。定昇年一回。賞与年二回。社保、社員寮完備』

職業を問われた時に『飲食関係』と答えたけれど、その言葉に嘘はない。だけどもっと詳しく言えば、アクセスコーポレーションというのは、銀座にある高級クラブを経営している会社で、僕の仕事はそこのボーイだ。

毎月二十五日に支払われる給与の中からは、決して安くない額の保険料が天引きされていた。健康保険を使えば会社にそれが何の治療目的で使われたのか、そうした報告が行くものなのかは知らない。でも正社員は僕を含めて二十名そこそこの小所帯だ。もしも僕が保険を使った目的が性病治療なんてことが会社に分かってしまうなら、その事実はあっという間に全員が知ることになるだろう。いやそれだけで済むはずがない。店には五十人以上のホステスがいる。入社間もない新入社員が、性病に罹ったなんて話は、恰好《かっこう》の話題の種になってしまうに違いない。そうなった時の彼女たちの反応を考えるとぞっとする。

「すんません……」

僕は思わず突き返された保険証を受け取っていた。それも情けないことに頭まで下げていた。

「それじゃ検査と薬代、それに初診料も含めて四万五千円だ」

「四万五千円！」

やっぱり保険を使おうと思ったが、

『これは、君の名誉のために返しておく——』

たった今言われた言葉が、脳裏に蘇《よみがえ》ると、その気も萎《な》えてくる。

医者は早くも黄ばんだカルテによたった文字で何事かを書き込んでいる。

僕はズボンの後ろポケットから、初任給を貰った記念に買ったクロムハーツのチェーンで繋《つな》がった財布を出すと、一万円札を五枚、医者に手渡した。

税金や保険料、それに寮費を支払うと、手取り十五万円を切る身には大変な出費だった。

医者はカルテから顔を上げると、無造作に札を数え、ポケットの中から釣り銭の五千円札を手渡してきた。初老の男の体温と汗で湿っている札の感触。検査の際に僕のペニスを摑《つか》んだことが思い出され、札の中で菌が繁殖を続けているような気がした。

「これ。抗生物質。一日三回。十日分出しておくから」

手回し良く、白い紙袋に入れられた薬をおばさんが差し出してきた。

「どうも……」

僕はぺこりと頭を下げると、早々に部屋を出た。

薄暗い病院を出ると、真夏の太陽に熱せられた大気が肌にまつわりついた。ジーンズの裾《すそ》を通してアスファルトの道路に籠《こも》った熱気が這《は》い上がってくる。とりあえず薬を貰《もら》った安心感からだろうか、先ほどまで感じていた股間《こかん》の不快感はどこかに消し飛んでしまっていた。

畜生！　高いもんについちまったなぁ……。

僕は路面に一つ唾《つば》を吐くと、二度とこんな場所に来るもんか、と心に誓いながら小走りに病院を後にした。

＊

新大久保から歌舞伎町まで、熱にうだる街を歩いた。

ラブホテルが立ち並ぶ街は、昼ということもあって人通りは閑散としていたが、それでも時折明らかにこれからことに及ぼうとしている何組かのカップルとすれ違った。最初に女性の方に目が行くのは男の悲しい性《さが》というものだ。女が好みのタイプでなければどうということはないのだが、こんないい女がこれからベッドの上であられもない痴態を繰り広げるのかと思うと、それだけでも股間が疼《うず》いてくる。

そんな時は、決まって男の方にも目が行ってしまう。明らかに容姿風貌《ふうぼう》共にとうてい自分では太刀打ちできないと思う時は別だが、風采《ふうさい》の上がらないおっさんだったりすると、何でまた、よりによってこんなのと……と、嫉妬《しっと》とも羨望《せんぼう》ともつかぬ気持が込み上げてくるのを禁じえなかった。

恥ずかしい話だけれど、僕は素人童貞だった。初体験を済ませたのは二十歳の時、吉原のソープランドでのことだ。中学生で童貞を捨てるガキもいる時代に、随分遅い初体験には違いない。もちろん女性には人並みの興味は持っていた。高校の頃は、寝ても醒《さ》めても頭に浮かぶのは女のことばかりだった。ヤルこと以外、頭になかったと言っても過言ではなかったろう。朝起きると、勃起《ぼっき》したペニスを握り締め、最初の放出。家に帰って、宿題をこなしていても、手は自然に股間に行き、二度目の放出。そんな日々を過ごしていたものだった。もちろん、田舎とはいっても、早々に初体験を済ませた同級生は数えきれないほどいたし、その気になればヤラせてくれる女だっていないわけじゃなかった。だけど、そうした女に手を出さずに三年間を過ごしたのは、初体験にはそれに相応《ふさわ》しい思い出を作りたいという気持があったからだ。想いを寄せる女性と相思相愛の仲になる。デートを重ね、やがて手を握る。そしてキス――。童貞を捧《ささ》げる女性とは、そんなステップを踏んで初めて結ばれたい。当時の僕は本気でそう思っていた。だから処女は邪魔だとか、初体験を簡単に済ませて大人になったと喜んでいる女の気持はどうしても理解できなかった。

想いを寄せた女性は何人もいた。どきどきしながら告白したこともあったが、恋はただの一度も成就することはなかった。全戦全敗。僕は童貞のまま、山形を出ることになった。

大学に入っても、二年間は同じような日々が続いた。初体験を不本意な形で済ませることになったのは、今から考えると本当にものの弾みというやつだった。

若く精力を持て余した男が顔を揃えれば、話題が及ぶ先は女の話と相場は決まっている。偏差値ヒエラルキーの最底辺にある大学に入ってくる人間ともなれば、高校時代にろくに勉強などしてこなかったやつばかりだ。その代わり勉強一筋の人間たちとは違い、おおよそ世間では非行と呼ばれる悪事の限りを尽くしてきたやつはごろごろしていた。喫煙、飲酒なんてかわいいものだ。今では死語に等しいけれど、不純異性交遊、暴走族、万引き、かつあげ――。まるで犯罪者の集団みたいなものだった。

あの日、僕のアパートには四人の同級生がいた。午後の授業をさぼって、酒を酌み交わしているうちに、話題はいつものように女の話になった。

適当に話を合わせて聞き手に回っている僕に向かって、

「そう言えば、岩崎の体験談って聞いたことなかったな」

悪友の一人が話題を振ってきた。

内心、大いに慌てた。だけど、四人の体験談は、どれもこれも当時の僕からすれば、物《もの》凄《すご》いもので、まだ童貞だとはとても言い出せるものではなかった。僕はエロ本で仕入れた、ストーリーを基に、乏しい想像力を働かせ、必死に架空の話をでっち上げた。同じ話をもう一度しろと言われても、とてもできはしないだろう。何をどう話したのかだって覚えちゃいない。つまりそれだけ必死だったのだ。嘘はどうやらバレずに済んだ。安堵《あんど》感に包まれていたせいで、どうしてそんな展開になったのかは覚えていないのだが、突然中の一人が言い出した。

「何だか、急にやりたくなっちまったな。そうだ、これからソープに行こうか」

「馬鹿言え、ソープって高《たけ》えんだろう」

「そりゃあ、高級店に行きゃあ何万もするけどさ。ピンからキリまであるのはソープも同じ。総額一万五千円って店だってあるのさ」

「それって、化け物みたいなおばさんが出てくるんじゃねえの」

「今の時代にそんな店なんてありゃしねえよ。高えか安いかは時間の違いだけと言ってもいいだろうさ。安い店だって、若いだけじゃなく結構かわいい娘《こ》が出てくんだぜ」

皆乗り気になった。学生にとって一万五千円は大金だけれど、まだ銀行が開いている時間だったのが話を加速させた。酔いのせいもあったのだろう。それに皆の話を聞いているうちに、何だか後生大事に童貞を抱えて悶々《もんもん》としているのが煩わしくなったのかも知れない。更に悪いことに、あの時手元には、帰省した際に祖母から貰った小遣いが二万円ほどあった。

とにかく、僕は皆と連れ立って、夜の吉原に乗り込んだ。

店の名前なんか覚えちゃいない。今では初体験の相手になった女性の顔も思い出せない。ただ、セックスという行為が、いざ経験してみると、これまで脳裏に思い描いていたものとは随分かけ離れた、どうというほどのものではなかったという記憶があるだけだ。

童貞という重荷から一旦《いったん》解放されてしまうと、今度はいかに数をこなすか、という方向に興味が向く。ヤレル女なら誰でもいいと思った。だけどいざその気になってみると、これがなかなかうまく行くものではなかった。三流以下の名も知れぬ大学生では、合コンを企画してもまともな女などそう集まってきやしない。いや肝心の女性そのものが集まらないのだ。時折ナンパをしようと、渋谷《しぶや》や池袋といったところのクラブに出掛けたりもしたのだが、最初は話が弾んでも、

「あんた学校どこ？」

その一言で、女は白けた笑いを残して去って行ってしまうのが常だった。まして大学は都心から離れた埼玉にあり、首尾よくクラブで女を調達できたとしても、連れ込む先はホテルしかない。実家からの仕送りはアパート代と生活費を支払うと底をつき、不足分は道路工事のガードマンや、交通量調査といった肉体労働で稼ぐしかなかった。それも、携帯電話や飲み代を払ってしまうと幾らも手元に残らない。そんな中からホテル代を捻出《ねんしゅつ》するのは至難の業だった。ましてや深夜のホテルは時間制がほとんどで、女の子が喜びそうな小奇麗なホテルはべらぼうに料金が高い。いきおい目が行くのはアパートに連れ込みやすい同じ大学に通う女子学生ということになる。

そんな中で出会ったのが、同級生の川村《かわむら》さくらだった。

ただでさえ経済学部に通う女の子は少ない。そのせいもあってか、さくらは一際目を引く存在だった。今どきの若い女性にしては珍しく控え目で、清楚《せいそ》な感じさえ漂わせる雰囲気を持つさくらに、僕は一目見た時から恋心を抱いた。黒く長い髪。まるでアニメの声優を思わせるような声。そしていつも眩《まぶ》しいものを見るように、伏し目がちにしている目蓋《まぶた》から伸びた長い睫毛《まつげ》……。

親しく言葉を交すようになって、何度かデートをしたこともあるのだが、よほど親が厳しいのか、食事をしていても、夜九時になると帰ってしまう。

いっそ思い切って、自分のアパートに連れ込むか。それとも勇気を出してホテルに誘ってみるか……。

そんな思いに駆られることもしばしばだった。しかし、拒絶された時のことを考えると、それも言い出せなかった。何よりもさくらにはそうした言葉を吐くことすら躊躇《ちゅうちょ》させる、気高ささえ感じさせる雰囲気があった。まさに掃きだめに鶴とは彼女のためにある言葉だった。

いつかはこの腕の中に彼女を抱く。愛《いと》おしさが募る度に頭の中はそんな妄想でいっぱいになった。その時のことを考えると、僕の体は込み上げてくる欲望で爆発しそうになり、軽い財布の中身を確かめては、ファッションマッサージの店に駆け込み欲望を満たした。

さくらとの付き合いは、学校を卒業してからも続いていた。

彼女の家は、都内で小さな印刷工場《こうば》を経営しており、月に一度程度だが、今でも週末に二人で映画を見たり、食事を共にするということを繰り返していた。メールも頻繁に交換していた。もっとも僕が三回送れば、彼女がようやく返事をくれるといった程度だけれど、確実に返事がきて、デートの誘いを断らないところを見ると、まだ特定の男はいないのだろう、と僕は踏んでいた。しかし、学校を卒業してもなお、夜九時になるとお別れであることに変わりはなかった。そして僕はと言えば、さくらに会う度に満たされない欲望を覚えてはお決まりの風俗通いを繰り返していた。

正直なところ風俗に行っても、特に性病の心配などしたことはなかった。それが一変したのは、つい最近不規則な仕事を心配してか、田舎の母が、「若いといっても、お前もこれからは体のことを心配しなくちゃね」と言って、送ってきた『家庭の医学』を読んでからだ。

こんな本を送られてきて、若い男が真っ先に読む項目は性に関するものと相場が決まっている。

性病の項目を読んでいるうちに、すっかり聖病に関しては詳しくなってしまった。それに拍車をかけたのが、ある日偶然に目にしたテレビニュースの特集コーナーを見てしまったことだ。

「最近若者の間では性病が蔓延《まんえん》していて、淋病、クラミジアやトリコモナスといった病気に罹《かか》っている女性が多いのです。こうした性病は、オーラルセックスでも感染し――」

そうしたナレーションの後に、性病科で検診を受ける女性たちが画面に現れると、「クラミジアとトリコモナス、それに淋病もあるかも知れないって言われた。でも平気だよ。薬飲めばいいんでしょう」

無邪気に言い放つ女性の姿。これが夜の巷《ちまた》で遊び惚《ほう》ける今どきの若い女の子だとなれば、金と引き換えに不特定多数を相手にしている風俗嬢は罹患《りかん》率がもっと高いということになる。そして、そこに足繁く通うこの僕は、間違いなくハイリスク・グループに入る。

もしもさくらをこの手に抱くチャンスが来た時に、変な病気でも持っていたら……。間違いなく彼女との仲はその時点で終わってしまう。

そう思うと、深夜にアパートに帰ってベッドに入り、電気を消した瞬間から、体中の全神経が股間《こかん》に集中するようになった。亀頭《きとう》が熱を持っている。闇の中で尿道がむず痒《がゆ》く、菌が這《は》い回っているような思いに襲われた。亀頭が熱を持っているような気さえしてくる。

性病科を訪ね、検査を受けてみようという気になったのは、そんな経緯があってのことだ。

それにしても、四万五千円はねえだろう――。

僕は、高くついた代償にすっかり打ちのめされた。貯金なんて代物はありはしなかった。給料だけでもやっとなのに、今月をどう乗りきったらいいのか。まさか前借りなんてできやしない。

こうなればやっぱりあいつに頼るしかないか。

ホテル街の半ばまで来たところで、携帯電話を取り出すと、メモリー機能を使って一つの番号を呼び出した。

短い発信音の後に相手が出た。大学のクラスメートで、平木《ひらき》謙介《けんすけ》だった。

「俺、岩崎」

「おう、陽一か。久しぶり」

「今新宿にいるんだけどさ。これから会えねえかな」

「配達の途中だけど、もうすぐ昼飯で家に帰るから。あと三十分ってとこかな」

「あのさ、悪いんだけど、ちょっと金貸してくんねえか」

「金？　幾ら」

「三万……」

「三万かあ」

「次の給料日には返すから。頼むよ」

「分かった。いいよ。店の方に来てくれるか」

「じゃあ、三十分したら行くよ」

謙介の実家は歌舞伎町で酒屋をやっていた。何しろ日本有数の繁華街である。そこで消費される酒の量は半端なものではない。酒を出さない店は、ファッションマッサージや覗《のぞ》き部屋といったヌキ専門か、ファストフードの店ぐらいのものだろう。星の数ほどある飲食店を相手に、酒を売りまくるのだ。

もちろん競争はそれなりに激しいものがあるのだろうが、それでもマーケットがでかい分だけ、商いは大きいらしく、在学中から謙介が金に困ったという記憶はない。更に歌舞伎町で生まれ育ったということもあってか遊びにも長《た》け、ちょっとした無頼の輩《やから》を気取っている節もあった。そう言えば、僕の初体験となったソープへ行くことを言い出したのも謙介だった。

山形の田舎育ちの身とは、生い立ちも違えば、趣味嗜好《しこう》も全く異なるのだが、どういうわけか妙に馬が合い、僕にとっては、数少ない親友と呼べる存在だった。

これまでにも何度か遊びに行ったこともあって、店の場所は知っていた。歌舞伎町の目抜き通りの一つ、靖国《やすくに》通りから区役所通りに少し入った辺りの一角だ。店の間口はそれほど広くはない。せいぜいが三間といったところだろうか。この程度の大きさの酒屋なら、実家のある山形の田舎町にもあるが、もとよりふりで訪れる、つまり小売りの一般客はそれほど多くはないのだという。その日に納入する酒の量を店に置いておくのは、無駄にスペースを食うだけだ。平木酒店は、店とは別に大久保に倉庫を持っており、配送はそこから行なっていた。そのお陰で、店舗は五階建てのビルになっており、二階から上は貸し店舗になっていた。そこから上がる家賃収入だけでも、かなりのものになっているはずだった。

とにかく、謙介は金に困るような身分ではなかったのだ。

店までは十分もあれば着いてしまうだろう。

その間に僕は、目に止まったコンビニに入ると、ミネラルウォーターを買った。毎食後三十分以内に服用。抗生物質の入った袋にはそう書いてあったが、空腹時に使用した方が、吸収が早いのではないか、そう思ったからだ。

冷房の効いたコンビニを出ると、薬を取り出した。三種類の薬が入っていた。これが四万五千円かよ。人の弱みにつけ込むようなあこぎな商売しやがって。いまいましさが込み上げてきた。それでもアルミパックに包まれた錠剤を三種類、掌《てのひら》に載せると、冷えたミネラルウォーターで一気に飲み干した。

どぎつい原色の文字で、男の欲望をいやでもかき立てるような謳《うた》い文句が書き連ねてある看板が立ち並ぶ通りを、僕はゆっくりと謙介の店へと歩いた。

やがて区役所通りへ出たところで、靖国通りに向かって歩を進めた。

約束の時間までは、まだ十分ほどあったが、平木酒店と思《おぼ》しき辺りに、一台のトラックがハザードランプを点滅させながら止まるのが見えた。

運転席のドアが開き、一人の男が降り立った。謙介に間違いなかった。

「謙介」

「おう、岩崎。久しぶり」

「配達の途中に無理言って悪《わり》いな」

「ちょうど昼飯の時間だ。気にするな」

日に焼けた顔の下から謙介の白い歯が覗いた。真夏の太陽の下での酒の配達は楽なものではないのだろう。ビール一ケースだって、かなりの重さになる。それが四トントラックに一台分。おそらくそれを何度となく積み替えては配達するということを、一日中繰り返すのだ。金色に染めた頭髪とピアスは、自由人の証《あかし》だ。汗で体にへばりついたTシャツの下には発達した筋肉が透けて見える。色が褪《あ》せたジーンズ。藍《あい》の色が飛んだ前掛けが、肉体労働のきつさを物語っている。

「それで、三万都合して欲しいんだって」

「今度の給料日には返すから、頼むよ」

「それはいいんだが、いやに半端な額だな」

「薄給の身にはそれでも結構な金なんだ」

「お前の頼みとあっちゃ断れないが、どうした。パチンコで大損こいたか」

「いや、そんなんじゃないんだ」

いくら気心が知れた相手とはいえ、まさか性病科に行ってボラれたなんてことを言えるわけがない。

「あんなもの止めた方がいいぜ。まあ時間潰《つぶ》しにはいいんだろうが、大当たりしたところで儲《もう》かる金はたかが知れている」

「だから、そうじゃないって言ってるだろう」

「まあ、いいさ。お前、昼飯は」

「まだだけど」

「それならちょうどいい。飯を食いながら話そう。午後の配達まであまり時間がないから、牛丼でいいか」

「ああ」

「心配するな。借金頼んできた人間に、割り勘なんて野暮なことは言いやしないからさ」

そう言うと、謙介は店の奥に向かって一声掛けると、先に立って歩き始めた。

牛丼屋までは僅《わず》かの距離しかなかった。

店に入るとすぐに、

「特盛り。つゆダクで。それにみそ汁に卵」メニューを見ることなく注文すると、「お前も同じでいいか」

と、訊《き》いてきた。

「ああ」

「じゃあ、それ二つね」謙介はカウンター越しに言うと、「そうそう、三万だったな。忘れないうちに渡しとくよ」

ジーンズのポケットに手を入れると、汗で湿った札を取り出した。

「悪いな。月末には返すよ」

親友とはいえ、さすがにばつが悪かった。僕はそれを受け取ると、すぐにポケットに入れた。

「お前仕事の方はどうなのさ。うまく行ってんの」

謙介は、カウンターに備え付けられた、ショウケースの中からお新香を二つ取り出して並べた。

「うん。まあね」

「大変だろう。水商売の下働きは」

「正直言ってこんなに大変だとは思わなかったさ。何しろ俺は一番の新人だからね。三時には店に入って、掃除、それに前の夜入れた酒やツマミのオーダーが間違いなく入っているか。花は届いているか。そんな雑用をやっていると、あっという間に夜だ。慌ただしく夕飯を食ったと思うと、ミーティング。そして開店。店が終えたら今度はホステスさんを送らなけりゃならない。家に帰るのは、もう明け方だ。それで手取りは十五万だぜ。残業手当もつかなけりゃ、何の役得もない」

「まあ、『クイーン』といやあ、銀座でも超一流店だ。ボーイだって生半可なことじゃ務まんねえだろうさ。集まってくる客は、大金を払うんだ。それに見合ったサービスがなけりゃなあ」

「ほんと、店の繁盛ぶりを見てると、世の中が不況だなんて嘘のようだぜ。一本何十万もするような酒を飲んで、平気でいる客がごろごろしてるんだぜ。それも大方は、入れ替わり立ち替わり席につく女の子に飲まれてしまうのにね。一回の勘定が百万近くになる客も少なくないのに、週一の割合で通ってくる客だっている。もっとも最近じゃ銀座と言っても客が寄って来るのは、超のつくウチのような高級店か、普通のサラリーマンでも行ける大衆料金の店と二極分化しているようだけどさ」

「新宿だって同じようなもんさ。もっともここじゃばか高い金を取る店はそう多くはねえが、歌舞伎町ならではのサービスを売りにする店はごまんとあるからな」

「抱きキャバとか、ピンサロもどきのサービスをする店のことかい」

「そうした店もあるけどさ、銀座になくて歌舞伎町にある代表的なもんがホストクラブだ」

「そんなに繁盛してんの？」

「男を客にしているお前には、ピンとこないかも知れねえけどよ、今の時代派手に金を使うのは、男じゃねえ、女だ」

湯気を上げる牛丼が僕たちの前に置かれた。謙介は、紅生姜《べにしょうが》を山盛り載せると、汁をたっぷりと含んだ丼に直接口を付け、わしわしと掻《か》き込みながら続けた。

「全くどうかしてるぜ。一昔前なら、ホストクラブになんか来る女は、金持ちの有閑マダムとかさ、そんな類《たぐ》いと思ってたんだが、最近じゃ大した金も持っていねえ、普通の女が来るんだな」

「勘定だってそんなに安くはねえんだろう」

「まあ、女版のキャバクラみたいなもんだからな。セット料金ってのは決まってるんだが、そんなもんはあってないようなもんだ。銀座も同じだろうが、要は客に何を飲ませるかだ。実際、うちのお得意のところなんかでも、月末のホストの売上順位が決まる頃になると、夜中に電話をかけてきてさ。チョー高《たけ》え、ワインをすぐに持ってきてくれなんて言うのさ。エシュゾーとかさ、ラターシュ、それにシャンパンだとドンペリのゴールドとかさ」

「ドンペリのゴールドなんて言ったら、うちの店じゃ一本二十万円だぜ」

「歌舞伎町のホストクラブだってそう変わりはしねえだろうさ。それを見てる前で、ホストが寄ってたかって一気飲みするんだ。金を払う女の子なんて、飲めるのはたった一杯がせいぜいだ」

「しかし、そんな大金を払える女って何やってるんだ」

「特別なことなんかしちゃいねえよ。そこら辺を歩いている、普通の女の子だ。だから最後はホストクラブで使う金欲しさに、てっとり早く日銭を稼げる風俗で働くようになっちまう。そんな女、お前の店にだって結構いるんじゃねえのか」

「そう言えば、うちの店にもホストが来るな」

「ばか高いお前の店にホストが足を運んでいるところを見ると、そいつに指名された娘《こ》もそうとう使ってるな」

　謙介はまるで茶漬けを啜《すす》るように牛丼を掻き込んで行く。

「いいなあ、お前」

　いかにも肉体労働者といった態《てい》で、牛丼を平らげていく謙介を見ているうちに、そんな言葉が口をついて出た。

　在学中から、家業を継ぐことが決まっていた謙介は、授業など適当、ダブルことなく卒業できさえすればいい、といった態で遊び惚《ほう》けていた。金回りにも当時から不自由していた記憶がない。何から何まで、僕とは大違いだった。

「何が」

謙介は箸《はし》を止めて聞き返してきた。

「その分だと商売も繁盛しているようだし、金に困っているふうでもない。俺のように、就職でさんざん苦労した揚げ句、水商売に足突っ込んだのとは全然違う」

「馬鹿言え」口の中で咀嚼《そしゃく》していた飯粒を飛ばしながら謙介が言った。「最近じゃこの商売も傍目《はため》で見ているほど楽じゃねえ。酒の安売り店なんてもんは、巷《ちまた》に氾濫《はんらん》しているからな。得意先を離さねえためには、こっちだって対抗上納品価格を下げなきゃなんねえんだ。それに親父のやつ、俺が店に入った途端に、『今までのようには行かねえぞ。他の従業員の手前、丁稚《でっち》からのスタートだからな』なんて言いやがってさ。いったい俺が毎月幾ら貰《もら》ってると思う」

思わず言葉に詰まった僕に、

「たった十万だぜ。それもボーナスなし。残業手当なしだ」

謙介は吐き捨てるように言った。

「それだけかよ」

「何しろ、実家に住んで飯も食わして貰ってるだろう。親父のやつ、それでも払い過ぎだって言いやがる」

「それでお前やって行けんの？」

「やって行けるわけねえだろう。十万なんて、煙草銭と飲み代で消えちまうよ。副収入がなかったら、俺の青春、真っ暗闇だ」

「副収入って何さ」

「まあ、お決まりの話さ。ギャンブルだよ」

「お前、博打《ばくち》始めたの？」

「最初のうちは、店のバイトや従業員を集めて、チンチロリンをやったのが始まりよ。マッチ棒一本五十円。それで、めいめいが二十本を元手にして、丼囲んで骰子《さいころ》転がすことをやってたのさ。これがめっぽうついてさ、一晩で一万円くらい稼ぐこともあった」

「それじゃ月収四十万円かよ」

「毎日勝ち続けりゃそういうことになるが、博打はそんなに甘かあねえわな。勝ったり負けたり、それでも月にならすと、十万程度は稼いでいたかな」

「すげえな」

「でもさ、そのうちバイトの連中が、これじゃ何のために働いているのか分かりゃしねえ、とか言い出しちまってさ。それで、今度は競輪を始めた」

「競馬じゃなくて競輪かよ」

「最初は競馬をやってみたんだが、馬畜生に金を注ぎ込むのはどうも性に合わねえ。それで近所の親父に一度競輪場に連れて行って貰ったんだが、こいつが面白いのよ」

謙介の言葉に熱が籠《こも》って来るのが分かった。

「最初は、出身地や期がどうのとか、やたら複雑だったんだが、何度かやっているうちに、基本的なポイントが分かってくると、展開が読めるようになるんだな。あれは面白いぜ。一レース一レースにちゃんとしたストーリーがあって、まるでよくできたドラマを見ているようなんだ」

「そんなもんかねえ」

女に関しても素人童貞なら、ギャンブルだって童貞の僕には、いま一つピンとこない。

「それに、何と言っても最大の魅力は配当よ。何千円どころか万車券だって珍しくねえんだ。それが証拠に、ほれ」

謙介は前掛けのポケットの中を広げて見せた。

一瞬どきりとした。そこにはぶ厚い札束が無造作に入れてあった。たぶん三十万は軽くあるだろう。

「そんなに簡単に儲《もう》かるもんなの」

「馬鹿言え。そんなに簡単に儲かるもんかよ。取られる方が遥《はる》かに多いに決まっているけどよ。だけど、当たれば配当が競馬なんかよりずっと高い分だけ、リターンもでかいことは確かだ。いけねえ」謙介はそこで、慌てた様子で時計にちらりと視線を走らせると、

「前橋のレースが始まる時間だ」

「車券売り場なんてこの辺にあるのか」

「そんなことしなくても、レースには参加できるんだよ」

「どうやって」

「本当に世間知らずなやつだな、お前は」そこで謙介は声を潜めると、「ノミ屋だよ」

「ノミ屋？」

僕はギャンブルはやらない。麻雀《マージャン》だって、同じ牌《パイ》が二枚、つまり頭があって、あとは三枚同種のものを揃えるか、続きの数字を揃えればいい。つまりセブンブリッジ程度の上がり方しか知らない。もちろん『役』なんてものも覚えちゃいない。それでも博打、それも公営ギャンブルと名のつくものにはノミ屋というものが必ず介在していることは知っている。客の指定する車券や馬券を電話で受け、実際にはその金を全て懐に入れてしまう連中のことだ。もちろん当たれば配当は支払われるのだが、博打で客が連戦連勝なんてことはあり得ない。つまり胴元は決して損をしないものなのだ。当然ノミ行為は法律で禁じられており、そんな稼業に手を染めるのは、たいていがヤクザと相場は決まっている。

思わず声を上げた僕に向かって、

「馬鹿！　声がでけえよ」

声を潜めながら、前掛けのポケットから一枚のメモ用紙を取り出した。

「ノミ屋って、ヤーさんがやってるあれだろう。そんなとこ使って大丈夫なのかよ」

「ヤーさんだって、商売でやってるんだ。信用第一。的中すりゃ、配当をちゃんと届けてくれる。もっとも負けた時にも、しっかり集金にくるけどな。それにさ、ノミ屋を使うには他にもメリットがあるんだ」

「どんな」

「賭《か》け金の十%を割り引いてくれるんだ。つまり本来百円の車券を買わなきゃならないところを九十円で、千円なら九百円でノミ屋は受けてくれるのさ。たった十%と言うなよ。これだって、塵《ちり》も積もれば何とやら、トータルで考えれば馬鹿にはできねえ。悪《わり》い、ちょっと俺、電話してくるわ」

謙介はそそくさと立ち上がり、携帯電話を手にして店の外へ出て行った。

＊

虚飾に綾《あや》取られた夜がまた始まろうとしていた。

この日はいつもと少し違ったことがあった。新しい雇われママが店に入ったのだ。銀座で働くホステスの顔ぶれはめまぐるしく変わるものだけど、仮にもママを張る女性が入店してくるということはそうあるものではない。

「今日からママをやって貰う上条摩耶《かみじょうまや》さんだ」

銀座の夜は遅い。同伴のホステスは九時までに店に入ればいいせいで、七時という時刻にはバイトのホステスとボーイがいるだけだ。同伴というのは、その名の示す通り、客と店外で待ち合わせをし、その日最初の客として店に連れ込むことだ。ただ性欲を処理するのを目的とする風俗店ならともかく、店をただ開けているだけで客が埋まるほど、この世界は甘いものじゃない。かと言って、街頭でビラ配りをして客を誘うなんて行為は、銀座の高級店の沽券《こけん》にかかわる。そこで席を確実に客で埋めるために生み出されたのがこの同伴というシステムだ。

この道に入ってみて分かったのだが、客があるホステスを気に入って指名したとしても、その娘《こ》が席についているのは極めて限られた時間でしかない。客のボトルから水割りを作り、少しばかりの会話を交す。いよいよ興が乗ってきた辺りになると、ボーイがつつと歩み寄り他の席に女の子を移してしまうのだ。もちろん、作った水割りはほんの少し口をつけるだけで、たいていの場合、ほとんどは残ったままだ。

ばか高い金を払って店に来る客にしたって、何もこんなところで酒を楽しむことだけが目的じゃないだろう。あわよくば……という下心を抱いているからこそ、頻繁に店に顔を出すのだ。ただ店に来るだけじゃ、口説き文句の一つも言えやしない。たいていの場合、席には必ず客以上の数のホステスがつくからだ。だけど、同伴となれば話は別だ。同伴の場合、少なくとも店にやって来る前に、どこかで夕食を共にする。その間は目当ての娘と二人きりで時間を過ごすことができるというわけだ。もっともそうは言っても、思惑通りにことが運ぶものか否かは、僕には分からない。確かなのは、銀座という街では、そんな男と女の駆け引きが毎日当たり前に繰り返される、ということだけだ。

開店準備に追われる僕のところに店長がやってくると、新しく加わったママを紹介した。

アップに纏《まと》めた髪。見るからに高価そうな和服を一分の隙もなく着こなした体からは、焚《た》き込められた香の匂いが仄《ほの》かに漂ってくる。

「岩崎陽一です。よろしくお願いします」

「岩崎君ね。こちらこそ」

歳の頃はまだ二十代半ばといったところだろうか。それにしても、この若さでこんな大箱のママを張るとは、尋常なことではない。丁重に礼をした頭を上げると、僕は改めて摩耶の姿を見た。

まだ若々しい肌の上に薄く塗られたファンデーション。入念に塗られたルージュ。ダウンライトに照らされた店内では、見栄えを良くするために濃い化粧をするホステスが多い中で、むしろ控え目とも取れる化粧は、どうしたら自分の魅力を最大限に引き出せるかを知り尽くしているようだった。

摩耶は優雅な仕草で、魅惑的な微笑みと共に軽く頭を下げると、店の奥へ入って行った。

「店長、あの若さでママですか」

僕はその後ろ姿を見ながら訊《たず》ねた。

「いい女だろう」

「ほんとスね」

「彼女、先月まで『エビータ』でママをやっていたんだ。銀座じゃちょっとした有名人でな。オーナーが何度も足を運んで、やっと来て貰《もら》ったんだ」

業歴が浅い僕にしても、『エビータ』の名前は知っていた。数多《あまた》ある銀座のクラブでも、『クイーン』と肩を並べる超高級店だ。

「それじゃ、エビータの客をごっそりいただけるってわけですね」

「それはどうかな」店長は意味あり気な視線を向けてくると、「彼女、出勤は不定期になるそうだからな」

「どういうことです。エビータでママをやっていたのを引き抜いたとなれば、移籍金だって半端な額じゃないでしょう」

「毎日来なくてもいいだけの太い客を摑《つか》んでるんだよ」

「大金を落としてくれる客ですか」

「ああ」店長は肯《うなず》くと、「お前も知っての通り、こんな店にフリーで入ってくる客なんてめったにいない。馴《な》染《じ》みの客には、全部担当がついている。そんな席についたところで、永久指名がルールだ。彼女には一銭の金だって入りゃしない」

「それじゃ摩耶ママはやっぱり歩合なんですか」

銀座の大箱にはママと呼ばれる人間が何人かいるのが常識だ。その多くが歩合。つまり売上の一定割合を給与として貰うことになっている。要は店にしょば代を払って、独立採算をしていくのだ。クイーンの場合、売上の十六%を店に、残りの八十四%をオーナーとママとで折半する決まりになっていた。そして一旦《いったん》担当が決まってしまえば、客は永久指名となり、ボトルにはそのホステスの名前の書かれたカードがぶら下げられる。たとえ客が他のホステスに目移りしようとも、担当を変えることはできない。もう一つ永久指名のシステムの特徴的なところは、仮に担当のホステスが店を休んでいる間に客が来店したとしても、売上は担当につけられるという点だ。つまりその娘が店に在籍している限り、自分の客が来さえすれば寝ていても金は転がり込んでくるのだ。これも長い銀座の歴史の中で、生み出された、言わばホステス管理のノウハウの一つなのだろう。もしも客の意向で、頻繁に担当を変えることができるとなれば、それこそ体を張って客を奪おうとするホステスが出てこないとも限らない。そんなことになれば、毎日店の中では取っ組み合いの喧嘩《けんか》が繰り広げられ、収拾のつかない事態に陥ってしまうに決まっている。だから多少見栄えがいい程度の女の子が、銀座の世界に飛び込んできても、すぐに大金を稼げるというわけではない。新規の客をいかに多く開発し、摑み続けるか。歩合制のホステスになって初めてプロ。それ以外はバイトの域を出ないと言っても過言ではないだろう。

「当たり前だ」店長は分かり切ったことを訊《き》くなとばかりに言った。「彼女、前の店では月に三千万からの売上を上げたこともあるらしいぜ」

「三千万スか！」ざっと計算しただけでも、摩耶の取り分は一千三百万近くになる。「それじゃ、年収にすれば一億五千万円以上」

声が裏返った。金が乱れ飛ぶ世界に身を置いているとは言っても、所詮《しょせん》雇われの身にとっては、他人の金である。手取り十五万円の身からすると、途方もない金額だった。

「もっとも、毎月そんな売上があるわけじゃないだろうけどさ。だけど、移籍に当たっての条件は月の売上は一千五百万円がノルマだと聞いている」

それでも他に四人いるママと比べれば、間違いなくトップになる金額だった。

「このご時世に、そんな大金を落としてくれる客がいるもんですかね」

「いるから俺たちもこうして食って行けるんだろうが」

「それはそうスけど……」思わず溜息《ためいき》が漏れた。「しかし、女はいいスね。美人に生まれりゃ、それだけで大金を摑むチャンスがいくらでもある」

「お前もこの道に足を突っ込んだんだ。まあ、摩耶ママがどうやって金を稼ぐのか。そのところをよく見ておくんだな」

僕たちが立ち話をしているところに、再び摩耶がやってきた。

「それじゃ私、同伴してきます。店に入るのは九時を過ぎるかも知れませんけど、よろしくお願いしますね」

「いってらっしゃい」

同伴と言えども、九時までには店に入らなければならないのが決まりだった。遅刻した時点で、その日は欠勤扱いとなるのだ。しかし、店長はそんなことは関係ないとばかりに、深々と礼をして送り出した。

傍らを通り過ぎる時、再び微かに着物に焚き込まれた香の匂いがした。

その日はまだ客が入り始める前からいつにも増して慌ただしくなった。入店した摩耶ママへの豪華な生花や、胡蝶蘭《こちょうらん》が続々と届き始めたからだ。エレベーターホールから店の入り口までの狭い通路には、生花が並び、胡蝶蘭の鉢植えだけでも十を超える数が届いた。まさに銀座のトップを張るママの新たな門出に相応《ふさわ》しい、華やいだ雰囲気に店内は綾《あや》取られて行った。

八時を過ぎると、同伴のホステスたちが客を連れて次々と現れる。ボックスで交される話し声に混じって時折嬌声《きょうせい》が上がる。ピアノの音色が店の中に充満し、ホステスが、ボーイが、店の中を忙《せわ》しく行き交う。

息をつく間もなかった。ここにいると、不況などという言葉は嘘のようだった。僕はテーブルの間を回りながら、灰皿を取り換え、酒やグラス、そして氷を運ぶという仕事に追われた。

どれくらい時間が経ったのだろう。一瞬、店内を包んでいた喧騒が止んだような気がした。何気なく中央の通路を見ると、静かなピアノの調べが流れる中、摩耶が中年の紳士を連れて奥のボックスへと歩いて行く姿が目に入った。

男の客たちの視線が摩耶に集中した。ふと腕時計に目をやると、時間はすでに十時になろうとしている。どうやら、摩耶はあれからゆっくりと、この紳士と共に夕食を楽しんできたらしい。

店長が早々にボックスに歩み寄り、まさに平身低頭といった態《てい》で挨拶《あいさつ》をした。

「ドンペリのゴールドを」

クイーンは座っただけで、五万からのチャージがかかる。ドンペリのゴールドは、二十万円。すでにこの時点で、テーブルチャージを含めれば摩耶の懐には、十万五千円近くの金が転がり込んだことになる。

俺の月収分が、たった一人の客のチャージ料と一本のシャンパンでチャラかよ。

そう考えると、なんだかとてつもなく惨めな気持になってくる。

だがそんな感慨にふけっている時間などありはしない。

早々にキッチンに取って返すと、冷蔵庫の中から、ドンペリのゴールドを抜き出し、それを氷が入った銀のアイスペールの中に突っ込んだ。糊《のり》のきいたナプキンを腕に巻き、摩耶の席に向かった。すでに席にはヘルプの中でも選《え》り抜きのホステスが三人もつけられている。

「いらっしゃいませ。ご来店ありがとうございます」

丁重に礼をしながら、絨毯《じゅうたん》の上に片膝《ひざ》をついた。

ボトルの口を覆っていた金色のラベルを取った。球形のコルクを固定してある針金を、取り去った。ナプキンでそこを覆い、ゆっくりとコルクに力を込めた。軋《きし》みを上げながら栓がゆっくりと持ち上がってきたかと思うと、一点で弾《はじ》けた。

鈍い破裂音のような音を立てて、栓が抜けた。

ナプキンを外すと、深緑色のボトルの注ぎ口から、シルクのような煙が仄かに立ち昇った。

磨き抜かれたグラスにシャンパンを注いで行く。微細な白い泡が収まると、金色の液体へと姿を変えて行った。

「それじゃ、乾杯しましょうか」

ホステスの一人が言った。

「社長、今日は来ていただいて、ありがとう」摩耶ママは如才のない口調で答えると、優雅な仕草でグラスを摘み上げ、「皆さんよろしくね」

軽く頭を下げた。

「乾杯！」

別のホステスの音頭で、皆が一斉にグラスを傾けた。

銀座の超高級店とはいえ、このクラスの酒はそう頻繁に出るわけではない。ヘルプでついたホステスたちにしたところで、ドンペリのゴールドなんて代物を味わう機会は何度もあるわけじゃない。

うっとりした眼差《まなざ》しを宙に泳がせ、一口なんぼの液体を体内に送りこんで行く。

「美味《おい》しい」

「やっぱり、ゴールドは一味も二味も違うわ」

「もう、最高」

すっかり感極まった様子で口々に感嘆の声を漏らした。

いったいどんな味がするものなのか。店で働き始めて、五ヶ月が経つというのに、ただの一度もおこぼれにすらありついたことはなかったが、果たして値段に相応しいだけの違いがあるものだろうか。とうてい自分じゃ買って飲めないほど値の張る酒だと思っているから、美味《うま》いと感じるんじゃないのか。だって一缶二百円もしない発泡酒だって、喉《のど》が渇いている時に、ぐいとやれば、堪《こた》えられないほど美味いものだ。

僕はそんな気持を抱きながら、それでも恭しく一礼すると、席を離れた。

「さすがは、摩耶ママだな。噂に違《たが》わずいい客をがっちりと押さえている」

早くも店長はすっかり感心した態で唸《うな》り声を上げた。

「いったい何者なんです。あの客」

「オリエンタル製薬の山野《やまの》社長だ」

「オリエンタル製薬って、あのテレビでよくコマーシャルをやってる？」

「そうだ、正真正銘の東証一部上場企業の、しかもオーナー社長だ」

「あの人が」

僕は、改めて摩耶のいるボックス席を見た。手入れの行き届いた頭髪はだいぶ白いものが目立っていたが、かえってそれが大会社の社長に相応しい貫禄《かんろく》を醸し出していた。仕立てのいいスーツは皺《しわ》一つない。客の値踏みをするに当たっては靴を見ろ。つまり、足元を見ろ、というのがこの世界の常識だが、フェラガモの靴もつい今し方磨いたばかりというように、ダウンライトの光を反射して上品な輝きを放っている。

「確か、風邪薬とか、毛生え薬で有名な会社でしたよね」

「お前、経済学部出身だろう」店長がいささか、呆《あき》れた目を向けてきた。「そんなもんは、オリエンタル製薬の数ある製品の中の一つでしかない。家庭用の常備薬はほとんど全て出している。業務用途でのシェアも有数の規模だ。年商五千億円の押しも押されもせぬ大企業だ。いいか、銀座にはいろんな会社の方々がいらっしゃる。会社四季報を読んで、どんな会社がどんな製品を出していて、業績がどうなのか、その程度のことはボーイだって知っておかなきゃやっていけねえぞ」

ぐうの音も出なかった。確かに僕は経済学部の出身には違いなかったが、会社四季報なんて代物は読んだことがなかったからだ。

「すんません。勉強します」

ぺこりと頭を下げ、再びフロアーに戻り掛けたが、

「それから、あと一時間のうちには、別のお客様が二組いらっしゃるということだ。ボックスのうち二席は空けておくからな」

「それじゃ、摩耶ママ以外のお客さんは、帰すんですか」

店は満席に近く、空いている席はもうほとんどない。

「今夜は、そうする」

「しかし、そんなことをしたんじゃ、他のママやホステスから文句が出ませんか」

「客単価が違う。今夜は一つ摩耶ママのお手並み拝見といこうじゃないか」

「分かりました」

僕は、フロアーに進み出ると、テーブルの上に重ねられた灰皿を取り換える仕事を始め

た。客が一本の煙草を吸い終えれば新しい灰皿に換える。常に灰皿は新しいものにしておかなければならない。それがルールだった。

二つばかりの席を回ったところで、

「お願いしまぁす」

すぐ近くのテーブルから、声が掛かった。

振り返ると、摩耶だった。

「はい」

「同じものをもう一本ね」

「かしこまりました」

おいおい、ドンペリ・ゴールド二本目だぜ。

思わず溜息《ためいき》が漏れた。山野の顔を見ると、彼は平然とした顔をして、静かに煙草をくゆらせている。

キッチンに戻り、新しいボトルの準備をしていると、店長がすっかり興奮した顔で入って来た。

「すげえな」

「山野社長、ゴールド二本目ですよ」

「いや、それよりも、他の席の客が摩耶ママを呼んでくれって、大変なことになってるんだ」

「どうするんスか」

「いや、今夜は断るしかないだろう」

永久指名のシステムがある以上、摩耶ママが呼ばれた席についたところで、自分の売上には繋《つな》がらない。ヘルプのホステスのほとんどは時給で、たまたま他の客の目に止まり、席に呼ばれれば、それは指名となり、客に指名料がチャージされる。その額が月三十万円に達すれば、時給が上がる。つまりヘルプのホステスにとっては、指名のある無しがまさに収入に直結するのだ。ママにしても、同様に指名料が加算されるのだが、こと彼女に関してば、そんなものあってもなくても同じことだ。

「こんなことは店始まって以来だ」

「他のママたち。面白くないでしょうね」

「実力の世界だからな。それを捌《さば》くのが俺の仕事だ」

僕は、新しいシャンパンを用意すると、再び摩耶ママの席へと向かった。

それからほどなくして二本目のシャンパンが空くと、今度はワインのオーダーが入った。それも店では最も高い部類に入る、モンラッシェの九八年だ。これ一本で、五十五万円だ。

クラブで飲まれる酒は、ウイスキーが圧倒的なのはどこの店も変わらない。もちろんそれもピンからキリまであるが、キリの部類のシーバスリーガルでも、三万円という値段だ。巷《ちまた》のディスカウントショップで買えば、二千円を切るところすらある代物が、ここではそんな価格に化けるのだ。

ピンの部類になると、例えばルイ十三世なんてコニャックは六十万はするのだが、実のところ店にとって、ありがたいのはウイスキーやコニャックといった代物ではないのだ。何しろ、この手の酒はキープがきく。ボトルが空かないうちは、事実上テーブルチャージしか勘定にはつけられない。その点、シャンパンやワインは違う。一度栓を開けてしまえば、キープなんてできはしない。一回きりの飲みきりと言うわけだ。ましてやウイスキーやコニャックは、ホステスが飲む場合、客よりも小さなグラスに少し注ぎ、大量の水で薄める。客と同じ濃さの酒を、一緒に飲んでいたのではホステスの体がもたない。いきおい、ボトルを消費させるためには、彼女たちを一定間隔で移動させなければならないという手間もかかる。

「なるほど、酒の強いヘルプをつけてくれとママが言った意味が分かったよ」

店長が今さらながらに感心するのも当たり前の話だった。

やがて、摩耶の二人目の客が現れた。

横浜で貿易会社をやっている真壁《まかべ》というオーナー社長だった。さすがに店長も聞いたことのない会社だったが、身なりからしても、金はふんだんにあるらしく、こちらも最初に注文したのは、ドンペリ・ゴールド。そしてシャトー・ペトリュスという、これまた三十万円の代物だった。

摩耶ママが席を離れたのを機に、山野社長は早々に店を去ったが、勘定は軽く百万円を超えていたはずだった。

そして、閉店まで一時間となったところで、現れたのが、横山《よこやま》という男だった。こちらは先の二人とは違い、でっぷりと太った体を黒のシャツ、同色のズボンといった出《い》で立ちで、頭髪を奇麗に剃《そ》り上げたスキンヘッドをしていた。シャツにズボン、それに靴までもがアルマーニの一級品だということはすぐに分かったが、指にはめられたごつい指輪。胸元に覗《のぞ》く金のネックレス。更にダーク・トーンのサマースーツに身を包んだ男たちを五人も引き連れているところを見ると、普通の商売をしている人物ではなさそうなことは容易に想像がついた。

果たしてこちらも、開口一番、ドンペリ・ゴールドを三本も注文してきた。こうなると、オーダーを受ける僕にしても、何が起きているのかわけが分からなくなる。このご時世にこんなに景気よく、金を使える人間がいること自体、信じがたかった。

しかし、実際にこの三組の客は、料金など気にする素振りを見せることなく、高額な酒を次々と注文した。

狂乱の一夜と呼ぶに相応《ふさわ》しい時間が流れ、ようやく閉店となった頃には、真壁の姿はなく、横山とその取り巻きが残るだけとなった。

「どうや、ママ。これから軽く寿司《すし》でも摘《つま》みに行くか」

閑散とした店内に、横山の胴間声が響いた。

「社長、今夜は私、それほどお腹空《す》いていないの。それに新しいお店の初日でしょう。さすがにちょっと疲れてしまって。お食事なら、今度同伴して下さる」

「それはええけどな」

「あら、嬉《うれ》しいわ。それならいつにしましょうか」

「来週の水曜日どないや」

「いいわ。うんと美味しいもの、ご馳走《ちそう》してね」

「よっしゃ。そんなら、明日にでも、店予約しとくわ。お前、イタリアンが好きやったな――」

横山は、銀座でも図抜けて高い料金で有名な高級レストランの名前を挙げた。

こんなに金を使う前に、更に高い金を払わなきゃならない店に飯食いに連れて行くのかよ。

僕は驚いた。

「ありがとう、社長」

摩耶は寄り添っていた体を横山にしなだらせ、和服の下の膝《ひざ》を彼の太腿《ふともも》に押しつけた。

「ほなら、わし、行くわ。水曜日な」

「楽しみにしてるわ」

摩耶はそう言うと、同席していたホステスと共に、横山を送りに店を出て行った。

＊

客待ちのタクシーが並ぶ銀座を抜けて、霞が関《かすみせき》から首都高速に入ると、車の流れはぐんと良くなった。これから世田谷《せたがや》近辺に住む、ホステスを送り届けるのだ。これも新人のボーイの僕に与えられた仕事の一つだった。

後部座席には、三人のホステスが乗っていた。いつもは疲れ果てて眠りこけるのが常のはずなのに、今夜は一人としてつかの間の睡眠を貪《むさぼ》る者はいなかった。

誰もが、興奮した口調でひっきりなしに言葉を交していた。話題は摩耶のことだ。

「ちょっと、今日から店に入った摩耶ママ、初日から四百三十万も売り上げたんですって」一番年長のホステス、若菜《わかな》がすっかり興奮した口調で言った。「いったい何者なの、まだ二十六だって聞いたけど、そんな若さで銀座でこんなに稼ぐなんて。ねえ陽ちゃん。あんたなんか聞いてる」

「あんまり詳しいことは知らないんスけど、今までは『エビータ』にいて、こっちの店に引き抜かれたって話スけど」

「摩耶ママの話は聞いたことがあるわ」言葉を発したのは、若菜の隣に座っていた雪乃《ゆきの》だった。歳は若菜よりも年下だが、ホステス稼業のキャリアは長い分だけ、銀座の事情には通じている。

「何でも、十九でこの業界に入って、最初は『リオ』に入ったらしいんだけど、そこでたちまち指名トップになったらしいのね。次に移ったのが『ダイヤモンド・ダスト』。そこで、前にいた店で摑《つか》んだ客をごっそり引き連れて来て、売上トップになったらしいのね」

『リオ』は銀座の老舗《しにせ》の大箱で、芸能人やスポーツ選手、それに財界人が足繁く通う場所として有名な店だった。当然、ホステスが入店するに当たっても、厳しい選別が行なわれ、とてもバイト気分で務まるところではないという話を聞いた覚えがあった。もちろんホステス間の競争も激烈に決まっているが、何しろあの美貌《びぼう》に如才のなさだ。たちまちのうちに、指名トップに上り詰めたのも納得が行く。

「まさに銀座のシンデレラストーリーを地で行くっていうやつだわね」羨望《せんぼう》と嫉妬《しっと》が籠《こも》った溜息《ためいき》を漏らしたのは、まゆだった。「『リオ』にいたって、永久指名がある以上、稼ぎは知れているものね。指名で客をがっちり摑んだところで、『ダイヤモンド・ダスト』に移る。当然、そこから先は、彼女の永久指名のお客さんになるわけでしょう。売上の四割以上は彼女の収入、そして『エビータ』にママとして引き抜かれた」

「だけど、半端じゃないわよ、今日来たお客さん。たった三人で、四百三十万円よ」

「たった一晩で二百万近くの実入りじゃないの。信じられない」

若菜の言葉を継いで、まゆが言った。

信じられないのはこっちの方だ、と思った。今日一晩の摩耶の稼ぎだけでも、僕の年収に近い額だ。それも客の隣に座って話の相手をして、酒を飲んでいただけでだ。客席の間を駆け回り、灰皿を換え、酒を運ぶこの身がとてつもなく惨めになってくる。

「それにしてもいったいあんなに気前良く金を使う客って何者？　陽ちゃん、あんた何か知ってる」

山野と真壁の正体は知っていたが、果たしてそれを喋《しゃべ》っていいのかどうか、一瞬、言葉に詰まった。

「最初に同伴してきたお客さんは、オリエンタル製薬の社長だそうよ」

早々に正体をばらしたのは、雪乃だった。そう言えば、ヘルプとしてあの席に彼女がついていたことを僕は思い出した。

「次のお客さんは、聞いたことがない会社だけど、横浜の貿易会社の社長さんだそうよ。でも最後のお客さんは……」

まゆの言葉を継いで、

「それが謎なのよね」若菜がすかさず反応した。「でもあの身なりからすると、堅気じゃないことは確かね」

「やっぱりこれ関係かしら」

雪乃が頬を人差指でなぞった。

「う〜ん。ちょっと違うな。ヤーさんなら、あれだけのお金を使うのは、かなりの地位の人でしょう。銀座に来るにも、ちゃんとしたスーツ姿で来るもんよ。私の睨《にら》んだところでは、金貸しってとこかな。それも、あんなにきっぷよく、金を使うところからすると、それもまともな金貸しじゃないわ。おそらく、連れて来たのは従業員、兼ボディガードってところじゃないの」

「一流会社の社長さんから金貸しまで。さすがに、銀座のシンデレラストーリーを地で行く方は随分客層が広くていらっしゃるのね」

若菜の言葉には明らかに皮肉が込められていた。

「でも奇妙と言えば奇妙ね」

まゆが訝《いぶか》しげな声を上げた。

「何が」

「だってそうじゃない。普通、これだけ実績のあるママともなれば、移籍初日には、もっとたくさんお客さんが来てもおかしくないじゃない」

「それもそうね」

雪乃が同調した。

「それが、たった三人よ。確かに凄《すご》いお金を使ってくれたけど、少な過ぎるわ。それに、私、妙なことに気がついたの」

「何よそれ」

若菜が興味津々といった態《てい》で訊《き》いた。

「お花の差出人よ」

僕はずらりと並んだ生花や胡蝶蘭《こちょうらん》の鉢植えを思い浮かべてみたが、さすがにそこに添えられた札に書かれた送り主までは覚えていなかった。

「生花と胡蝶蘭の半分は、オリエンタル製薬とその関連会社みたいなの」

「それじゃ、あの社長さんが出したってわけ」

「たぶんそうだと思うわ」

「あとのいくつかは、今日来た二人だとすると……」

　まゆの言葉を継いで、

「そう、お花を出したお客はそう多くないってこと」

「そうか」合点が行ったというように、若菜が言った。「どうやら、摩耶ママは、細かい客を切ったのね」

「それ、どういう意味ですか」

　ハンドルを握りながら僕は思わず口を挟んだ。

　売上で生計を立てる雇われママにとって、自分目当てで来てくれる客は、まさに飯の種。何よりも大切な存在であるはずだ。それを切るとは、いったいどういうことだろう。どう考えても合点が行かなかった。

「陽ちゃんは、この業界に入って間もないから分からないのも無理はないけど」雪乃が解説を始めた。「あのね、歩合のママには二通りのタイプがあるの。一つは一人ひとりはそれほど多くのお金は落としてくれないけれど、そのぶん数で稼ぐ。もう一つは、一度来れば百万からのお金を落としてくれるような客を何人か摑んでいて、その人が来る時だけ、店に出るタイプ。その二つね」

「知りませんでした。勉強になります」

　前方を見据えながら、軽く頭を下げた。店長が『彼女、出勤は不定期になるそうだからな』と言ったことを思い出した。どうやら摩耶は後者のタイプらしい。

「だけどね、一回来てくれればでかいお金を落としてくれる客が来る時だけ店に出ればいいっていうのは、確かに体は楽だし、売上のノルマの達成も簡単だけど、リスクも大きいのよ」

「えっ、何でですか」

「あのねえ、何事にも浮き沈みってもんがあるでしょう。人生だって山あり谷ありよ。当てにしていたお客さんが銀座遊びどころじゃないってことになったら、どんなことになると思う？」

「そりゃあ、売上が全然入らなくなりますから、大変なことになりますよね」

「でしょう。それに銀座で遊ぶ人の中には、ご年配の人もいますからね。いつまでも同じペースで遊びに来て下さるとは限らない。つまり世代交代も当然あるっていうわけ。だから多少きつくともリスクヘッジのために広く浅くお客さんを持っておけば、誰かが駄目になっても、ダメージは少ないの。それにこの商売、いつまでも若さを売りにできるわけじゃないでしょう。その点、一回の売上は少なくとも、その歳で銀座遊びができるような同年配のお客を摑んでおけば、四十に差しかかった頃には、お客さんもそれなりの地位につく。昔からの付き合いでお店に来てくれる人だっているわけよ。当然、あれだけ稼ぐママなら、その頃には独立して店の一軒は持てるでしょうし、自分の息のかかった新しい女の子だって育てられるわけよ」

「なるほどねえ」

雪乃が噛《か》んで含めるような口調で解説してくれた。

銀座には知らないことがまだ山ほどある。僕は感心しながら肯《うなず》いていた。

「でも、この歳で、ここまでやれるママがそんなことが分からないとも思えないし……」

雪乃がどうも合点が行かないというように話すのを聞きながら、僕は店長が言った言葉を再び思い出していた。

いや、今夜は断るしかないだろう——。

確かに永久指名という制度がある以上、これまで店に通ってくれている客に摩耶が席についても売上が伸びることにはならないが、将来のことを考えれば自分の客を増やすことに繋《つな》がることは間違いない。

あの歳にしてこれだけの売上を稼ぐ摩耶がそんなことに気がつかないはずはないのだが……。

店の中で如才なく立ち居振る舞う摩耶の姿を思い出すにつけ、僕はあの美貌の下に、想像もつかない何かが隠されているような思いを抱いた。

＊

果たして、摩耶の出勤は雪乃の言った通りになった。

以前いた店からの馴染《なじ》みで摩耶を目当てにして来る客は、十人ほどしかいないようだった。それらのいずれもが来店することを事前に知らされているらしく、摩耶の出勤は目当ての客が来る日に限られていた。つまり全くの不定期というわけである。

多い日でも同伴で一人、そして他に時間をずらして二組、といった具合である。延べにすると、摩耶の出勤は週に三日、乃至《ないし》は四日といったところだろう。通常ならば、店から文句の一つも出るところだろうが、それが許されるのは、摩耶の売上が、群を抜いていたからだ。

何しろ、彼女の客単価は最低でも六十万円からになった。ボトルをキープできる酒を入れるなんて客はただの一人もいやしない。オーダーは常に、シャンパンかワイン。つまりその日一回の飲みきりである。

中でも、凄かったのは、初日に来店したオリエンタル製薬の社長の山野、それに金貸しをやっていると皆が睨んだ横山だった。この二人は、摩耶がいない時にもふらりと店にやってくると、他のホステスを相手に、高価な酒を空けては帰って行く。それでも永久指名制度があるせいで、売上の四十二%は彼女の懐に入るのだ。つまり全くの不労所得というわけである。

摩耶がノルマとされていた一月一千五百万円は、二週間ほどで達成された。

僕には、全く理解ができなかった。

はっきり言って、こんな勘定書きを新宿あたりのバーで請求しようものなら、間違いなくボッタクリの烙印《らくいん》を押されることは間違いない。して考えると、ボッタクリかそうでないかは、客が最初から値段なんてあってないものと覚悟してその店に入るかどうかという点だけということになる。しかし、そうは言っても、この二つにどれだけの違いがあると言うのだろう。

店に入る。酒を頼み、それを飲む。女の子が席につく——。

確かに『クイーン』には、若く奇麗な女性が多いことは確かだが、そうは言っても半数以上はバイトだ。昼間はOLや学生をしているその辺を歩いている女の子だ。山野社長にしてみれば、毎日オフィスで顔を合わせている女性が場所を変えているだけで、他に何一つとして変わることがない。

場所と時間が違うだけでこんな大金を払う。その感覚が分からなかった。

しかし、一つだけ言えるのは、世の中には、金をしこたま持っている人間、生活をしていくのにやっと、そしていつも金に困っている人間の三種類しかいないということだ。

同じ人間に生まれていったいこの差はどこから来るものなのだろう。

この世の中が不条理で、不公平極まりないものだと言ってしまうのは簡単なことだ。そもそも世の中が、不公平にできていなければ、人間なんて生きる目標を失ってしまうものなのかも知れない。それは、もはや少なくなってしまった社会主義や共産主義国家を見ていれば分かることだ。誰しもが公平に生きられる社会と言えば聞こえはいいが、労働に見合った見返りが得られない社会は、技術の進歩も生産力も低下する。そんな社会が、資本主義という競争原理が支配する世界に駆逐されてしまうのは、当たり前のことだ。

　ましてや、社会主義や共産主義国家は指導層という一握りの特権階級を生み、ごく限られた人間たちが贅《ぜい》を貪《むさぼ》るのは歴史が証明している事実だ。それに比べれば、資本主義の世の中では、何か一つのきっかけで、人生が一変してしまう可能性だってないわけじゃない。今は一介のボーイに過ぎないが、僕にだって這《は》い上がるチャンスもあれば、銀座の街で摩耶のような女を侍《はべ》らして、高い酒を飲む。そんな人生を送れる日が来ることだってあるかも知れない。

　学歴でも容姿でも、自慢できるものは何もないけれど、どんな出来事がこの先待っているとも限らない。それが世の中というものだ。いやそうとも思わなければ、何を日々の糧に生きて行けばいいのだろう。一生銀座のボーイで終わるなんて、考えただけでもやりきれない。

　事実、摩耶の客の中でも、山野はともかく、金貸しと思《おぼ》しき横山はその夢の体現者と言っていいだろう。

　容姿は見るからにヤクザそのもの。品性も知性の欠片《かけら》も見えやしない。おそらく三流大学どころか、高校だってまともに出ているかどうか怪しいものだ。それが銀座で湯水のように金を使い、平然としている。

　人生は下駄を履いてなんぼだ。たとえ一流大学を卒業して名だたる大企業に就職したって、銀座のクラブに足を踏み入れたことのない人間なんて、いくらでもいる。いやそれどころか、リストラの憂き目にあって路頭に迷う寸前という人間はごまんといる。

今は這い上がるための修業の時期なのだ。俺だっていつの日かきっと……。

実際、高い酒を運びながら、そしてたった一本の吸い殻の入った灰皿を取り換える、という日々を繰り返すには、そうとでも思わなければやっていけるものではなかった。

「ねえ、岩崎君。ちょっといいかしら」

摩耶が、声を掛けてきたのは、そんなある日のことだった。

時間は午後四時を回ったばかりだった。店の掃除をしていた僕は、掃除機の電源を切ると、

「どうしたんです、こんな時間に」

と、訊《たず》ねた。まだ早い時間だというのに、摩耶の髪は奇麗にセットされ、和服もすでに着付を済ませている。

「あなた、いつもこの時間には店に入るの」

「だいたい三時には店に入ることになっています。店長や先輩たちは、一時には本部に入って、前日の計算やオーナーとミーティングをしています。僕は、遅番の女の子を送っていかなきゃなんないもんで、その分だけ出が遅いんです」

「そう、女の子の送りをやってるんじゃ大変ね。お家に戻るのも、遅くなるでしょう」

「だいたい、三時前ぐらいスかね、家に帰るのは」

「確か、今年入ったばかりなのよね、あなた」

「はい。四月に入社したばかりっス」

「学生から急にこんな世界に飛び込んで、生活のリズムが狂って大変ね」

「いやあ、学校って言っても大したところじゃありませんでしたから、この世界と同じような生活リズムでしたよ。夜更けまで起きていて、寝床を抜け出すのは昼頃。まあ、睡眠は六時間もとれば充分スから」

「それじゃ、今でも九時とか、十時には起きているわけ」

「ええ、まあ」摩耶が何を訊《き》きたいのか、とんと見当もつかなかったが、売上ナンバーワンのママに声を掛けて貰《もら》えた。それだけでもそこはかとなく込み上げてくる嬉《うれ》しさを覚えながら僕は答えた。

「なんたって、安月給スから。朝起きると、飯を炊いて、でき上がるまでに洗濯をしてって、そんなことをしていると、もう家を出なけりゃいけない時間になるんです」

「大変ねえ、あなたも」

「まあ、これも修業っスから」

「修業？」

穏やかな笑みを湛《たた》えながら、摩耶は小首を傾げた。

「ママのように、若くしてビッグになれるかどうかは分かりませんが、僕にだって夢がありますから」

「夢ってどんな？」

「いつかチャンスを摑《つか》んで、酒を運ぶ方じゃなくて、運ばれる方に回る……」

「つまり、こんな店で豪遊できるだけの財を摑む。そんな人になりたいってわけ」

「そうでも思わなきゃ、やってられませんよ」

「そりゃあそうよねえ。私がこんなこと言うのも何だけど、その程度のチャンスなら、どこに転がっていても不思議はないわよ」

「本当にそう思うんスか」

「本気よ」摩耶は急に真顔になると続けた。「チャンス、って言うか、人生の転機なんてものは、常に目の前をうろうろしているものだと思うのね。でも大方の人は、それに気がつかないか、そうでなければ、食いつくだけの度胸がなくて見過ごしているだけ」

「それは、ママが若くして銀座のトップに上り詰めたから言えるんですよ」

「そんなことないわ」摩耶はふっと軽い微笑みを浮かべると、「でもちょっと安心したわ」

「何がです」

摩耶が言わんとしていることが俄《にわか》に理解できず、問い返した。

「私とあまり歳が離れていないあなたが、そんな夢を抱いていたってことを知って」

「いやあ、ママのように美貌《びぼう》に恵まれていたのなら、若くして勝負に出たいところなんスけど、見た通りの不細工な男スから。それに、頭もついていかないもんで、やっぱり、勝負するにはこういう場所で修業をつまないと……」

僕は、思わず頭を搔《か》いた。

「褒めて下さるのは嬉しいけれど、この道もそれはそれで厳しいものがあるのよ。ましてや、仮にも雇われママとしてのノルマを毎月きっちりこなさなければならないともなると尚更ね」

「あっ、すいません。決してママが楽しているなんて、これっぽっちも思っていませんよ。僕はただ——」

摩耶の口元から微笑みが消えたのを見て、不用意な言葉を吐いてしまった、と思った。慌てて言い繕おうとしたが適当な言葉が見つからない。こめかみの辺りに、汗が滲《にじ》んでくるのを感じた。

「いいのよ。それより岩崎君、あなたにちょっとお願いしたいことがあるの」

「なんスか」

改まった口調に、身を正して訊ねた。

「あのね、お店が引けた後、送りの車の運転手を探しているのね」

「はあ」

摩耶の言うことの意味が俄に理解できず、答えが間の抜けたものになった。

「それでね、あなたをその運転手に指名しようと思うんだけど、どうかしら」

たいていのママは、タクシーを使うのが常識だったし、第一、僕には店が終わった後、店の女の子たちを送って行かなければならないという仕事がある。

「いや、それは会社が許せば断る理由はありませんけど……」

「あら、随分と気のない返事ね」

「そうじゃありませんよ。ただ……」

「これはね、私がこの店に移る時に、オーナーと交した条件の一つなの。車は私が用意するけど、運転手は店の従業員から出すって」


オーナーはその昔、銀座でホステスをやっていて、才覚一つでこれだけの店を構えるまでにのし上がった女性だった。まともに言葉を交したのは、入社試験の時の一度だけだったが、もう六十はとうに過ぎているると思われるのに、凜《りん》としていて、さすがに銀座で一代を築き上げた成功者としての威厳すら感じさせるものがあった。その一方で、経営に関してはことさら厳しいらしく、ホステスへの同伴や売上のノルマ、スタッフへの指導も徹底していて、実際に店を仕切る店長などは、毎日上客の仕事先への挨拶《あいさつ》回りに追われていた。そのオーナーが、それほどの待遇を摩耶に与えるとは俄に信じ難く、僕はどう返答していいのか答えに窮して押し黙った。

「何でまた私にだけ、運転手をつけてくれるか、不思議なんでしょう」

「いや、ママの売上は群を抜いていますし、その程度のことはあっても……」

図星を指されて、僕はどぎまぎしながら答えた。

「詳しくは言えないけれど、そうせざるを得ない事情があるのよね。もちろん他のママは面白くないでしょうけど……。でもしかたがないの。それに――」

「それに、何スか」

「実はね、迎えもお願いしたいの。これは店とは関係ない全くのプライベートなことなんだけど」

「迎えですか」

「もちろん、その分はあなたにとって全くの業務外だから、お手当は私が支払うわ」

「はあ……」

　ますます以《もっ》て、摩耶の意図しているところが分からなかった。確かに、銀座の女、それもママを張るような人間は、開店前に必ず美容院に行って、髪をセットし、和服を着る人の多くは着付をすることも知っていた。だけど、それにしたって、このご時世、その程度のことならタクシーを使った方がよほど効率的だ。そんなことに頭が回らない女ではあるまいに、と思った。

「迎えに来てくれるのは昼でいいわ。場所は広尾のマンション。そこから私をピックアップして美容院に行くだけなんだけど、その前にもう一ヶ所、行って欲しい場所があるの。全部をこなしても、三時には店に入れるわ」

　バイトのホステスを送り届ける必要がなくなれば、その分だけ家には早く帰れる。寮として会社が用意してくれたアパートは佃《つくだ》にある。銀座から広尾を経由しても、深夜なら一時間もあれば充分なことを考えると、睡眠時間は今まで以上にたっぷりと取れることになる。

「迎えをやってくれるなら、一日一万の日当を出すわ」

「一日一万スか！」

　摩耶がいかに不定期の出勤とはいっても、月にならせば、十二日から十六日は店に出る。つまりそれに一万を掛けた金額がまるまる懐に入ることになる。いつも金に不自由している僕にとって、それは魅力的な申し出だった。ついさっき、摩耶が言った『人生の転機なんてものは、常に目の前をうろうろしているものだと思うのね。でも大方の人は、それに気がつかないか、そうでなければ、食いつくだけの度胸がなくて見過ごしているだけ』という言葉が脳裏をよぎった。

　そう、これは、小さいけれど目の前に現れたチャンスなのだ。これに食いつかない手はない。

「やります。いや、やらして下さい」

　僕は次の瞬間には、返事をしていた。

「そう、それじゃオーナーには、あなたにお願いすることに決めた、と話しておくわね。それから、迎えのことは二人だけの秘密。いいわね」

「分かりました」

「それから、車は私が用意するわ。ベンツだけど、それはあなたが管理して」

「俺がスか」

「普段私は車を運転しないから、出勤しない日は、あなたが自由に使っていいわ」

「マジっスか！」

「その代わり、あなたの近所で駐車場を借りてね。その経費はあなた持ちよ」

「はい！」

ベンツを自由に乗りこなすことができる。この歳にして、あの車が俺の自由になる。

僕は、自分の目の前が急に開けたような気がして、すっかり有頂天になった。

＊

その翌日は土曜日で、店は休みだった。

普段なら、昼過ぎまで惰眠を貪《むさぼ》るのが常だったが、僕は朝十時に寝床を抜け出すと、新宿へ出掛けた。入ったばかりの給料から、謙介に借りた三万円を返すためだ。

出がけに携帯から謙介に電話をすると、

「ちょうどいいところに電話をくれたな。うっかり寝坊しちまうところだった」

明らかに寝起きと分かる声が返ってきた。

「あのさ、この間借りた三万円、給料が入ったからこれから返しに行くよ」

「おう、そうか。それじゃ俺、店の方にいるからさ」

「土曜日も店やってんの？」

「阿呆《あほ》なこと言うな。昨夜の名残だ。なんたって昨日は給料日の週末だろう。ここら辺のホストクラブは終夜営業が多いからな。高い酒をいきなり持って来いって言われることもしょっちゅうだ。一晩中電話の前で待機していたってわけ」

「それじゃ泊まり込みだったのかよ」

「高《たけ》え酒を買ってくれるんだ。これも商売よ」

「休みの日に、朝から悪《わり》いな」

「博打《ばくち》打ちには休みはねえんだ。競輪は年中無休。三百六十五日、日本のどこかで必ず開催されているからな。それに親の目のあるところで予想紙なんか広げてると、さすがに親父もおふくろもいい顔はしねえ。こっちにとってはむしろ好都合ってわけよ。とにかく、店で待ってる」

　そう言うと、謙介は電話を切った。

　佃から新宿までは月島駅から大江戸線を使った。他の地下鉄と違って、僅《わず》かに台形に湾曲した車内はどことなく窮屈さを感じさせたが、土曜の午前中のせいか乗客はまばらだった。

　新宿西口駅で電車を降りると、地上へ出た。

　夏ももうすぐ終わるというのに、相変わらず外はうだるような暑さだった。

　ふと、三週間前の忌まわしい記憶が脳裏に蘇《よみがえ》った。

　このまま新大久保の方に向かえば、例の性病科の病院がある。

　とうてい診察というにはほど遠い行為の揚げ句に、四万五千円もの金と引き換えに貰《もら》った薬が効いたのか、尿道に覚えていた違和感はいつの間にか収まっていた。パンツが汚れたわけでもなければ、その後症状がぶりかえすこともなかった。

果たして自分が、性病に罹《かか》っていたのか、そうでなかったのかは分からない。とにかく、自覚症状がなくなったことだけは確かだった。

僕は靖国通りを渡り、歌舞伎町に出た。

夜になると毒々しい色を放つネオンも、真昼の太陽の下では白けて見える。昼前だというのに、早くもこの一角だけは、人通りが激しい。

やがて区役所通りに入る。閑散とした歩道を歩き、歌舞伎町の奥へと足を進めた。

平木酒店の前に差し掛かると、人一人が腰を屈《かが》めて入り込むだけシャッターが開けてあった。

「謙介、入るぜ」

僕は、声を掛けると腰を屈めて店内に入った。

ずらりと酒瓶が並んだ店内を奥に向かって歩いた。店の奥には三畳ほどの帳場があり、その上に敷かれた布団の上で、謙介が携帯電話を耳にあてながら振り向くと、『入れ』と手招きをした。

「そう、第五レース。二連単で、③—④、③—⑥、③—⑦を千円ずつ」

見ると、布団の上には、競輪の予想紙らしきものが広げられている。その上に赤ペンでいくつかの数字の組み合わせが殴り書きされている。

つけっ放しのテレビには、傾斜がついた楕円《だえん》形の競輪場が映し出されている。

「これでよしと」謙介は、回線を切ると立ち上がり、薄汚れたタオルケットと共に布団を中央から折ってスペースを作ると、「まあそこに座れよ」と言った。

「今の電話、もしかして例のノミ屋かい」

「そうだよ。今日は京王閣《けいおうかく》でレースをやってるんだ」

『締め切り三分前です』

テレビから女性アナウンサーの穏やかな声が聞こえた。同時に、画面が切り替わり、毒々しい色に綾《あや》取られたオッズが映し出された。

僕は、たった今聞いた、謙介が賭《か》けた車番の組み合わせを目で追った。
③—④が一〇・一倍、③—⑥が六・四倍、③—⑦は一八・四倍という予想配当だった。
「あのさあ、こんなこと訊《き》くのも何だけど、選手だって人間だろう。当然その日のコンディションとかってもんはさ、実際に現場で見ないと分かんないもんなんじゃないの。競馬なら、一応パドックで馬のコンディションを見て、それから買うのが普通だろう。テレビでもよくやってるよね。競輪にもそんなもんがあるの」

「いや、競輪にそんなもんはありゃしねえよ」

「それじゃ予想紙を基に、皆車券を買うのかい」

「パドックはねえんだが、その代わり地乗《じの》りってもんがあってな」

「地乗り？」

「まあ、顔見せっていうのかな。つまり競輪っていうのはさ、出身地や競輪学校の期とかさ、とにかくレース展開には凄《すご》く複雑なもんがあるのよ。それで、レースが始まる前に客に展開を分かりやすくするために、最初はどういう車列で進むか、それをバンクを回りながら客に披露することになってるんだ」

「それって、当てになるの」

「まあ、たいていの場合、最初の展開はその通りになる。それに役立つのが予想紙に載った選手のコメントだ」

そう言うと、謙介は前に広げていた予想紙を指し示した。

慌ただしくそれに目を走らせると、そこには、

『今日は高山さんで』『東上さんの番手で』

なんだか意味の分からない短いコメントが書き連ねてある。

「これが、役に立つの」

「ああ、コメントは短いが、それでもこれと地乗りの時の配列を見ると、ある程度の展開は読める」

「展開が読めたって、最後までこの通りに行くとは限らないんだろう」

「当たり前じゃねえか。勝負の世界だ。最後は地力のあるやつが勝つってことにはなるんだが、そこが面白いところよ。その選手の実績、脚力、最近の戦績、性格、そんなもんを推理して、誰が来るかを当てるんだ」

「何だか、すげえ面倒な博打だな」

「面倒と言わずに奥が深いって言って欲しいね。こいつは第一級の推理ゲームだぜ」

「そんなもんかね」

ギャンブルとは無縁の生活を送っている僕にとっては、競輪は聞いているだけでも参加するまでに勉強をしなければならないことが山ほどありそうで、たちまち興味を失った。

「しかし、妙だね」

「何が」

謙介は銜《くわ》えた煙草に火を点《とも》すと煙を吐きながら、訊き返してきた。

「さっき、締め切り三分前って言ったけど」

「競輪場の締め切り三分前ってのはな、十分以上はあるんだよ。そうでもなかったら、車券を買えない客がたくさん出てくるだろうが。何しろ、賭け金の二十五%は胴元がテラ銭としてそのまま懐に入れるんだ。客が金を払うって言ってるものを無下に断るもんか」

「二十五%もテラ銭を取るの」

「そう、配当金に回されるのは残りの七十五%」

「なるほど、どうりで救急車や公共施設に金を回せるはずだ」

「最近じゃ、競輪をする人間がかつてほど多くないとは言われていても、それでも年間の売上は一兆円ほどはある」

「つまり二千五百億はそのまま、胴元の収益ってわけかい」

「もっとも、そこから選手の賞金、人件費なんかを賄わなけりゃならんから、そのまま全額が懐に入るわけじゃねえだろうがな」

「そうそう、借りていた三万、忘れないうちに返しておくよ」

僕は、ズボンのポケットから財布を取り出すと、一万円札を三枚、謙介に差し出した。

「ありがとよ。こいつは今日の軍資金だ」

謙介はそれを無造作に予想紙の上に置いた。

やがて、投票の締め切りが告げられると、ゲートから選手が次々に花道に姿を現した。色とりどりの勝負服に身を包んだ選手の発達した太腿《ふともも》の筋肉が、夏の余韻を残す日差しに眩《まぶ》しく光った。

スタートラインに設けられた、車止めに後輪を固定し、足元をストラップで固定する。

「来るかな」

選手の名前を知らない僕は、ヘルメットに黒く描かれた数字を見ながら言った。3番は赤のジャージだ。この選手がトップでゴールを切れば、あとは4番が青、6番が緑色、7番が橙色《だいだいいろ》、そのいずれかが来ればいいことになる。

「そんなことあ、誰にも分かりゃしねえ。だけどこのレース3番の頭は堅《かて》えと俺は見ている。二着は地力でいけば、一番人気の2番が順当なところだろうが、そうは行かねえのが競輪の面白いところだ。恐らく6番。だけどこいつは時々、こっちが考えられねえ動きをすることがあってな、ちょいとばかり信頼性に欠けるところがある。そうなると、4番、あるいは7番という目が来ることは充分に考えられる」

「だけど、6番がきたとしても、差し引き三千四百円の儲けにしかならねえじゃねえか」

さんざん悩んだ揚句に手にする金としては、あまりにも小額なような気がしてならなかった。こんなことに頭を使うなら、もっと他にやることは山ほどあるだろうと思った。

「いや、ノミ屋には十％の割引があるからな。正確に言えば三千七百円の儲けだ。それにしたって勝ちは勝ち。金が入ることに変わりはねえ」

「なんだか、しょぼくねえ？」

「お前なあ、考えてもみろよ、そこら辺のゲーセンで金にもならねえゲームをやっただけでもそんな金すぐに吹っ飛んじまうだろうが」

「そりゃそうだ」

「それに比べりゃ、たっぷりスリルと興奮を味わって、三千七百円儲けた。そう考えりゃマシってもんじゃねえか。ましてや別の目が的中すれば、遥《はる》かに高い配当がつく可能性だってあるんだ」

その時、号砲一発、レースが始まった。番号がなく、濃紺のジャージとヘルメットにオレンジ色のV字のラインの入った選手が先頭を切って、ゆっくりと駆け出した。選手は一列になってそれに続く。

「あの一番先頭に立っている選手は……」

「うるせえよ。少し黙っていてくれ」

謙介は、画面に身を乗り出して、展開に夢中になっている。煙草をせわしげに吹かしな

がら、もう一方の手に持った赤ペンを振りかざし、

「よう〜し。いい感じだ。行けよ東上《とうじょう》！」

赤いジャージの選手は、中盤につけている。周回を重ねるに従って、めまぐるしく順位が変わり始める。二周を終えたところで、赤の選手は、最後尾に下がった。

「3番、駄目なんじゃねえの」

「うっせーよ、お前。黙って見てろ」

やがて三周目に入ると選手たちの配列が、今までに増してめまぐるしく変わり、自転車のスピードが急速に上がってきた。激しく鐘が乱打された。最終周に入ったのだ。この間に、最後尾から中盤に戻っていた赤の選手は、ぐいとラインから外に出ると、凄《すさ》まじい加速で、前方へとせり出して来た。そのすぐ後ろにつけていた二人の選手がそれに続く。その一人が6番だった。

「いい感じだ。東上！　そのまま行け！」

最終コーナーに差しかかると、赤の選手はますます加速する。前傾姿勢を深くし、尻《しり》を上げ、足が激しく回転する。その時、内側にいた選手が、外に自転車を大きく振った。

「あっ！　なんてことしやがんだ。あの馬鹿。合わせて来やがった！　東上、飛ばされんじゃねえぞ！」

謙介は、唾を飛ばしながら画面に向かって大声で叫んだ。

その瞬間、先頭集団中央に僅《わず》かな隙ができた。中を割るように、緑色のジャージが前方

に上がってきた。

集団は団子状態になりながら最終コーナーを抜けた。トップ争いは、すでに四人に絞られているのが、素人目にもはっきりと分かった。

「東上！　頼む！　行ってくれ！　東上！」

集団がゴールに駆け込む。混戦だ。テレビカメラの角度のせいもあって、傍目《はため》には、誰が一着なのかは分からない。謙介が買っていた、赤のジャージを着た東上という選手もその四人の中にいた。

「取ったの？」

僕の問い掛けに、

「分からねえ。もうすぐスローが出る」

謙介は、荒い息を吐きながら、相変わらず食い入るように画面を見詰めている。

『混戦になりましたね。果たして一着は誰か。スローで見てみましょう』

アナウンサーが言うと、ゴール前の直線に差しかかったところからレースが再現された。先頭を行くのは緑色のジャージを着た6番だった。赤が、紫が、黒が、猛然とそれを追い上げてくる。ゴールラインを切ったところで画面が止まった。

やはり僅かだが6番が一番最初にゴールラインを切っていた。

「何だよ、池田《いけだ》かよ〜」

謙介の言葉に被《かぶ》さるようにして、画面が小刻みに動いて行く。次にゴールを切ったのは、

3番だった。

「⑥—③！　ちくしょう！　裏を食っちまった。こいつあ、つくぞ」

果たして謙介の言葉を裏付けるように、アナウンサーが、

『⑥—③のようですね。今のところ、審議の旗は上がっておりませんが、確定するまでお手元の車券はそのままお持ち下さい』と言い、暫《しばら》くして『確定です。一着が6番の池田選手、二着が3番の東上選手。配当は二車単6番3番で一万四千五百円、三連単で……』

「なんてこった、万車券だぜ」

「それじゃもし、裏目を買っていたら十四万五千円だったわけ」

「裏目もありだとは思っていたんだよなあ〜。金がありゃよう、これも買っていたには違いないんだが……」

ギャンブルに興ずる者は、会社の同僚の中にもいたが、外すと必ずこの言葉を吐く。

僕は、頭を掻《か》いて、がっくりと肩を落とす謙介を見ながら、仄《ほの》かな笑いが込み上げてくるのを禁じ得なかった。

「ええい、外れたもんはしかたがねえ。次だ次」

再び予想紙に目を走らせ始めた謙介を見ながら、

「それじゃ、俺はこれで……」

立ち上がった。

「何だよ。もう帰っちまうのかよ。昼飯ぐらい食っていけよ。出前取るからさあ」

「いや、これから、人と会わなきゃいけねえんだ」

謙介は、訝《いぶか》しげな視線を向けると、

「ははあ、お前、さくらと会うんだろう」

ニヤリと笑いを浮かべた。

「うん、まあ……」

「だろうな。俺のとこに来るだけなら、そんなめかし込んで来る必要なんてないもんな」

「いや別に、そういうわけじゃないけど……」

思わず、僕は口籠《くちご》もった。

「そんなら、野暮は言わねえが」謙介は一転して醒《さ》めた目を向けると、「だけどお前、さくらとはどうなのさ」

「どうって、何が」

「行くとこまで行ったの？」

「いや、それはさあ」

あまりにぶしつけな問い掛けに、何と答えたものか、躊躇《ちゅうちょ》した。

「岩崎よ。あんまりキツイこたあ言いたくねえけど。お前、あの女、止めといた方がいいぜ」

「何でだよ」

「さくらとは大学に入った時からの付き合いだろう。それにもかかわらず、お前、やったどころか、手を握ったこともねえだろう」

　図星を指されて、僕は沈黙した。

「あの手の女はな、一見純情そうには見えるが、裏じゃ何をやってるか分かりゃしねえ」

「何か、お前知っているのかよ」

「勘……てやつかな」

「勘で人をそんなふうに判断すんなよ」

「いや、こいつばかりは俺の勘を信じた方がいいぞ。だいたい、さくら、在学中からクラスメートの女の子でも寄りつくやつがあまりいなかったろう。同性が寄りつかねえ女にろくなもんはいねえ。男でもそうだがな」

「それは家が厳しくて、門限もあったし」

　必死にかばい立てする言葉を遮るように、謙介は今度は意地の悪い笑いを口元に浮かべると、

「でもほんと、悪いこたあ言わねえ。たまには俺の勘を信じろ」

　僕をしっかと見据えて言った。

「勘って言うけどさ。お前の勘なんか信じられるかよ。今のレースだって見事に外したじゃねえかよ」

「競輪は男と女のことよりもずっと奥が深《ふけ》えんだよ。それに俺はまだ初心者レベルをやっと脱したところだしな。だけど女に関しちゃ、俺はお前とは違う。それなりに経験を積ん

でいるからな。素人童貞のお前とは……」

もっとも触れられたくないところを突かれて逆上した。初めて童貞を失ったソープランドに行った後、僕たちは手元に残った僅かな金を出し合い、居酒屋で戦果を報告し合った。金で買った女だけど、初体験を済ませた僕は、胸を張ってことの首尾を事細かに話したものだった。何だかやっと一人前になれた。そんな思いに満たされていた。

夜が更けて、終電間際になり、外に出たところで背後から、

「良かったな、童貞とおさらばできて」

耳元で囁《ささや》かれてギクリとしながら振り返ると、ニヤリと薄ら笑いを浮かべていたのが謙介だった。

「な、何を言ってんだよ、お前」

どぎまぎしながら答えた僕に謙介は言ったものだった。

「他のやつは気がついちゃいねえみたいだけどさ、お前の体験談なんて、へたなエロ小説そのもんじゃん。上になった女が、いっちまって後ろに倒れたなんて、そんなことになったら、金玉痛くてしょうがねえぞ。悶絶《もんぜつ》しなかったのかよ、お前」

童貞だったということは、謙介には先刻お見通しだったのだ。さくらに好意を持っていたことも、僕が言い出す前に、図星を指されて往生したものだった。とにかくことと男と女のことに関しては、妙に勘の働く男なのだ。普通なら、そんな男を親友と呼ぶどころか、卒業して別々の道を歩み始めたのを機に、縁を切るものなのだろうが、その一点を除けば

妙に馬が合うのだから人の相性とは不思議なものだ。

「競輪が奥深いなら、女はもっと奥が深いさ」僕は、憤然と言い放ちながら靴を履くと、

「とにかく、さくらはお前が考えているほど悪い女じゃねえよ」

最後の捨てゼリフとばかりに、怒りを込めた言葉を投げつけた。

「女は怖いからな。まあ、とにかくこれも人生勉強の一つだ。高い投資につかなきゃいいけどな」

謙介の言葉を背中で聞きながら、僕は無言のまま店を出た。

＊

映画の終わりに、長いクレジットロールが流れ、勇壮なテーマ音楽が鳴り止むと、仄暗い照明に場内が浮かび上がった。満席に近かった観客の大半はすでに席を立ち、数えるほどになっていた。

「行こうか」

僕は、隣に座ったさくらに声を掛けた。

こくりと肯《うなず》いたさくらが立ち上がった。控え目につけたコロンの微かな匂いが嗅覚《きゅうかく》を刺激する。

僕たちが座っていたのは、中央の指定席だ。いくらさくらとのデートとはいえ、いまだ

かつて、倍近くの料金を支払わなければならない指定席などに座ったことはない。二人で五千円。こんなところに金を使う気になったのも、摩耶の送迎をすることで、今まで以上の収入を得る目処《めど》がついたからだ。

場内を出ると、そこには次の上映を待つ人の列ができていた。騒《ざわ》めきに満たされたロビーを歩いた。

前を行くカップルが自然な動作で寄り添い、手を繋《つな》ぎ合う。

歩調に合わせて繰り出す手のリズムが狂った。このまま、あのカップルのようにさくらの手を握ることができたらどんなにいいだろう。その瞬間を考えただけで、心臓の鼓動が速くなった。

ぎこちなく繰り出す指先がさくらのそれと触れ合った。

「ごめん」

僕は慌てて、さくらとの間に距離を置いた。

さくらは、何事もなかったように平然としていた。日頃見慣れた銀座の女性たちとは違い、あくまでも控え目な化粧。ショートカットに纏《まと》めた髪。すっと通った鼻梁《びりょう》。そして大きな瞳《ひとみ》……。

いい女は毎日見てはいるが、やはり改めてさくらを見ると、どんな女よりも、美しく思えてくる。

情けないと思った。知り合ってから、もう二年以上。大学を卒業してからも、こうして月一度の割で会っているというのに、手さえ繋ぐことができないとは……。

もしも、この場で彼女の手を握り、いやがる素振りがなければ、次のステップに向けての大きな前進となる。しかし、もし拒絶されれば、その場でさくらとの関係は終わってしまう。


このまま、煮え切らない関係を続けるのも地獄には違いない。しかし、それよりも彼女を失ってしまうことがもっと恐ろしかった。

映画館を出ると夕暮れ時に差しかかったコマ劇場の前は、人でごった返していた。このまま右に行けばラブホテル街になる。一足先に映画館を出たカップルは、まるでそれを事前に打ち合わせていたかのように、右の方向に歩いて行く。

僕は急激に込み上げてくる劣情を抑えて、

「どう、飯でも食うか」

と、訊《たず》ねた。

「いいわよ」

さくらは、いつものように応《こた》えてきた。

「今日はさ、寿司にしようか」

「お寿司？　それは構わないけれど……」

怪訝《けげん》な表情を露《あらわ》にしながら、さくらは僕を見た。それも当然というものだ。デートの締めは、決まって全国チェーンの居酒屋と決まっていたからだ。

「寿司っていっても、回転寿司じゃないぜ。ちゃんとした店に行こう」

「どうしたの陽ちゃん。今日は映画だって指定席だったし、今度はお寿司だなんて」

「あのさ、俺、日頃の働きぶりが認められて、ホール主任に出世したんだ。給料も少しだけ上がった。今日はそのお祝いだ」

僕は嘘を言った。

「ホール主任て、陽ちゃん四月に入ったばかりじゃない」

「異例の大抜擢《ばってき》だってさ。何しろ、うちは大卒社員は少ないからね。三流大学とはいっても、大卒は大卒。幹部候補生ってことらしいよ」

「そう。それはおめでとう」

銀座のクラブがどんなところか、さくらに分かるはずもない。無邪気な声が返ってきた。

寿司屋。それも回転寿司じゃないところには、足を踏み入れたことはなかったが、摩耶の送迎をするようになれば、月に十二万から十六万の金が給与とは別に入ってくることになる。まさかどんなに食べたところで、それほどの料金を請求する寿司屋なんてあるわけがない。もしもあったとしたら、それは紛れもないボッタクリだ。

大きな気持になっていた僕は、そこからすぐのところにある小奇麗な寿司屋に入った。

扉を開けると、威勢のいい言葉が僕たちを迎えた。店内を見渡すと、ガラスケースに入れられたネタが整然と並ぶ前に、白木のカウンターがあるだけで、テーブル席はない。

「いらっしゃい！」

職人が値踏みをするかのような目を向けてきた。その背後には品書きが掲げられ、特上寿司が三千円と書いてある。この分だと、お好みで頼んだとしても、そう高くはないだろう。

意を強くした僕は、先に立ってカウンター席に座った。

「お飲み物は何にしましょうか」

割烹着《かっぽうぎ》を着た、女将《おかみ》らしい中年の女性がすかさず訊ねてきた。

「ビールを貰《もら》おうか」

「生と瓶がありますが」

「瓶にして」

さくらは、それほど酒が飲める方ではない。僕はペースを気にしなくて済む瓶ビールを頼んだ。

女将が裏の厨房《ちゅうぼう》に下がったところで、

「何から行きましょう」

カウンター越しに職人が訊ねてきた。

「何にする？」

さくらの方を見ると、彼女は答える代わりに、戸惑った視線を向けてきた。

「それじゃ、適当に美味《うま》そうなところを、つまみで切ってください」

「お嫌いなものは」

再びさくらに目をやると、

「特にはないけれど……」

呟《つぶや》くように言った。

「僕も、特に嫌いなものはないよ」

「分かりました。それじゃ、お任せでよろしいですね」

「ああ」

職人は、ガラスケースの中に手を入れると、トロと、鯖《さば》、それに蛸《たこ》を取り出し包丁を入れ始めた。

「お待たせしました」

一本のビールがカウンターの上に置かれた。

「それじゃ、陽ちゃんの昇進祝い」

さくらが磨き抜かれたグラスにビールを注いだ。それが終わったところで、僕は彼女のグラスを満たしてやった。

「乾杯……」

「ありがとう」

軽くグラスを合わせると、一息に最初の一杯を喉《のど》に流し込んだ。冷えたアルコールが喉を通過し、空になった胃の中で弾《はじ》けた。いつもの居酒屋で飲むそれとは全く違った味だった。

「やっぱ、ちゃんとしたところのビールは違うな。こうしてみると、居酒屋のビールって、何だか水っぽくねえ？」

「そうかしら」さくらは少し小首を傾げて味わう素振りをすると、「でもあの値段で出しているんだし、それに大量に仕入れるんでしょう。何か特別な作り方をしているのかも知れないわね」

「実は生とは言っても、発泡酒、あるいは水で薄めていたりして」

「それはあってもおかしくないわね。毎日決まったビールを飲んでいる人ならともかく、飲むのはいつも居酒屋って人には分かりゃしないもの」

さくらは冗談めいた口調で言うと、軽く笑った。

大きな目が細まり、形のいい唇から白い歯が覗《のぞ》いた。ピンクのルージュが付いたグラスの縁を人差指と親指でなぞる仕草が、ぞくっとするほど愛《いと》おしかった。

「お待たせしました。トロと鯖、それに蛸です」

陶器に盛られた刺身が差し出された。

「ところで、陽ちゃん。銀座のお店って、そんなに景気がいいの」

トロを摘《つま》みながら、さくらが切り出してきた。

「う〜ん。業界自体は、いいとは言えないだろうなあ。ほとんどのお店は青息吐息だと思うよ。実際潰《つぶ》れちゃってる店も多いからね。看板に灯がついていても、実はやってないとか、空きだらけのビルも多いって話だぜ」

「でも、陽ちゃんの店は別なんでしょう」

「ああ。どうも、銀座は流行《はや》っている店と、そうじゃない店の極端な二極分化が始まっているみたいなんだな。うちの店は、ボトルが入っていても、最低五万からの店なんだけど、連日満席。いったいこのご時世にこんな金を持っている人間がどこにいるのかって思うよ」

「そんなに凄《すご》いの。陽ちゃんの店」

「すげえなんてもんじゃねえよ。一晩に何十万、いや百万以上の金を使っていくお客さんだって珍しくないんだ」

「百万！」

「それも、月に何度も来るお客さんだっているんだ」

「何をやってるの。そんな人たち」

「一口には言えないけどさ。大会社の社長とか、金貸しとか、中小企業の社長とか、まあいろいろだね」

饒舌《じょうぜつ》にまくし立てながら僕はビールを呷《あお》った。たちまち、最初の一本が空いた。

「さくら、何を飲む。このままビール？」

「陽ちゃんは」

「せっかく美味い寿司を食いに来たんだ。やっぱ日本酒でしょう」

「それじゃ私もそうする」

「すいません。冷酒下さい。グラスも二つね」

酒をオーダーし終えたのを見計らったように、

「それじゃ、ホステスさんなんかのお給料も凄いんでしょうね」

さくらが訊《たず》ねてきた。もともとあまり酒が強くないさくらの頬はうっすらと朱に染まり、瞳《ひとみ》も潤んだように輝いている。

「そりゃあ、ホステスっていっても、いろいろあるからねえ」

「いろいろって？」

「時給制のバイトから歩合制までいろいろ」

「時給はどれくらいなの」

「一時間二千円くらいかな。だからバイトのホステスの給料はそんなにならないよ。うちの店でも昼間はＯＬをやってるなんて人が多いんだけど、何と言っても給料が一番高い、というか稼ぎがあるのは歩合制のママだね」

「なあに、その歩合制って」

「お客さんの勘定の十六％を店に入れて、あとはオーナーと折半するんだ」

「ちょっと待って。それじゃもし百万払うお客さんがいたら、四十万円以上のお金が入るわけ」

さくらは目を丸くしながら、注がれたばかりの冷酒をぐびりとやった。

「そういうこと。実際、この間、新しく入ったママなんかさ、二週間の間に売上が千五百万を超したんだぜ」

「千五百万！　取り分だけで、六百万円以上？　それも二週間で」

「全く、いやになっちゃうよ。もちろんあのママは銀座でもトップクラスなんだけどさ。それでもまだ二十六だぜ」

「二十六で――」さくらは絶句すると、「まさか陽ちゃんのお店って、いかがわしいサービスをするところじゃないでしょうね」

「馬鹿言うなよ。『クイーン』は、銀座の超一流店。この辺にある変な店とは違うよ」

「きっと絶世の美女なんでしょうね。そんなに稼げるママって」

「まあ、美女といえば美女だけどさ。でもさくらの方が奇麗だと俺は思うよ」

ついに言っちまったよ――。酔いのせいもあったのだろう。思わず本音を漏らした僕は、急に背中から汗が噴き出すのを感じて、また一口冷酒を呷った。

「それなら、私がホステスになったら、そのママほどではないにしろ、ある程度のお金は稼げるかしら」さくらは本気ともつかない口調で訊ねてきた。「どう、プロの幹部候補生から見て」

「そりゃ、さくらなら、お客さんはつくだろうけどね。でも、それがすぐに稼ぎになるかどうかって言うと、これがまた別問題なんだな」

「どういうこと」

「銀座にはね、永久指名って制度があってさ。最初にボトルを入れてくれたお客さんが、そのホステスさんの担当ってことになるんだ。つまり、極端な話、担当のホステスさんが休んだ時に、お客さんが店に来ても、売上はそのホステスさんにつく……」

「それじゃ、不労所得そのものじゃないの」

「それがルールだからね」

「お客さんが、新たに気に入った子ができても、途中で担当は代えられないの？」

「そう。だから、自分が担当になるためには、馴染《なじ》みになったお客を引き連れて別の店に移るか、その担当のホステスが店を止めるかしないと、永久に取って代われない仕組みになってるんだ。そうでもしないと、中には本当に体を張る子だって出てこないとは限らないだろう」

「ふ〜ん」

さくらはキラキラと光る目で話に聞き入っている。

大抜擢の法螺《ほら》話が効いたのか、高い寿司屋の雰囲気がそうさせたのかは分からないが、いつになくさくらは話に熱心だった。

すっかり舞い上がった僕は、それから冷酒を三本飲み、これまたお好みで寿司を摘んだ。勘定の段になり、二万四千円を請求されても、今日ばかりは平然とそれを支払った。

いつも目の当たりにしている店の客とは桁《けた》が一つも二つも違うが、それでもついこの間までは、こんな金額を一回の食事に使うことなど考えられないことだった。それだけでもなんだかとてつもない金持ちになった気がした。

店を出ると、辺りはすっかりと夜の帳《とばり》が降りて、歌舞伎町は毒々しいネオンが瞬く巷《ちまた》へと一変していた。途端に、堪《こら》え切れない欲情が込み上げてきた。食事の間のさくらの反応からすると、今夜がチャンスだと思った。今まで何度となく、二人で会ってきたが、これほど熱心に自分の話に反応したさくらは初めてだった。

すっかり気が大きくなっていた僕は、先に店を出て、後に続くさくらの肩を抱こう、そう決心した。

今夜こそ、この曖昧《あいまい》な関係にピリオドを打つんだ。さくらを俺のものにするんだ。

だが、店を出てきたさくらは、僕がそんな気持を抱いているとは気付く様子もなく、不意に時計を見ると、

「いけないもう九時だわ。私、帰らなきゃ」

「えっ。もう帰っちゃうの？」

出鼻をくじかれた僕は情けない声を漏らした。

「だって、明日も仕事しなきゃいけないんですもの」

「まだいいじゃない」

「来週早々に仕上げなきゃならない仕事があるの。陽ちゃんも知っての通り、うちは零細の印刷工場だもの。職人さんに休日出て貰《もら》えば、その分の給料は支払わなければならないし。明日は父と二人で機械を動かすことになっているの。ごめんね」

そう言われてしまうと、返す言葉がない。

「それじゃ今度はいつ会えるのさ」

「う〜ん。来月時間は取れると思うけど……またメールで連絡し合いましょう」

「それじゃ駅まで送るよ」

「いいわ、どうせ、私は都営新宿線、陽ちゃんは大江戸線でしょう。まだそんな遅い時間じゃないから、ここからは私一人で帰る」

まだそんな遅い時間じゃないって言うなら、もう少し一緒にいてくれてもいいじゃないか。

そう言いたくなるのをぐっと堪えて、

「そんなら今日はここで……」

僕は言った。

「それじゃ。今日はご馳走《ちそう》さま。お寿司、とっても美味《おい》しかった」

さくらは、一際魅惑的な微笑を浮かべた。それが今夜のご褒美だった。

情けなく立ち尽くす僕を振り返ることなく、さくらは小走りに歌舞伎町の雑踏に消えて行った。

一旦《いったん》込み上げてきた欲情を抑えることはもはや不可能だった。期待が大きかった分だけ、その反動も大きかった。

さくらが雑踏に消えると、まるで自分を誘《いざな》うかのように、辺り一面に犇《ひし》めく極彩色の輝きに目が行った。

酔いのせいもあったのだろう。僕は何度か行ったことがあるファッションマッサージの店のドアをくぐり、欲望を処理した。空しい放出の余韻は家に帰ると不快感に変わった。

もしかして貰っちまったんじゃねえだろうな——。

例の不安感がまた頭をもたげてくる。

後悔と自己嫌悪に苛《さいな》まれる週末を過ごした僕は、月曜の朝早く自宅を出ると、二度と来るものかと誓った新大久保の病院へ行った。

ドアを開けると、あの埃《ほこり》っぽい待合室があり、例のおばさんが現れた。僕を一瞥《いちべつ》すると、あからさまに呆《あき》れた表情を浮かべて言った。

「また、罹《かか》ったの！」

僕は思わず下を向いて、その場に立ち尽くした。

第二章　誘惑

冴《さ》えない一週間が過ぎた。

新大久保の病院で全く同じ検査を受け、得体の知れない薬を十日分貰った。治療費は薬代込みで、またしても四万五千円だった。給料を貰って、まだ一週間ほどだというのに、あらかたの金が飛んでしまった。

全く馬鹿なことをしちまったもんだ。

一錠幾らにつくものかは分からない高額な薬を飲む度に、酷《ひど》い自己嫌悪と後悔の念が込み上げてくる。しかし、処方された錠剤を飲むと、不思議と股間《こかん》に覚えた不快感も、精神的不安からも解放されるのは事実だった。

いつもなら、早々に謙介に借金を申し込むところだが、今回だけは金のやりくりがどうにかつきそうなのがただ一つの救いだった。何しろ、摩耶の送迎を行なうだけで、一回一万円からの臨時収入を手にすることができるのだ。もちろん、それは毎日のことではないが、それでも生活費を切り詰めれば次の給料日までは何とか暮らして行ける。

その日、僕は、昼前に家を出ると、摩耶のマンションがある広尾へ向かった。

「一時に販売店の人が来て、車を納車してくれるから、それまでに家に来てちょうだい」

携帯電話に連絡があったのは、昨夜のことだった。

地下鉄の階段を上がると、秋の陽光が降り注ぐ通りに出た。アパートのある佃近辺とは違って、洗練された小奇麗なカフェや商店が通りに沿って並んでいる。オープン・カフェの店の前には、女子大生風の若い女性や、引退後の余生を楽しむ老夫婦たちが昼の一時を過ごしている。

考えてみれば、この街に来るのはこれが初めてのことだった。大学があった埼玉の地方都市には、こんな小奇麗なカフェなどなかった。授業の合間に時間を潰《つぶ》すのは、いつも生協の喫茶室か、長い間に煙草のヤニが壁にこびりついたうらぶれた喫茶店と相場は決まっていた。学生以外の客はと言えば、近所のおばちゃんか、中小企業の親父然とした人間ばかりだった。

あの街が、干物の匂いなら、こちらはバターの香り、それも極上の舶来品の匂いだ。僕は酷く場違いな空間にやってきてしまった気分になりながら、摩耶のマンションへと歩いた。

豊かな緑を宿す大きな木々が立ち並ぶ丘に沿って、幾棟もの堅牢《けんろう》な造りのマンションが群れをなして建っていた。摩耶のマンションは、すぐに分かった。大きくうねるようなカーブが続くなだらかな坂の半ば辺りにあり、ぶ厚いガラスのドアの向こうに広々としたエントランスが見えた。そのスペースだけでも僕が住むアパート以上の広さがある。仰ぎ見ると、明らかに一般庶民が爪に火を点《とも》すようにしてやっと手に入れたマンションとは違って、フロアー毎の高さも全く違うことが一目で分かった。人生の勝者のみが住むことを許されるに相応《ふさわ》しい、豪壮な建物だった。

ドアの前にはインターフォンが設けられてあった。部屋の番号は305号室と聞いていた。表示されているネームプレートを見ると、『西山』とだけ記載されていた。

そうか、摩耶は西山というのか。

銀座のホステスが店で本名を名乗ることなどありはしないのは分かっていたが、僕はママの本当の名前を初めて知った。

305の番号に続いて、コールボタンを押した。暫《しば》しの沈黙の後、

「どなた」

聞き覚えのある声が返ってきた。

「岩崎です」

「ああ、陽ちゃんね。入ってちょうだい。三階よ」

オートロックが解除された。ぶ厚いガラスの扉を押し、ロビーに入った。傍らには誰が何の目的で使うのかは分からないが、一組の応接セットが置いてある。床は全て大理石で、壁には大きな絵画が掛けられていた。

歩く度に、磨き抜かれた床に靴底が微《かす》かな音を立てた。

『靴だけはいいものを買え。足元を見るっていう言葉があるだろう。あれはなあ、服に金

を掛けるやつは世の中にごまんといるが、靴まで金を掛けられるのは本当の金持ちだけだ。懐具合は足元にでる。俺たちは銀座という街で、夢を売る商売の手伝いをしている。そんな人間が、貧相な靴を履いていたんじゃ、興ざめだろう』

入社早々に店長に言われて無理をして買ったフェラガモだが、それでも自分が履くと足音さえも酷く安っぽいものに聞こえた。

エレベーターで三階に上がると、ぶ厚い木製の扉がずらりと並んだ廊下が続いていた。床に敷き詰められた絨毯《じゅうたん》が音を吸収するのか、物音一つ聞こえない。

３０５号室は、すぐに見つかった。呼び鈴を鳴らすと、待ち構えていたようにドアが開いた。

「ご苦労さま。上がって」

摩耶は、そう言うと僕を室内に誘った。

ポプリのいい匂いがした。ふと目をやると、げた箱というには、あまりに巨大な収納スペースの上に置かれた陶器の中に、ポプリがいっぱいに盛られていた。

「失礼します」

僕は靴を脱ぐと、摩耶の後に続いて部屋の中に入った。

広い廊下の片側には、二つのドアがある。たぶん一つはベッドルームだろう。

摩耶は店にいる時とは違って、濃紺の地味なワンピースに白いカーディガンを着ていた。いつもアップにしている髪は下ろされ、肩の辺りで揺れている。歩を進める度に、首筋の辺りから、仄《ほの》かな香水の香りが漂ってくる。

何だかどきどきした。銀座でトップを張る摩耶とたった二人で一つの部屋にいる。しかも、自分と歳はたった四つしか離れていない。考えてみれば、風俗以外の場で、妙齢の女性と二人っきりでいるなんて初めてのことだ。

ママだって銀座を出ればただの女。もしかすると、これは——。

僕は摩耶の後ろ姿を見ながら、股間が疼《うず》いて来るのを感じた。

このまま、背後から抱き締め、一気に押し倒して……。

「陽ちゃん。そこに掛けて」

そんな気持などさらさらないとばかりに、摩耶はリビングに入ると、一角を占めるソファを指した。

リビングは二十畳ほどはあるだろう。外見から推測した通り、天井は高く、自分が住んでいるアパートの一・五倍はある。壁には複雑な彫り込みがなされた金縁の額に入れられたファンタジックな絵が掛けられている。見覚えのある絵だった。確かシャガールとかいう画家のものだ。よく見ると、右隅にはサインとロットナンバーが書き込んであった。

「これ、確かシャガール、スよね」

「あら、陽ちゃん。絵には詳しいの」

摩耶が少し意外と言った口調で訊《たず》ねてきた。

「全然詳しくなんかないスけど。シャガールぐらいは知ってますよ」

「シャガールって言ってもリトグラフだけどね」

「でも本物っスよね」

「一応ね」

「高いんでしょうね」

「あんまり野暮なこと言わないの。値段なんか聞いて私に恥をかかせるつもり」

摩耶は口元に妖艶《ようえん》な笑みを浮かべると、白い歯を見せた。

「いや、シャガールの本物なんて見たことなかったもんスから」

「コーヒーでいいかしら。もうすぐ車屋さんも来ると思うけど」

「あっ、気にしないで下さい。俺、本当にいいスから」

それでも、摩耶はキッチンに立つと、サーバーから熱いコーヒーを入れてくれた。それもマグなんてシケた代物じゃない。おそらくこれも随分値の張るものなのだろう。奇麗な薔薇《ばら》の花が、縁に描いてある陶器のカップ。それと揃いのソーサーも添えてだ。

「ミルクとお砂糖は？」

「あっ、俺、コーヒーはブラックでいいっス」

「そう、じゃあ、少し待っててね。私、まだ準備しなけりゃいけないことあるから」

そう言うと、摩耶は再びキッチンに立った。

どうやら、何か料理の途中だったらしく、二つの鍋がコンロの上に載せられていた。

店では決して窺《うかが》い知ることのできない摩耶の一面を垣間《かいま》見た思いがして、僕は何だか嬉《うれ》しいような、誇らしいような、幸せな気分になった。

改めて室内を見渡すと、窓際には赤い薔薇の花が生けてあった。ポプリの入った陶器にも薔薇がデコレートされてあった。コーヒーカップ、ソーサーにも薔薇……。何気ないところにも、ちゃんとコーディネートが施されていた。

実際、摩耶には薔薇の花が良く似合った。あの花が秘めている妖艶さ、華やかさ。そして、気高さ……。それでいて、うかつに手を伸ばすと、隠れている棘《とげ》の一撃を食らいそうな危ない匂いがするところも、だ。

熱いコーヒーに口をつけた。香ばしい匂い。少し酸味のある味。こんな美味《うま》いコーヒーは初めてだった。

「美味いっスね、このコーヒー」

「あら、豆はスタバで買ったものよ」

「いや、やっぱ、ママが入れてくれると一味違いますよ。ママ目当てでお店に来るお客さんの気持が分かるような気がしますよ」

「それはどうもありがとう」

摩耶は、僕の言葉を聞き流すように言いながら、鍋の中のものを、小さなタッパーに入れ始めると、

「ねえ、陽ちゃん」

背を向けながら、言った。

「はい」

「隠していてもいずれ分かってしまうことだから先に言ってしまうけど、あなたを運転手として雇ったのは、ちょっと理由《わけ》ありなの」

「はあ」

僕は、間の抜けた返事をした。

「秘密は守れるわよね」

「そりゃ、摩耶ママの秘密となれば、誰にも話しませんよ。絶対っス」

「あのね、私があなたを運転手として回して貰《もら》った一つはね、私、病気の父親を抱えているのね」

「お父さん、どっかお悪いんスか」

「まだ、若いんだけどね、ちょっと惚《ぼ》けちゃっててね」

「惚け……スか？」

「そう、若年性のアルツハイマー」摩耶はタッパーに鍋のものを詰め込み終えると、「私、親一人、子一人なの」

「お母さん、いないんスか」

「もともと、夫婦仲はしっくり行っていなかったのよ。それでも私が高校三年までは、一緒に暮らしていたんだけど、父の様子がおかしくなって、それがアルツのせいだって分かった途端に蒸発……音信不通……」

摩耶は、遠い過去を見るかのように窓の外に視線をやると言った。

全く予期していなかった展開に、僕は何と言葉を返していいものか、押し黙るしかなかった。

「父は、堅い会社に勤めていたんだけど、惚けの症状が出ちゃうとねえ……会社になんか行けないでしょう。辞めてしまわざるを得なかったの。もちろん、私は高校を終えたら大学に進むつもりだったのよ。実際受験して、第一志望の学校に合格もしたわ。だけど、家は収入の道を絶たれてしまった……。その上、その頃から父は変な行動をするようになってしまってね」

「変な行動って言いますと」

「徘徊《はいかい》とか、意味もない行動……つまり空のヤカンを火にかけたりとか、本当に何があってもおかしくない状態になってしまったわけ」

「それで、ママは大学に行くのを止めちゃったんスか」

「そういうこと……。徘徊が始まったとなれば、もう目は離せない。かといって、私は自分の食い扶持《ぶち》は自分で稼がなきゃならない」

「それで銀座のホステスになったんスか」

「てっとり早くお金、それも纏《まと》まった額を稼げる道はこれしか思いつかなかったのよ」摩耶は、こちらに視線を向けて来ると、寂しげな笑いを浮かべて続けた。「だって、私が一人で父の面倒をつきっきりで見ながら、九時五時の仕事をするなんて無理でしょう。ああいう病気に罹《かか》ると、専門の病院、つまり二十四時間完全介護の病院に入れないとならないのね」

「それって、保険とか、利くんスか」

一瞬、性病科で法外な治療費をふんだくられたことが脳裏を過《よぎ》った。

「そういう施設もあるのだけれど、蓄えは母がほとんど持って行ってしまったし、それに充分な看護をして貰おうと思うと、大変な金額がかかるの」

「お母さん、お金持って行っちゃったんスか」

酷《ひど》い母親もあったもんだ、と思いながらも、その言葉をぐっと堪《こら》えた。摩耶は、寂しげな笑いを浮かべると、それには答えずに、

「蓄えって言っても、そんなにありはしなかったと思うわ。あったとしても、それなりの待遇を得られる病院に入れれば、治療の差額代だって、大変な額になるんですもの」

「いったいどれくらいかかるものなんです」

「父が入っているのは、青山の病院なのだけれど、個室に入れているから、その差額とか付添婦さんへの支払い……なんやかやで月に百二十万からかかるのよ」

「ひゃく・にじゅう・まん！　そりゃあ、大変だ」

「そう……。母にとってはいろいろと不満はあったでしょうけど、父は感情を表現するにしても、生き方にしても不器用だったしねえ。だけど根はいい人だったのよ。だから、治らない病気と分かってはいても、最高のことをしてやりたい。私はそう思ったのね」

「分かります。その気持」

脳裏に山形の田舎で暮らす両親の姿が浮かんだ。病気一つしないせいで、自分の親がそんな状況に陥ることなど考えてもみなかったが、実の親が難病に冒されたと知ったら、きっとできる限りのことはしてやりたいと思うだろう。

「時間との戦いだった……。僅《わず》かな蓄えが底をつく前に、何としても売上で充分な稼ぎを得られるだけのホステスにならなきゃいけない、そう思った。いやな客でも、お金離れのいい客には必死で媚《こび》を売った……」

「だけど、ママは立派に銀座のナンバーワンになったじゃないスか」

「ヘルプでお金離れのいい客を摑《つか》んで、店を変わる……。そして次の店では、そのお客さんが私のお客さんになる。もちろん、これだけ短い間に、ママになるには、先輩のホステスさんからいろいろ面倒を見て貰ったわ。だけど、先輩にしてみれば、上客を横取りされたも同然に映ったでしょうけど」

「でも、この世界、実力スから。誰の客になるかは、お客さんが決めることスから」

「皆が皆、あなたのように割り切って考えてくれるのなら、いいんだけれど、現実はそう甘くないのよ」

確かにその通りだと思った。この道に入ってまだ間もないが、銀座で働く女の世界は傍《はた》で見ているより遥《はる》かに複雑なことは身を以《もっ》て知っている。客は単純に店の雰囲気を楽しむことを目的にして来ているわけじゃない。ばか高い金を払ってでも店に来る目的はただ一つ。もしかすると、贔屓《ひいき》の女の子を口説けるかも知れない。そんな淡い期待を抱いてのことだ。一方のホステスにしたところで、客がスケベ心を抱いているのは百も承知。下心につけ込み、同伴を重ね、店で金を使わせる。事実『クイーン』で働くホステスたちに課された同伴ノルマは最低週三回。これをこなすだけでも大変な労力を使わなければならない。ただ客と酒席を共にして給料を貰えると思ったら大間違いだ。しかも同伴して貰ったところで、永久指名制度があるお陰で、売上は担当につく。自分の実入りを良くしようとすれば、そうした下積みを重ねた揚げ句に客を摑み、店を移るしかないのが現実というものだった。

「ねえ陽ちゃん」

摩耶は、意味あり気な微笑みを浮かべながら、視線を向けてきた。その笑いの陰に、どことなく自嘲《じちょう》めいた、微かに暗い影が漂っているような気がした。

「何でしょうか」

「あなた、不思議に思わない」

「何がスか」

「売上トップだとは言っても、私のお客さんはほんの十人ばかり。他の席からお呼びがかかっても、見向きもしない」

「そりゃあ、ママのお客さんは一度来れば大金を落としてくれる方々ばかりですもん。小さな客を相手に小銭を稼いでもしょうがないでしょう」

「それはちょっと違うんじゃないかしら」

摩耶は、ヴァージニアスリムのパッケージから一本を取り出すと、火を点《とも》し、すうっと煙を吐いた。ポプリの香りに混じって、煙草の匂いが鼻を擽《くすぐ》った。

ああ、いま俺はママの体に入った空気を吸っている。

そう思うだけで、とても幸せな気持になった。

「違うって、何がです」

顔の筋肉が緩みそうになるのを堪えようと、慌ててコーヒーを啜《すす》りながら訊《たず》ねた。

「陽ちゃん、まだ銀座が短いから分からないでしょうけど、ちょっと頭の回るママなら、こんな馬鹿なお客さんの取り方はしないものなのね」

摩耶の入店初日の夜、店が引けた後で、送りの車中での雪乃の言葉が思い出されたが、僕は黙っていた。

「だってそうでしょう。確かに私の客単価はお店の中でも群を抜いて高い。だけど、ほんの十人ばかりのお客さんに依存していれば、誰か一人こけただけでも売上はたちまち落ちてしまう。本来ならばリスクを分散するために、少しでも多くのお客さんを握っておいた方がいいに決まってる」

「どうですかね。普通はそうなんでしょうけど、ママのお客さんは、筋がいい。山野さんはオリエンタル製薬の社長さんだし、真壁さんだって貿易会社の社長でしょう。明日どうなるか分からないって方はいないいんじゃないですか。銀座に入って日が浅い僕がこんなことを言うのも生意気ですけど……」

「確かに、私のお客さんは筋がいいのは事実。もっとも、横山さんは本当のスジ者だけどね」

　摩耶は、ほっそりとした頰の上をしなやかな指でなぞり、白い歯を見せて笑った。

「マジ、スか、横山社長って本当のスジ者なんスか」

「本当よ。あなた十五《とおご》とか十七《となな》って知ってる？」

「いいえ」

「十五は十日で五割の利子、十七は七割の利子――」

「それって、一万円借りたら、十日後には利子が五千円、あるいは七千円つくってことスか」

「そうよ」

「そんなばか高い利子を支払ってまで、金を借りる人いるんスか」

「いなけりゃ、あんなに豪勢に遊ぶことなんてできやしないでしょう」

「そりゃそうかも知れませんけど」

「とにかく、あの人がそのスジの人ってことは間違いないわ。だけど、そんな商売がいつまでも続くわけがない。いずれ社会問題化して、商売替えを強いられる時が来るでしょう。もっとも、そうなったら、そうなったで、また別の商売を考えるんでしょうけどね」

「その前に、懲役に行っちゃったりして」

「へたをうつタイプじゃないけど、考えられないことじゃない。だから、横山さんが落としてくれるお金は余剰所得ってわけ」

「はあ……余剰所得スか……」

このペースで横山が来店を繰り返すとなれば、彼から得られる収入だけでも、月に二百万は軽く超すだろう。それが余剰所得とは——。手取り十五万円の身からすると何とも複雑な心境だった。

「私の基本給はね、山野社長が落としてくれるお金なわけ」

「山野社長スか」

「この際だから話しておくわね」摩耶は吸いかけたばかりの煙草をエルメスの灰皿の上でもみ消すと、続けた。「私、山野社長の愛人なの」

「愛人！」

艶《なま》めかしい言葉の持つ響きに、心臓の鼓動が速くなった。

「あの人、社長と言っても、婿養子なのね。会社から貰《もら》う給料は奥さんががっちり管理しているの。だからお手当を貰うにしても、ポケットマネーからってわけには行かないの。それで店に来て、月のお手当分を落として行くってわけ。もちろん勘定は会社に回してね」

どうりで山野が店に来ても、自分はさほど酒には手を付けずに、ヘルプでついたホステスに大盤振る舞いして高い酒を次々に空けるわけだ。

「それじゃここの家賃も――」

「そう、それに父の病院の費用も、山野社長が落としてくれるお金の中から支払っているの。病院の斡旋《あっせん》も社長のお世話になったわ」

つまり、山野が店に落とす金は、摩耶にとってみれば生活を営んで行くための言わば固定費。必要最低限のもので、他の客が落とす金は、プラスアルファと言うことになる。

考えてみれば、横山はともかくとして、摩耶の他の固定客は、数は少ないとは言え、いずれも堅い客ばかりだ。真壁は会社のオーナー社長だし、他は外資系証券会社のディーラーとかの、サラリーマンとは言っても、世間相場を遥かに超える高額な給料を手にしている人間ばかりだった。

「驚いた？」

「ええ、少し……」

正直なところを言えば、あれほどの大金を毎週落として行く人間と、客とホステスを超えた関係がないと考える方がどうかしている。

だが、若年性アルツハイマーという病を抱えた父親を持ち、大変な治療費を稼ぎ出すために、十九の歳から文字通り体を張らなければならなかった摩耶の気持を考えると、何やら痛々しい気持が込み上げてくる。

「軽蔑《けいべつ》する？」

「いいえ、そんなことはありません」嘘はなかった。僕は頭を左右に振りながら即座に答えた。「でも……」

「でも、なあに」

摩耶はこちらの心情を探るような目で先を促した。

「ママは恵まれていると思います」

「それどういう意味？　難病に罹《かか》った父親を持って、その治療費を稼ぎ出すために愛人に身を窶《やつ》し、その代償にお手当を貰う。そんな身が恵まれているのかしら」

「だって、もしも俺の父親が同じ病気に罹っても、どうすることもできませんもん。それは俺が男だってばかりじゃなくて、女だったとしても、ママのような美貌《びぼう》と才覚に恵まれていないと、できることじゃないですから」

「そう言って貰うと少しは救われる思いがするわ」

「俺、このことは誰にも言いませんから。ママには全面的に協力しますから」

「ありがとう……陽ちゃん、優しいのね」

摩耶はそっと視線を落とすと、冷めかけたコーヒーを啜った。

その時を待ち構えていたように、インターフォンが軽やかな音を立てて鳴った。

「あなたの車が来たようね」

摩耶は席を立った。

＊

それから三週間の間、店には別段変わったことはなかった。

摩耶ママのお客はいつもと同じペースで現れ、相変わらず大金を店に落として行く。僕はと言えば、毎日昼には摩耶のマンションにベンツを走らせ、彼女をピックアップすると、青山の病院に向かう。摩耶が手作りの弁当を届け、一時間から二時間ほどの看病の時間を過ごすと、銀座の美容院へ行き店に入る。摩耶の客が帰ってしまえば、すぐに広尾のマンションへと送り届ける——。それが日課になった。

摩耶が閉店前に店を出る日は、どうやら山野社長がマンションを訪れる日であることは容易に推測がついた。摩耶を玄関口で降ろしてしまえば、それでお役御免となるのだが、それでもその後の成り行きが気になった。

一度、僕は、摩耶を送り届けた後、周囲を一周し、エントランスが見えるところで、車の中から様子を窺《うかが》ったことがあった。摩耶がマンションに消えて、小一時間もしないうちに、タクシーが止まり、中から山野が降り立ち建物の中へと消えて行った。

フロントガラス越しに摩耶の部屋を見ていると、ほどなくして部屋の電気が消えた。あの部屋の中で何が行なわれているかは想像に難くない。

そんな光景を目にしてからというもの、山野が訪れたと思《おぼ》しき夜の次の日は、いつにも増して摩耶の姿が艶めかしく見え、それと共にさくらへの思いが募った。

さくらから、携帯にメールが届いたのは、そんなある日のことだった。

『今度の週末、空いてる？　もし何の予定もないのなら、会わない』

願ってもないことだった。今週末と言えば、ちょうど給料が出たばかりであることに加え、摩耶ママから貰った『お手当』もあって、懐は大いに潤っている。

『もちろんＯＫ。今週は、車があるので、湘南《しょうなん》にでもドライブしない』

さくらはいつになく、即座に返事をくれた。もちろん了解だった。

待ち合わせは、新宿駅の西口、午前九時だった。

黒いメルセデスのＥ３２０を止め、ハザードランプを点滅させ車外に降り立つと、ポーズを決めて煙草を銜《くわ》えた。いっぱしのベンツのオーナーになった気分だった。

やがて約束の時間になると、駅から吐き出される人の群れの中にさくらの姿が見えた。

「ちょっと、陽ちゃん……それ、どうしたの？」

「店の車なんだけどさ。管理は俺が一任されているんだ。週末は好きに使っていいってさ」

「凄《すご》いわね。それベンツの新車でしょう」

「去年出たばっかり。八百万円はするかな」

「こんな高級車を陽ちゃんが自由に使えるの」

「これでも、俺、幹部候補生だから」

磨き抜かれたベンツに目を丸くして見詰めるさくらに向かって、僕は嘘を言った。

「今日はこいつで、葉山《はやま》辺りへドライブと洒落《しやれ》こもうぜ」

ドイツ車らしい固いドアレバーを引くと、大袈裟《おおげさ》な仕草で助手席のドアを開けた。

さくらにしても、メルセデスに乗るのは初めてのことなのだろう。少し緊張した様子の中に、それでも嬉々《きき》とした表情が窺えた。

運転席に乗り込み、ドアを閉めると、外の騒音は全く聞こえなくなった。アイドリングのエンジン音さえ聞こえない。オーディオセットに入れたCDには、さくらの好きな倉木麻衣のファーストアルバムが入れてある。素晴らしく伸びる低音。抜群のリズムに乗って彼女特有のハスキーボイスが室内を満たす。アクセルを踏み込むと、滑るようにベンツは走り始めた。

山手通りから二四六へ。そして環八から第三京浜へ。都内の道は多少の渋滞があったが、それもさほど気にならなかった。何しろ隣にはさくらがいた。考えてみれば、こうして狭い空間を共有するのは初めてのことだった。

第三京浜の三車線道路に入ったところで、ちょいとアクセルを踏み込んでやった。スムーズな加速。あっという間にスピードメーターは百キロに達する。それでもエンジン音は聞こえない。まるで追い風を受けて疾走するヨットのような静けさだ。ボディの剛性が素晴らしく、これまで乗っていた国産車とは全く違う。まるで鉄の揺《ゆ》り籠《かご》の中で守られているような感じがする。

スピードメーターが百キロを指したところでオートクルーズをセットした。走行車線を走っていると、たちまちのうちに前の車との距離が縮まる。そこでアクセルをちょいと踏み込み、追い越し車線に入る。まさに滑走という言葉が相応《ふさわ》しい快適な加速、そして安定した走行に思わず笑みがこぼれた。

「凄い。さすが値段の分だけはあるわ」

さくらもドライブを充分に満喫しているようだった。その口調にいささか興奮の色が見て取れた。

「やっぱ、いい車に乗ると、何て言うか、心の余裕が違うね」

「陽ちゃん、たとえこの車が会社のものだとしてもよ。間違いなく今のところあなたは同期の出世頭よ」

「よせよ、たかが車だぜ」

「だって、私たちのような三流大学の出身で、こんな歳でベンツをあてがって貰《もら》える人なんていないもの」

「たかだか銀座のボーイだぜ」

「あら、会社の格なんて問題外よ」

さくらは視線をこちらに向けると、

「そりゃあ、就職の時に、親のコネを使って名のある会社、と言ってもいいところが販売会社だけど、うまく潜り込んだ人はいるわ。例えば、大崎《おおさき》君、覚えてる」

「ああ、君の友達の留美子《るみこ》と付き合っていたやつだろう」

大崎というのは、大学の同期で、大手医療機器メーカーの販売子会社にいち早く内定したやつだった。販売子会社とはいっても、大学の格から言えば、採用されただけでも奇跡に近い。エントリーしても面接の日はおろか、会社説明会の返事さえ貰えない周囲の仲間たちからの羨望《せんぼう》を一身に集めたものだった。

「大崎君、大変な苦労をしているようよ」

「そりゃあ、楽な仕事なんてありゃしないさ。会社だって慈善事業をやっているわけじゃないもん。役に立たない人間に、無駄な金なんか使いやしないよ」

「あの人、入社早々に営業職に回されたらしいのね。それこそ、おんぼろの営業車に乗って、毎日病院回り。医療機器の販売って相手は病院の先生でしょう。当然診察時間内は会えないから、先生の手が空くまで、じっと待合室で待ってるんですって。商談開始は早くとも三時とか四時。それから三つ、四つと病院を回って、会社に帰るのは夜遅くなってから。日報を書いて家に帰るのは深夜。最近じゃ留美子と会う時間も取れないらしいわ」

「拘束時間が長いんなら、残業手当がつくんだろう」

「それが全然なんですって。それどころか、やっと会社に帰って来たと思ったら、病院の先生から電話が入るらしいのね」

「どんな」

「麻雀《マージャン》の面子《メンツ》が足りないからすぐ来いとか、飲みに行くから出て来いとか。週末にしたってやれゴルフだなんだと、まるで下僕のようにこき使われるんですって」

「当然飲み代やゴルフは会社の金が出るんだろう」

「持ち出しも多いらしいわよ。麻雀だって、お金を賭《か》けないわけないし。お医者さんのレートは学生とは全然桁《けた》が違う上に、まさか勝つわけには行かないでしょう。博打《ばくち》のお金を会社が持つわけないし」

「そりゃ大変だなあ」

「それに、販売子会社と言ったって、私たちの大学から入ったのは、大崎君が初めて。親のコネだってことは社員の誰もが知ってるし。当然社内で彼を見る目も違ってくるわよね」

さくらが言うまでもなく、大崎が置かれた状況は手に取るように分かる。

いかに世の中の多くの企業が実力主義、実績主義を公言するようになって久しいとはいえ、自分たちのような三流大学の出身者は、そもそも採用の段階から大きなハンディキャップを背負っている。それは、就職サイトにエントリーしても、なしのつぶてであることからも明らかだ。不況の真っただ中にあって、就職市場は企業の完全な買い手市場にある。一流の大学出身者にしたところで、名だたる大企業に入れるのは、ほんの一握り。あとはトコロテン式に、企業の序列に従って収まるところに収まっていく。そこに異分子が紛れ込んだとなれば、居心地の悪いこと甚だしいに決まっている。

「大きな会社に入っても、やっぱ俺たちのような人間は苦労するんだな。これって立派な差別だよな」

「そうよ、私たちは、あの大学出身っていうだけで、十字架を背負わされたようなものなのよ。這《は》い上がるためには、学歴も何も関係ない。本当に実力勝負、勉強以外のところで才能を発揮できる場を見つけ出さないことには、どうにもならないの」

いつになくさくらは饒舌《じょうぜつ》だった。自由にできるベンツを会社からあてがわれた、と言ったことが効いたのだろうか。とにかく、さくらとの距離が今日はずっと近くに感じた。

だが、そんな気分になったのは最初のうちだけだった。さくらが積極的に口を開く度に、嘘をついていることが次第に心に重くのしかかってくる。

「その点、陽ちゃんは銀座を職場に選んで正解だったわ。実力一つで、成功への階段を駆け登ることができるんですもの」

「いや、銀座だって、そんなに甘い世界じゃないよ。確かに俺は、車の管理を任されてはいるけどさ。給料だってそんなに高くないし」

「そんなことないじゃない。この間だって、新宿のお寿司《すし》屋さんでご馳走《ちそう》してくれたじゃない。ホール主任になったたって言って」

「それは、そうだけどさ……」

嘘は取り繕おうとすればするほど収拾がつかない方向に向かう。

「それに、あなたのお店、この時代にして、一晩で百万からのお金を使うお客さんがたくさん来るんでしょう」

「うん……まあ」

それは嘘ではなかったが、自分がホール主任になったというのは大ボラだ。摩耶ママの送迎をやって、一日一万円の小遣いを得ているに過ぎない。しかし、今ここで真実を打ち明けるわけにも行かない。

「でもさあ、一時に比べれば銀座の景気もそれほどじゃないんだよなあ」

「豪気なお客さんがたくさん来ているのに」

「あのね、一つ例を挙げるとさ、銀座にはポーターってのがいてね」

「なあに、そのポーターって」

「お店と契約してね、ホステスさんやお客さんの車を預かってさ、駐車場に回すんだ。バブルの時期なんかは、チップだけで月百万からの収入になったらしいんだけど、今じゃさっぱりのようだよ。食うのがやっとらしい」

「それでも、食べて行けるだけの収入を得られるんでしょう。やっぱり銀座ね」

どう説明しても、もはやさくらには銀座が夢の世界のように思えているらしい。

こうなれば、軌道修正をするにしても、一気にというわけには行かない。まあ、これから適当なストーリーを作り上げて、徐々に本当のところを話して行くしかないだろう。とにかく、今日のところはこのままやり過ごすしかない。

僕は腹を括《くく》った。

車はすでに逗葉《ずよう》新道を抜け、長柄《ながえ》トンネルに入っている。何枚目かのCDが終わり、サザンオールスターズのメロディーが流れ出した。そのタイミングを見計らったように、目の前に湘南の海が開けた。秋の陽光を浴びて、海面に無数の小さな光が煌《きら》めく。

『真夏の果実』がかかった。

「最高！　やっぱり湘南にはサザンよね」

うっとりした口調でさくらが言った。

「昼飯は『日影茶屋』でいいか」

「本当！　嬉《うれ》しい。私、日影茶屋に一度行ってみたかったの。ほら、サザンの歌にもあるでしょう。『日影茶屋では、お互いに声をひそめてた――』って」

さくらは曲の一節をメロディーと共に口にした。

＊

休日とあって日影茶屋の店内は込み合ってはいたが、昼を少し過ぎたせいもあって、待たされることなく僕らは席についた。

落ち着いた和風造りの窓越しに、手入れの行き届いた庭園が見える。

席につくとすぐに、和服を着た仲居さんが現れ、注文を訊《き》いた。

摩耶から貰う臨時収入のお陰で、懐具合は暖かく、食事代の心配はいらない。僕は三段階ある定食のうち、真ん中の価格のものを選び、飲み物にカボスソーダをオーダーした。

さくらは、入念にメニューを見て、食事は同じものを、そして飲み物はビールを注文した。

「昼から私だけビールじゃ、申し訳ないかな」

自ら進んでアルコールを口にしないさくらにしては、意外な選択だった。それでも僕は、

「気にすることはないよ。どうせ運転するのは俺なんだから。いいよさくらの好きなものを選びなよ」

ますますいつもと違うさくらに違和感を覚えながら言った。

ほどなくして、飲み物が運ばれてきた。

「乾杯!」

さくらの音頭で僕たちはグラスを合わせた。

カボスソーダの爽《さわ》やかな酸味が、渇いた喉《のど》に心地よかった。さくらは、ビールをごくりと飲むと、

「ねえ、陽ちゃん」

改まった口調で切り出してきた。

「何だい」

「あのね、これ真面目な話なんだけど、銀座のホステスって私でも務まるかしら」

飲みかけのカボスソーダが喉で逆流した。思わずむせ返りそうになるのを、ようやくのところで堪《こら》え、

「何だって」

僕は、素《す》っ頓狂《とんきょう》な声を上げた。

「だから、私が、銀座のホステスとしてやって行けるかって訊いたのよ」

「君がホステスって……まさか本気で言ってるんじゃねえだろう。冗談だよな」

まさかビールの酔いがこんなに早く回るはずもない。

果たして正面から僕をじっと見詰めてくるさくらの目は真剣そのものだった。

「冗談なんかじゃないわ。私、この頃ずっと本気で考えていたの」

「どうしてまた」

「お金が必要なの」

「金？」

「実はね、うちの会社、大変なの」

「会社って、お父さんがやってる印刷会社のことかい」

「このご時世でしょう。ただでさえも仕事を取るのは楽じゃないの。会社って言っても、両親と私に、職人さんが五人。パートのおばさんが三人の小さな町工場《こうば》のようなところだもの。お得意さんが一つ減っただけでも深刻な問題なの。そこにもってきて、銀行の貸し剝《は》がしにあって、いつ不渡りを出してもおかしくないところにまで、会社は追い込まれてしまって——」

「それで、君がホステスになって、家計を助けようというつもりなのかい」

さくらはこくりと肯《うなず》いた。

「止めた方がいいよ」

「やっぱり私程度の器量じゃやって行けない？」

「そうじゃない。正直言って器量だけを取るなら、君は充分だとは思うけど……家計の足しにできるだけの収入を上げられるかと言えば、それは無理だよ。どう考えてもマジ無理」

「でもさ、陽ちゃん、この間、お店に新しく入ったママの話をしてくれたじゃない。一晩に百万からのお金を落としてくれるお客さんを摑《つか》んでいて、その四十二％が実収入になるって」

「それは本当の話だけど、摩耶ママだって、ここまでになるには、長い修業の時間があったんだ。いいかい、摩耶ママがこの世界に入ったのは、十九の時。当然最初はヘルプで時給なんぼの収入しか上げられない。そこでがっちりお客を摑んで、次の店に移り、それを何度か繰り返してようやく歩合制のママになった。この世界、すぐに大金を稼げるほど甘くはないよ。摩耶ママのような人なんて、銀座広しといえども数えるほどしかいないもの」

本当は、摩耶ママの稼ぎが図抜けて大きいのは、一番のお客である山野の愛人であればこそのことと、続けたくなるのを、僕はすんでのところで堪えた。

「ヘルプのホステスって、時給幾ら貰《もら》えるの」

「うちの店の場合、二千五百円ってとこかな」

「それで実労は何時間なの」

「同伴の場合でも九時には店に入らなけりゃならない。まあ八時から十二時までとして、一日に支払われる賃金は四時間分の一万円といったところかな」

「それなら月に二十五日出たとして、二十五万円の収入にはなるわけよね」

「簡単に言うなよ。いくらバイトでも、入店直後はともかく、すぐに同伴のノルマが課せられる。衣装代や美容院代だって自前だぜ。いきなりこの世界に飛び込んで来たって、苦労するのは目に見えてるよ」

「でも、その摩耶ママにしたところで、最初の条件は同じだったんでしょう。それで二十六にして歩合制のママになって、大金を稼ぐようになった」

「だから、摩耶ママは例外中の例外だって言ってるじゃないか」

「月に二十五万だっていいの。今の私にしてみればそれだけのお金が毎月入ってくることは、とてもありがたいことなの」

「そんなに、お父さんの会社は酷《ひど》いのかい」

「綱渡りそのものよ。朝から晩まで金策に走り回っているわ」

「しかしなあ、君、そんなに酒も強くないし、第一酔っ払い相手だぜ。当然紳士的な客ばかりじゃない。皆お客さんの前では顔に出さないけれど、随分と嫌な思いもしてるんだぜ」

「別にお触りバーじゃないんでしょう」

「そりゃあ、銀座のクラブは風俗店とは違うけどさ。それでも尻《しり》を撫《な》でたり、胸にタッチしてくるくらいのことはあるさ」

「その程度なら覚悟はしてるわ」

その程度だって？　覚悟はある？　冗談じゃない。さくらが酔っぱらった客に尻を撫でられ、胸にタッチされる。想像しただけで、僕は気が変になりそうになった。もしもそんな場に出くわせば、その客の胸ぐらを掴み、パンチの一発もお見舞いしてやるかも知れない。ボーイが客を殴れば、どんなことになるかは目に見えている。当然クビだ。摩耶ママから与えられたベンツも、臨時収入も全ては水の泡。新しい仕事を探すにも、客に暴力を振るったなんて話は、銀座の中ではあっという間に知れ渡ってしまうだろう。新宿か、それともっと場末のクラブかキャバレー辺りに職を見いだすのがせいぜいだ。

いや、それ以上に、さくらが同じ店で働くことになれば、これまでついてきた嘘が全て明らかになってしまう。幹部候補生、ホール主任、ベンツ……。実はただの新入りのボーイだってことが、バレちまう。

何としても、さくらのホステス転向だけは絶対に諦《あきら》めさせなければならない。

僕は、必死にその理由を考えた。しかし、先に口を開いたのはさくらだった。

「陽ちゃん。私の決意は固いの。お願いだからその摩耶ママに口を利いてくれないかしら。私を摩耶ママの下で修業させて欲しいって」

「止めとけよ。悪いことは言わないからさあ」

気のない言葉に、さくらはあからさまに失望の色を露《あらわ》にした。それが果たして本心からのものなのか、演技なのかは分からない。固く口を閉じて、冷たい視線を投げ返してきた。

「そんならいいわよ。もう陽ちゃんには頼まない」

「うん。それがいいよ。ホステスは君に似合わない」

どうやら、諦めてくれたのかと思って、安堵《あんど》の吐息を漏らしたのもつかの間、僕は次のさくらの言葉を聞いて、椅子から飛び上がらんばかりに驚愕《きょうがく》した。

「それなら、もっと手っ取り早く稼げるバイトを見つけるから。新宿辺りの風俗なら、簡単に雇ってくれるでしょうし。一日一万なんてしょぼい稼ぎじゃないだろうから」

「ば、馬鹿なこと言うなよ。風俗なんてそんな――」

泣きそうになった。哀願調になった声が自分でも情けなかった。脅し文句に決まっているにしても、それはないだろう、さくら……。

「風俗だっていろいろあるんでしょう。ヘルスとか抱きキャバとか」

「止めてくれ。君の口からそんな言葉を聞きたくないよ。さくら、お前、今日はどうかしてるよ」

「だって陽ちゃんがお店を紹介してくれないって言うならしょうがないわ。自分で探すしかないじゃない」

このさくらが、どこの馬の骨とも分からない男と裸で絡み合う。いやもしもヘルスなんかに勤められたら男のチンチンをこの口に――。

脳裏に浮かんだおぞましい光景を振り払おうと、僕はぶるぶると頭を振った。そんなことは絶対に許せるものではない。

「分かった。もう止めてくれ。摩耶ママには君のことを話してみるから。お願いだから、そのヘルスとか抱きキャバとか、そんな生々しい言葉は二度と口にしないでくれ」

哀願、懇願――もう僕は泣きそうだった。本気かどうかは分からないが、とにかくさくらの家が経済的危機にあることは事実のようだ。へたに暴走されるくらいなら、自分の目の届くところに置いておいた方が、まだマシというものだ。

「じゃあ、紹介してくれるのね」

「ああ、約束する。ただし、君を採用するかどうかは、ママの判断に任せる。それで、もしも駄目だとなったら、きっぱりと諦める。ヘルスとか抱きキャバとか、そんなところで働くなんて馬鹿なことは言わない。それだけは約束してくれ」

「分かった。ありがとう、陽ちゃん」

さくらは一転して、満面に笑みを浮かべた。その笑顔を見ながら、何ゆえに今日、さくらが僕を誘ったのか、その本当の目的をはっきりと悟った。

＊

「川村さくらさんね」

摩耶との面接が行なわれたのは、それから一週間の後、広尾にあるカフェでのことだった。

休日とあって、店の中は混雑していた。土地柄のせいか、週末の午後を過ごす外国人の姿も目についた。銀座とは別の意味でのハイソな匂いが漂ってくる中で、さくらは僕と並んで摩耶の前に座っていた。テーブルの上には、オーダーしたコーヒーと、さくらの履歴書が並べられている。

「よろしくお願いいたします」

さくらは丁重に頭を下げた。

「だいたいの事情は陽ちゃんから聞いているわ。あなた、お父様の会社で働いているんですってね」

「はい。父は小さな印刷会社を経営しておりまして、私は大学を卒業後、そのまま父の会社の手伝いに入りました」

「それで、お父様の会社の経営が思わしくなくて、この世界に入りたい。そう言うわけなのね」

「はい」

ニットのワンピースに身を包んだ摩耶は、和服の時とは雰囲気が全く違うが、体の線がはっきりする分だけ、妖艶《ようえん》な匂いが漂ってくる。それが証拠に、近くの席に座った客が、ちらちらと視線を向けてくるのが分かった。

摩耶はそんな気配を気にするふうでもなく、口元に穏やかな笑みを浮かべながらさくらを見ていた。だが、その瞳《ひとみ》の中にはどこか目の前のホステス志願者を値踏みするような鋭さがあった。

「このご時世ですもの、中小企業の経営は大変よねえ」

「このところ、取引先から思うように仕事が入らない上に、銀行の貸し剝《は》がしにあって、金策が大変なのです。それで少しでも、家計の足しにしようと、学校時代の友人の岩崎さんにバイトの口をお願いしたのです」

『友人』『岩崎さん』――。よそよそしい言葉がさくらの口をついて出る度に、僕の心は萎《な》えた。

何か他の言い方はねえのかよ。

だけど、僕たちの関係が恋人同士なんかじゃないことは確かだ。せいぜいが親しい友人。その程度のものであることは間違いなかった。

「お家《うち》の事情があって、この道に入りたい。それはそれで、ホステスをやって行くためには立派な理由になるわね。私もいろんな女の子を見てきたけれど、単にお小遣いが欲しいから程度のものじゃ駄目なのよ。人間は背負っているものがあればあるほど、一生懸命になるものなの」

「おっしゃる通りだと思います。今回はバイトとお願いしていますが、もしも採用していただけるなら、私、この道のプロになるつもりでがんばります」

「そうね。そういう覚悟は大切ね。陽ちゃんから聞いてはいるでしょうけど、この商売、単にお客さんの隣に座って、お酒を飲んでいればいいってもんじゃないのよ。お店にはいろんな方が来るの。大企業の社長。外資系のサラリーマン。中小企業の経営者。学者。医者。作家。芸能人——。それこそありとあらゆる業種の方が集まるの。そうした方々と会話が成立しないことには、座が白けてしまう。だから日頃から、いろんな雑誌や新聞に目を通して、いろんな知識や情報を身に付けていなければ、とても高いお金を使ってはいただけないのね」

「一応、大学時代から経済誌には目を通してはいます」

「それは感心な心がけね。まだ若い私がこんなことを言うのも変な話だけれど、最近じゃ、銀座で働く女の子も、昔とは随分様変わりしていてね、ホステスはただお客様の席について、座っているだけで済むと勘違いしている人が多いの。バイトの女の子の中には、昼間一流企業で働いている人もいるのだけれど、全然ものを知らない、言葉遣いもなってない、礼儀も知らない。傍《はた》から見ていると、はらはらするような人も多いのよ」

「こうして、お願いしているからには、ママに恥をかかせないよう、精一杯の努力はするつもりです」

摩耶はさくらの言葉を聞きながら、軽くコーヒーを啜《すす》った。

「あなた、煙草は吸うの」

「いいえ」

「お酒は？」

「正直言って、あまり飲めませんが、やっぱりお酒は強くないと駄目ですか」

「飲めるに越したことはないけれど、それも程度問題ね。お客様より先に、ホステスができ上がってしまったんじゃ、失礼でしょう」

「それを聞いて安心しました」

「安心？」

摩耶は穏やかな笑みを絶やすことなく訊《たず》ね返した。

「だって、お酒が強い方が、ボトルが減るスピードは速くなる。売上も伸びるんじゃないかと……」

「そんな心配はいらないわ。第一、同じ席にずっと留《とど》まるわけじゃないもの。店の混み具合、席の状況を見ながら、マネジャーが頃合いを見計らって、他の席に移してくれるの。その度に、新しいお酒をいただけば――」

「席を移る回数が増えれば増えるほど、ボトルは自然と減って行くというわけですね」

「そう。でも、あなたは、まだそんなこと心配しなくていいのよ。銀座のお給料はどうなっているかは、陽ちゃんから聞いているでしょう」

「はい。時給、歩合と、いろいろあると……」

「あなたがこの道に入るとしても、最初からご新規で指名してくれるお客さんでもいない限り、歩合は無理よね。当然時給ということになるわ」

さくらはこくりと肯《うなず》くと、

「それで、私はバイトとして採用していただけるんでしょうか」

「そうね」摩耶は改めてさくらを見ると、「正直言って、容姿、言葉遣い、礼儀の面については問題ないと思うわ。もっとも最終的に採用を決めるのはオーナーだけれど、あなたが本気でこの道に入ろうと思うなら、私が口を利いてもいいわ」

「是非、お願いいたします」

深々とさくらは頭を下げた。

「でも、最初は時給二千五百円よ。一日実労四時間としても、一万円にしかならないけれど、それでもいいの」

「今の家の事情から考えれば、それでも大金です」

「それじゃ、とりあえずやってみたらどう。当面は私のヘルプということで」

意外にも摩耶はあっさりと、さくらの入店を認めた。

「摩耶ママ。すいません、面倒なお願いして」

さくらの面倒を見て欲しいと最初に切り出した僕は、椅子の上で姿勢を正すと頭を下げた。

「いいのよ、陽ちゃん。さくらさんを私のヘルプにすると決めたのは、何もあなたのお友達だからじゃないの。この人の背負っているもの、それにホステスとしての最低必要限の資質を持っているかどうか、それを客観的に判断してのことだから」

摩耶はそう言葉を返すと、

「それにしても、さくらさん、あなたも本当に大変ね。お家がそんな状況でなければ、夜の銀座で働こうなんて気にはならなかったでしょうに」

「しかたがありません。実際、会社は本当に危ないところに追い込まれているんです。今日だって週末だというのに、父は朝から金策に走り回っています。ウイークデーは、一つでも仕事を貰《もら》おうと、お客様のところを回って、工場に帰って来るのはいつも夜。家も、とっくに銀行の抵当に入っていますし、もしも、銀行からの借り入れが返せなければ、一家はたちまち路頭に迷ってしまうのです」

「週末に金策って、まさか街金《まちきん》とかじゃないでしょうね」

「土日に業務をしている銀行なんてありませんから、あるいはそうしたところに行っているのかも知れません」

「それは、止めた方がいいわよ。あなたも知っているとは思うけど、街金の利子は銀行なんかの比じゃないわ。最近じゃ十一《といち》なんていいほう。中には十五《とおご》、十七《となな》なんてとんでもない利子を取るところもあるのよ。もちろん非合法。そんな仕事をどんな人間がやってるかは想像がつくでしょう」

「もちろん街金のことは知っています。でも、もうそうでもしないことには、資金繰りがつかないんです」

摩耶ママは心底、気の毒そうな目でさくらを見ると、大きな溜息《ためいき》をついた。

「あのね、街金ていうのはね、溺《おぼ》れかけて藁《わら》をも摑《つか》みたい人が転がり込んで来るのを口を開けて待っているの。一度借りたらもうお終《しま》い。高い利子を、いかに長く取り続けるか、それが目的なの。たとえあなたのお父様が、大きな仕事を貰って、多少手持ち資金に余裕ができて元本を返そうとしても、今度は返済を拒んでくる。あの手、この手を使ってね」

「元本の返済を拒む？　どうしてです」

「だって、元本を返されたんじゃ、商売にならないでしょう」

「その前に、充分利子で儲《もう》けているじゃないですか」

「利子だけ払い続けてくれれば、半永久的にお金が入って来るでしょう」

摩耶の言葉を聞きながら、脳裏に彼女の上客の一人である金貸しの横山の顔が浮かんだ。

なるほど、その通りかも知れないと思った。

銀行、街金を問わず、金貸しの収入源が金利にあることは間違いない。しかし、法外な金利を取る街金にしてみれば、元本を返して貰えばそれで客とは縁が切れてしまう。もっとも街金は銀行とは違って、高額な融資をするところではない。せいぜいが百万、あるいは五十万も借りられればいいところだろう。もしも、五十万円を十五の利子で借りたとすれば、十日で二十五万円の金が連中の懐に入る。つまり二十日で元本に相当する収入を得られることになるわけだ。それから先は、十日毎に二十五万。元本を返さない限り、文字通り寝ていてもそれだけの金が転がり込んでくるのだ。こんな美味《おい》しい商売が世の中のどこに存在するだろうか。

一体こんな仕組みを誰が考えたものだろう。横山にしたところで、おそらくは満足な学歴などありはしないだろう。自分のような三流大学どころか、高校だって出ているかどうか怪しいものだ。して考えると、この世の中で大金を稼ぎ出す能力と、学校の勉強は全くの別物であるということが実感として分かるような気がした。

「そんなに、お父様が困っていらっしゃるんなら、私、ちょっとお手伝いしようかしら」

摩耶は、さり気ない口調で言った。

「何かお仕事を回していただけるんですか」

さくらは身を乗り出した。

「お父様の印刷工場ってどの程度の仕事ができるのかしら」

「どの程度と訊《き》かれても……」さくらは小首を傾げて少し考えていたが、「今の印刷技術はコンピュータが使われるようになってから格段の進歩を遂げていますからね。ウチのような小さな町工場だって注文に応じられないものを探す方が難しいでしょうね」

「それじゃ、ワインのラベルとか、ボトルの後ろについている輸入元の表示とか、その程度のものなら、充分に対応可能ってわけね」

「それは大丈夫です。印刷のプロセスなんて、どこがやっても同じですから。例えば、ワインのラベルの場合、おそらくデザイナーさんが、原図を作るんでしょうけど、それが紙に書かれた原図で持ち込まれるなら、スキャナーで読み取って、一般でもよく使われるフォトショップで加工する。その後版下を作り、色校正を重ねて、指定された紙に印刷すれば終わりです。今では、データ入稿、つまり原図そのものをコンピュータデータで入稿してくるお客さんが多いので、こちらがやるのは版下作り以降ということになります。輸入元の表示は、文字だけですからずっと簡単です」

「そう――」

摩耶は何度も肯きながら、さくらの言葉を聞き終えると、

「実はね、私のお客さんでワインの輸入を始めようとしている方がいるの。もともとは洋酒全般を扱っている会社の社長さんなのだけれど、このところウイスキーやコニャックを飲む方が少なくなってね。それでワインを新たに商品に加えることにしたのね。もし、ご迷惑でなかったら、輸入元の表示ラベルを印刷する仕事、さくらさんのところに回して貰えるよう頼んでみようかしら」

「本当ですか」

さくらの顔がぱっと輝いた。

「ちっぽけなラベルの印刷だから、どれほどのお金になるのかは分からないけれど、手広くやっている方だから、話の成り行きによっては、割のいい仕事も回ってくるかも知れないわよ」

「ちっぽけだなんて、そんな……。ウチのような零細工場では、お仕事をいただけることが、何よりもありがたいのです。是非やらせて下さい」

おそらく、摩耶が言うお客さんとは、真壁社長のことを言っているのだと僕は思った。

店に落とす金額は、山野や横山ほどではないにしろ、摩耶にとって真壁は間違いなく三本指に入る上客の一人だ。お酒の輸入会社をやっているのも彼しかいない。あれほど頻繁に店に顔を出し、大金を使うとなれば、商売の規模だって決して小さなものじゃないはずだ。

「ママ、僕からもお願いします。その仕事、是非回してやって下さい」

ちっぽけなラベルの印刷が、どれほどの金になるのかは分からない。だけど、哀願するようなさくらの口調からすると、工場にとっては、それでもとてつもなくありがたい仕事なのに違いない。きっと大学を卒業してからというもの、仕事を貰うために足を棒にして客先を回り、頭を下げる。その繰り返しだったのだろう。僕が知らないさくらの日常を垣《かい》間《ま》見た気がして、何だか急にいたたまれない気持になった。何とか力になってやりたいと思った。僕は自分でも気がつかないうちに頭を下げていた。

「あら、どうして陽ちゃんが？」

はっとして頭を上げると、摩耶が意味あり気な笑いを浮かべて僕を見ていた。

「いや……さくらとは、学生時代からの……それにほら、今回店で働くことを決意した理由が、家の商売が思わしくないからって聞いていたもので……」

どぎまぎしながら、答える僕を見ながら、

「陽ちゃんって、本当に優しいのね。それともさくらちゃんは特別なのかしら」

僕の心の内を見透かしたかのような、言葉を投げ掛けてきた。

「いや、そういうわけじゃ」

「いいのよ、冗談よ、冗談」摩耶は顔の前で手をひらひらと振ると、「とにかく社長に話してみるわ。もし、お願いできるようだったら、お父様と直接お話しして貰うようにするから、さくらさん、その時はよろしくね」

さくらに向き直ると言った。

何かが動き始めている予感があった。知らない男の隣に座って酒席を共にする。そんなことをさくらにさせたくないという気持は今でも変わってはいない。でも、摩耶は自分のヘルプとして、さくらを働かせると言ってくれた。つまり店での彼女の行動は、逐一摩耶の監視下に置かれることになる。それなら変な虫がつくこともないだろう。おそらく、僕がホール主任になったという嘘は、たちどころにバレてしまうだろうが、そんなことはもうどうでも良かった。これからはさくらの顔を毎日見ることができる。その方が数倍嬉《うれ》しいように思えてきた。そしてさくらの実家は摩耶の伝手《つて》で、新たな仕事を貰う目処《めど》がつきつつある。

僕は久方ぶりに覚える爽快感《そうかい》に満たされながら、冷めたコーヒーを啜ると、

「良かったな、さくら」

心から祝福の言葉を贈った。

＊

それから四日後事態は思わぬ展開を迎えた。

週が明けた水曜日、さくらは摩耶に付き添われて、オーナーの面接を受け、問題なくクイーンで働くことになった。初出勤は翌週にという話だった。

その日、僕はいつものように摩耶のマンションにベンツを駆って迎えに行った。いつもは天現寺《てんげんじ》の交差点を通過した辺りで、携帯電話から到着間近を伝え、玄関の前に車を停めて待つのが決まりだったが、その日は少し違っていた。車をマンションの前に停めて、部屋に来て欲しいと言うのだ。

何事だろうと思いながらも部屋に上がると、身支度を整えた摩耶がソファに掛けるように言った。

「陽ちゃん。あなた秘密守れる」

差し出されたコーヒーを持つ手が一瞬止まった。二人の間には、誰にも話せない秘密がすでに二つある。一つは摩耶が山野社長と愛人関係にあること。もう一つは、お父さんが若年性アルツハイマーで長期の療養を余儀なくされていることだ。後者はまだしも、前者は決して他言してはならないことだ。そんなことが店にバレれば、いかに摩耶とはいえ、店に居場所はなくなってしまうだろう。それ以上の秘密とはいったい何だろう。

僕はまた、摩耶の本当の秘密を知り、それを共有できる微《かす》かな興奮を覚えながら、黙って首を縦に振った。

「最初に断っておくけど、あなた、この話を聞いたら最後、引き返せないけど、それでもいい」

どきりとした。摩耶の口調にはいつもと違って底知れぬ凄《すご》みがあるような気がしたからだ。

思わず姿勢を正した僕の前に、笑みが消えた摩耶の顔があった。こちらの心の底を窺《うかが》うような真剣な目がじっと見詰めてくる。

「な、なんスか。改まって……」

「実は私に協力してくれれば、かなりいいお金になる仕事があるんだけれど、あなたやってみる気はない」

そりゃあ、お金はあるに越したことはない。だけど、いったい何をしろと言うのだろう。

摩耶の様子からすると、何だかまともな話ではないような予感がした。

「これから話すことは、あなたの協力なしでは、できないことなの」

「僕が協力しなけりゃならないことって、何スか」

「もう一度念を押すけど、陽ちゃん、この話、一旦《いったん》聞いたら答えは一つしかないわよ」

また一つ心臓が強い鼓動を打った。摩耶のこんなドスの利いた声を聞くのは初めてのことだった。

「もしも、この話に協力してくれるのなら、たぶんあなたには一日六万円からのお金が入る。月にならせばその二十五倍よ」

「一日六万円スか！」

声が裏返った。手取り十五万円。それにママの送迎をやって貰《もら》っている小遣いが、月に十二万円から十六万円。それに加えて日に六万もの金が入ってくるとなると……。桁《けた》が違った。トップを張るママにしてみれば、大した額じゃないだろうが、僕にとっては俄《にわか》に計算できないほどの大金だ。この話が本当だとすれば、月収だけでも今の年収近くになる。確かに魅力的な話には違いないけど、甘い話には裏があるのは世の習いというものだ。

『やばいぞ。この話、絶対まともなもんじゃないぞ』

本能が囁《ささや》いたが、その一方でもう一人の自分が囁いた。

金には不自由していない摩耶が持ち掛ける話だ。まさか手が後ろに回るようなことじゃないだろう。第一、さくらに対してだって、ホステスとしての口を利いてやっただけじゃなく、工場の仕事を回してやったくらいだ。それに何よりも、手にする金額は夢のような大金だ。生活は店からの給料では心もとないけれど、送迎の手当を加えれば、男一人が暮らしていくには充分だ。つまり一日六万円の金はまるまる残る。六×二十五は——百五十万円！　一年間で、千八百万円。これが五年だと……。目が眩《くら》んだ。もちろん、後戻りはできないという限りは、税金がかかる金なんかじゃない。僕の懐にまるまる残る金に違いない。

断るにはあまりに額が大き過ぎた。もしも、この企《たくら》みが、筋書き通りに進むとすれば、半年もすれば今度は借り物ではなく、正真正銘、自分のベンツを持つことも夢じゃない。摩耶ママについて何年かこの計画がバレることなく進めば、やがては独立して何か事業を興すことだってできるかも知れない。

人生の転機なんてものはいつも万人の前をうろうろしている。でも大方の人はそれに気がつかないだけ——。

いつか摩耶が話してくれた言葉が脳裏を過《よぎ》った。これは僕に巡ってきた人生最初のビッグチャンスなのかも知れない。

「やります！」

僕は、自分でも気がつかないうちに返事をしていた。

「そう、やってくれる。それじゃあなたにやって貰いたいことを話すわね」摩耶は、コーヒーを啜《すす》ると、声を潜めて続けた。「陽ちゃん、真壁さん知っているわよね」

「はい。ママのお客さんでお酒の輸入をなさっている方ですよね」

「実は、今あの人、少し困ったことになっているのね」

「と言いますと」

「真壁さん、もともと大手の総合商社でお酒の輸入を担当していたの。そこで築いたコネをフルに使って、洋酒の並行輸入をする会社を立ち上げたわけ。一昔前まで、舶来ものの洋酒はばか高かったでしょう。正規代理店を通しての輸入物なんて、それこそ目が飛び出そうな値段をしていたものよ」

「それなら、俺にも記憶があります。オールド・パーとかシーバスリーガルなんて、一万近くしましたもの。それが今じゃディスカウントショップに行けば二千円そこそこで買えちゃいますもんね」

「そうなの。つまり洋酒の並行輸入なんて、今じゃあまり旨味《うまみ》のない商売になったってわけ。そこにもってきて、最近じゃウイスキーやコニャックを飲む人自体が少なくなってしまった。人気があるのはワインとか焼酎《しょうちゅう》とかね。とにかく消費者の嗜好《しこう》が変わってしまったのよ」

「それで真壁さん、ワインの輸入を始めたわけですね」

「そうなの」

「それで、僕に何をやれって言うんです」

「真壁さんのところで仕入れたワインと、ウチの店にあるワインをすり替えて欲しいの」

「すり替えるゥ？」

僕は仰天して問い返した。

「そう」

摩耶は、表情一つ変えることなく、コーヒーを啜った。

「だけど、それにどんな意味があるんです。店のワインと真壁さんのところのワインをすり替えたって……」

「それが大ありなのよ」摩耶はコーヒーカップを置くと続けた。「ワインにしたって、どこで仕入れて持ってくるかによって、値段は大きく違うのよ。例えば、カリフォルニアワインを例に取って話すとね、ナパというのが有名な産地よね」

「そうなんスか」

正直言って、僕にワインの知識なんてありはしなかった。赤と白とロゼ。それも素になる葡萄《ぶどう》によって種類が分かれ、年代によっても出来不出来がある。なんだかとてつもなく面倒くさい代物で、何をありがたがって飲むのかすら理解できない。とにかく、時折酒席で交される会話を聞くだけでもどっと疲れを覚える代物だった。

「ナパはサンフランシスコの郊外にあって、観光コースの定番になっているのだけれど、ちょっと事情を知っている人間ならば、決してワイナリーで直売のワインを買ったりしないものなのね」

「どうしてスか。ワイナリーって、酒元でしょう。工場価格で買えるんじゃないんスか」

「ちょっと考えれば分かることよ。製造元が定価より安く売ったんじゃ、自ら価格を破壊するようなもんじゃない。カリフォルニアの場合、サンフランシスコの街のディスカウントショップで買った方が、遥《はる》かに安いの。何事にもボリュームディスカウントってものがあるでしょう。大量に仕入れてくれる大口顧客には、それなりの価格を提示するっていうのは商売の原則よね」

「そうなんスか」

「それでね、真壁さんは昔のコネを使って、フランスの高級ワインを遥かに安い価格で仕入れることに成功したってわけ」

「それなら、そのまま出したって、充分な利益を上げられるんじゃないですか」

「そうは簡単に行かないのが商売の難しいところよ」摩耶は身を乗り出すとここぞとばかりにまくし立てた。「真壁さんはフランスのワインを、どこよりも安い価格で輸入することに成功した。だけど、そんなワインが出回るようになれば、当然価格破壊が起きる。そんなことになったら、大手の正規代理店が黙っていないでしょう。有名な高級ワインは、大手の酒造メーカーか、商社が代理権を持っている。当然そうしたところは、品揃えも豊富。それに比べて真壁さんのところは中小企業。小売店が扱おうとしたら、たちまち他の商品の納入をストップされる」

「なるほど」

「つまり、真壁さん。高級ワインを安く仕入れることになったはいいけれど、在庫を抱えてにっちもさっちも行かなくなったってわけ」

「それで、正規ルートで仕入れた店のワインと真壁さんのところの並行輸入品をすり替えろと」

「すり替えたワインは、真壁さんがしかるべき価格で引き取ってくれる。それを限られたルート、つまり懇意にしているお客さんに安い価格で流す。そうなれば、全ては丸く収まるってわけよ。あなたに支払うお金は、その差額分ていうことよ」

「だけど、ママ。それなら直接店が真壁さんのところから仕入れればいいじゃないですか」

「それができるぐらいなら、こんなこと私があなたに頼むと思う？」摩耶はいささか呆《あき》れた口調で訊《き》いてきた。「今ウチが仕入れている先は、オーナーが昔苦しい時に世話になった店でね。大変な恩義があるそうなのよ。今でこそ、あの人も大箱のオーナーだけど、若い頃には、苦労を強いられた時代があったの。あの歳ですからね、今さら目先の利益にとらわれて、仕入れ先を変えるわけには行かないんですって」

「でも、それって店に対する背信行為ですよね」

「背信行為っていうのは、店に損害を与えることよ。今回の場合、店が損するわけじゃないわ。いつもと同じ値段でワインを売って、同じ利益を上げられる。少なくとも店は損しない。もっとも、陽ちゃんはそれで、大金を掴《つか》むことになりはするけど」

やっぱり、予感は的中した。摩耶が何と言おうと、やばい話だった。確かに中身が同じワインをすり替えるだけかも知れないけれど、その行為によって利益を上げる僕は罪を犯すことに違いはない。

思わず押し黙った僕の様子を見て、摩耶は一転、しみじみとした口調で話し始めた。

「真壁さんが店に来てくれないと、私も困るのよ。あなたも知っての通り、私の持っているお客さんは多くない。あの人の会社が傾くとなれば、毎月のノルマも達成できなくなるかも知れない……」

「それは分かりますけど……」

決心がつかなかった。ほとほと僕は困り果てた。正直言って、どうしたら摩耶の申し出を断ることができるか、そればかりを考えていた。そしてついに摩耶は殺し文句を吐いた。

「それにねえ、この仕事を受けて貰《もら》えないと、さくらさんのところへ頼むことになった、印刷の仕事も、断らなければならなくなるかも知れない」

「えっ！　あの仕事、駄目になるんスか」

「だって真壁さん。ワインだけじゃなく、洋酒のラベルもお願いするつもりだったのだけれど、新規の事業がうまく行かないとなると、ラベルの印刷どころか、会社そのものが存亡の危機に陥ってしまうんですもの……」

喜びに満ちたさくらの顔が脳裏に浮かんだ。あれほど喜ぶさくらの顔を僕はあの時まで見たことがなかったような気がする。たぶん、輸入業者の名前を印刷する仕事なんて、小さな商いに違いない。それでもあの喜びようから察すると、本当に工場の経営は抜き差しならない状況に陥っているに違いない。そのささやかな希望の芽を摘み取ってしまうことはできない。

そう、ママの言う通り、これは誰も損をするわけじゃない。店だって、今まで通りの利益を得られる。客にしたって、いつもと同じものを飲み、同じ勘定を払うだけだ。

「ママ、俺やります。その仕事やります」

毒を食らわば皿までだ。こうなったら、摩耶とさくらと運命を共にしよう。僕は心に誓った。

第三章　実行

計画がついに実行に移される時が来た。

その日、僕は、摩耶を美容院に送り届けると、いつものように三時に店に入った。

クイーンは床一面に絨毯《じゅうたん》が敷き詰められている。いつもなら補助椅子をテーブルの上に載せ、フロアーを広くしたところで業務用の掃除機で一気にクリーンアップするのだが、それだけでも三十分は優にかかった。その間に花屋が花を生けに現れ、酒屋が酒を運んでくる。五時になれば、店長や他のスタッフが店にやって来て、それからほどなくすると早出のホステスたちが三々五々姿を見せる。

その間隙《かんげき》をついて、ワインをすり替えなければならないのだ。当然のことながら優先順位は違ってくる。

店の鍵《かぎ》を開け、店内に入ると、長年に亘《わた》って染みついた煙草とアルコールの臭いが澱《よど》んだ空間を満たしている。誰もいないしんとした室内に明りを灯《とも》すと、僕は早々に作業に取りかかった。

もともと料理と呼べるような食べ物を供するわけでもないクラブの厨房《ちゅうぼう》は驚くほど狭い。

小さな流しがあるだけで、満足な調理器具などありはしない。その狭い空間の片隅には、壁面に棚がしつらえてあり、未開封のウイスキーやコニャックがずらりと並んでいる。しかしワインだけは、別の扱いで、温度と湿度がコントロールできる保管庫の中に入れられていた。

僕は大型冷蔵庫ほどの大きさの保管庫の扉を開くと、中に横たわるワインのラベルを確認しながら、二十本ばかりのワインを抜き出した。人の気配がないことは分かっていても、やはり心臓の鼓動が速くなり、ボトルを握る手元が微《かす》かに震えた。まるで突き指をしたように、握り締める手に力が入らず、動作が酷《ひど》くもどかしく感じた。

すり替えるワインは、すでに二重にした四つの紙袋いっぱいに入れて持ち込んであった。保管庫の中のワインを床に一度、ずらりと並べた。空間が目立つようになった中の棚に、真壁のワインを並べて行く。作業が終わるまで、ものの五分もかからなかっただろうが、それでも、この瞬間に誰かが突然店に現れるのではないかと思うと、気が気ではなかった。

ようやく、全てのワインをすり替え終わった僕は、同じ重さの紙袋四つを手に持つと、並木通りの路上に止めたベンツへととって返した。

エレベーターを使わずに階段を使って一階に降りた。午後の通りは、夜とは違い、ビジネスマンやOL、それに買い物を楽しむ人々の姿が見えるだけだった。キーのリモコンを使ってトランクを開けた。辺りに素早く視線を走らせながら、手にしていた紙袋を中にそっと置き、力を入れてトランクを閉じた。

摩耶が店に姿を現したのは、間もなく五時になろうかという頃のことだった。

すでに店には店長を始めとするスタッフの幾人かがやって来ていた。

美容院でセットと着付を済ませた摩耶は、いつものように艶《あで》やかな夜の姿に変身していた。

その姿を見たスタッフが、一斉に「おはようございます」と最敬礼で挨拶《あいさつ》をする。

摩耶は、一人ひとりに笑みを交えながら挨拶を返した。

「摩耶ママ、今日の同伴は」

店長が訊《き》いた。

「山野社長がいらっしゃることになっているの。お食事をしてからお店に入るけど、九時までには来られると思うわ」

「それじゃ、いつもの席を空けておきます」

「それから今夜は真壁さんもいらっしゃるそうですから、そちらの方もお願いね」

「真壁社長もいらっしゃるんですか。分かりました。席をお取りしておきます」

早くも大きな商売に繋《つな》がると読んだのか、店長の顔がほころんだ。

フロアーの中央にある飾りテーブルの上に山と積まれた灰皿を磨いていた僕の許に、摩耶が何気ない仕草で近づいてきた。

「どう、陽ちゃん。うまく行った？」

声を押し殺して摩耶が訊《たず》ねてきた。

「バッチリ……。でもなんかやばくないっスか」

「何が？」

摩耶は平然としていたが、

「すり替えたなんてことがバレたら……」

僕は声を潜めた。

「あなた意外と神経が細いのね。大丈夫、誰も分かりゃしないわよ。あなたがヘマをしない限り」

「それは分かってますけど……」

「心配することないわよ」

摩耶の自信は微動だにしない。

その時、店の入り口から、

「失礼します。お花をお持ちしました」

という声が聞こえてきた。

スタッフの一人が、すかさず駆け寄り、一言二言花屋と言葉を交すと、

「さくらさんの入店祝いのお花だそうです」

「さくらさん？」

店長が怪訝《けげん》な声を上げた。

「そうそう、店長——」摩耶は踵《きびす》を返して店長の許に歩み寄ると、「今日、新しく入店す

る子よ」

「ああ、摩耶ママの紹介のバイトの子ですね」

「今日が、初日だから私のお客さんにお願いしておいたの」

「ああ、そうでしたか」納得した店長は、「お花はどれくらい届いているの？」

と花屋に訊ねた。

「胡蝶蘭《こちょうらん》が三鉢と、生花盛りが五つです」

「そりゃあ、凄《すご》いな」さすがに驚きの色を露《あらわ》にした店長は、振り返ると摩耶を見た。「ママ、さくらさんてバイトでしょう。確かこの商売に入るのは今回が初めてだって聞いてますけど」

「バイトには違いないけれど、彼女は私の妹分ですからね。門出は賑《にぎ》やかに祝ってやらないと」

「そりゃあ、さくらさんも喜ぶでしょう」

「それから、山野社長がお見えになった後、お連れさまが来ることになっているの。そちらの方は、さくらさんに担当して貰《もら》うから、よろしくね」

「初日から同伴をつけるんですか」

店長は目を丸くした。

「真壁さんも、二人ほどお連れになるそうよ」

「それもさくらさんの担当にするんですか」

「さっきも言ったけど、彼女は私の妹分。この道に入ると決めたからには、応援してやらないとね」

胡蝶蘭の鉢植えが、店の中に運び込まれた。そのいずれにも、『祝・入店　さくらさん江』と墨痕《ぼっこん》鮮やかに書かれた札が掲げてある。花弁を覆っていた和紙が取り除かれると、華麗な白い花が露になり、店の中が一気に華やいだ空気になった。

「ママ、すみません。さくらにこんなに気を遣っていただいて」

僕と彼女の関係を知っているのは、店の中では摩耶だけだ。本当は、丁重に礼を述べたいところだが、他のスタッフの手前もあって、僕は口籠《くちご》もりながら摩耶の耳元で囁《ささや》いた。

「何言ってんのよ、この程度のことで。ささやかな私からのご祝儀よ」

同伴と言っても、必ずしも客と事前に食事をして店に連れてくることだけを言うのではない。店の前で待ち合わせ、一緒に店内に入ればそれで同伴は成立する。おかしな話だが、これもまた銀座のルールの一つだ。不意に店にやってくる馴染《なじ》み客は、ホステスにとってありがたい存在には違いないが、喜びも半分というのが正直なところだろう。店に入る前「これから行くけど」、その電話一つが、厳しい同伴ノルマを一つ達成することになるのだ。

もちろん、初めてこの道に入るさくらに、当面同伴のノルマは課せられてはいないが、それでも入店早々に担当になる客がつくのは、この世界では大変なことなのだ。

「それじゃ、陽ちゃん、さくらさんのことお願いね。私、そろそろ出掛けなきゃならないから」

入店祝いの花が奇麗に並べられたのを見届けた摩耶は、そう言い残すと店を出て行った。

さくらが現れたのは、それから三十分ほど後のことだった。買ったばかりのドレスを着た彼女は、ミーティングの席上、居並ぶホステスの中にあっても遜色《そんしょく》のない色香を放っていた。しかし、そうは言っても、生まれて初めて経験する水商売の初日である。緊張の色が見て取れるのは致し方ない。ましてや店内は、『さくらさん江』と書かれた札が掲げられた胡蝶蘭の鉢植え、それにエレベーターホールから入り口にかけては、生花がずらりと並んでいる。しかもその全てが、一面識もない人物からのものだ。

「今日から、バイトで働いて貰うことになったさくらさんです」

紹介する店長の言葉が終わると、立ち上がって礼をするさくらに、先輩ホステスの好奇に満ちた視線が注がれるのも無理のない話だった。

店には八時を過ぎた辺りから、ぽつりぽつりと客が姿を現すようになった。摩耶ママから『私の妹分だから』と言い聞かされていたせいもあったのだろう。店長は、いつものように客の席につけるホステスの差配をしながらも、さくらには筋のいい客の席につかせて回った。

九時を過ぎると、店はほぼ満員の状態になった。

「岩崎、八番テーブルのお客さんにワインをお持ちしてくれ」

誰が聞いているとも知れぬピアノの音色が流れる店内は、客とホステスの喧騒《けんそう》が充満している。

「分かりました」

答えながら席を見ると、いかにもヤングエグゼクティヴ然とした若い客二人にホステスが三人ついている。中の一人はさくらだった。

店長が命じたワインは、今日の昼に僕がすり替えたものだった。店内価格にして十万円の代物だ。

厨房に入った僕は、保管庫の扉を開けた。

微《かす》かな後悔と躊躇《ちゅうちょ》。複雑な感情が頭を擡《もた》げてきた。ワインを引き出す手が心なしか強《こわ》ばるような気がした。心臓が早鐘を打ち、かつて経験したことのない緊張感に襲われた。いや、前にもこんな気持に襲われたことがある。そう、性病科を受診する際に、病院の前を行きつ戻りつしたあの時だ。

度胸を決めて、一度実行に移してしまえばどうということはないのだが、もしもバレた時のことを考えると、いったいどうなるものか、考えは不吉な方へと流れて行く。だが、もはやここまで来たら引き返すことなどできやしない。

温度と湿度が管理された保管庫の中のボトルに手が触れた瞬間、腹を括《くく》った。

ボトルとグラスを載せたトレーを手にして、客の待つ席へと向かった。不意に振り返ったさくらと目が合った。さすがに初日とあって、彼女も不安を覚えているのだろうか、どことなく視線の中に戸惑いの色が見て取れる。

僕は、席の傍らに片膝《ひざ》をつくと、

「お待たせいたしました。こちらのワインでよろしいでしょうか」

ボトルのラベルを上にしてワインを客に示して見せた。さくらを前にして、こんな仕草をすると、何だか自分が甲斐性《かいしょう》のない男で、生活を支えるために女がホステスをやっている、昔のフォークソングか劇画の中の主人公を演じているような妙な気持になった。

「ああ、いいよ」

二人の客のうちの一人が、ろくに確かめる様子もなく横柄な口調で答えた。派手なピンストライプのシャツに赤のネクタイ。おまけにサスペンダー。確か外資系の証券会社でトレーダーをやっているということを聞いた覚えがある。

ポケットからワインオープナーを出し、シールをはぎ取った。コルクの中心にオープナーを捻《ね》じ込み栓を抜く。一流のレストランならば、デカンタージュをするところだろうが、クイーンではそんな面倒なことなどしやしない。磨き抜かれたグラスの一つに、テイスティングのために少量の液体を注ぎ、客の前に差し出した。

それを手にした客は、慣れた手つきでルビー色の液体の入ったグラスをダウンライトに翳《かざ》した。どうやら色の具合を見ているらしい。しかしそれは極めて儀式めいたもので、今度はグラスを振って中の液体を攪拌《かくはん》すると、鼻を近づけ匂いを嗅《か》ぎ、そっと口に含んだ。

男の唇が口笛を吹くかのように細まった。じゅるじゅると空気とワインが口の中で鳴る。喉仏《のどぼとけ》が上下し、男の体内にワインが送り込まれるのが分かった。

「結構」

気取った男の言葉に、胸に支《つか》えていた重い塊が一気に吹き飛んだ。それと同時に、笑いが込み上げてきそうになるのを僕はすんでのところで堪《こら》えた。

安堵《あんど》感が体の中を駆け抜けて行く。やっぱり、摩耶の言った通りだった。何も心配することなどないのだ。

僕は、残りのグラスにワインを注ぎ終えると、席を離れた。

九時を少し過ぎたところで、山野社長を伴って、摩耶が店に現れた。

早々にさくらが席に呼ばれ、最初にドンペリのゴールドがオーダーされた。本物の、ボトルを用意して席に向かうと、

「君がさくらちゃんか。今日は君の入店祝いだ。もうすぐ私の友人が来るからね。彼の担当は君にやって貰うよ」

すでにしたたか酒を飲んで来たのだろう。すっかり赤ら顔になった山野の声が聞こえた。

「ありがとうございます。初めてお会いするのに、お花まで頂戴《ちょうだい》した上に、そんなお気遣いをいただきまして……」

すっかり恐縮した態《てい》でさくらは答えた。

「いいねえ、その初々しさ。まあ、これも摩耶ママの妹分への私からのささやかなご祝儀だ」

満面に笑みを湛《たた》え、目を細めてさくらを見る山野の表情に、一瞬だが値踏みをするような光が宿るのが気になった。しかし、山野は摩耶と特別な関係にある。どう考えても彼が

さくらにちょっかいを出すはずはない。さくらにしたところで、ホステスとしての門出をここまで手厚くお膳立《ぜんだ》てを整えてくれた摩耶を裏切るようなまねなどしはすまい。

シャンパンを注ぎ終えた僕は、再びホールの中を駆け回る忙しい時間を過ごした。

やがて山野の言った通り彼の友人が現れると、座は今までにも増して賑《にぎ》やかになった。事前に電話を入れたらしく、さくらがエスコートをしている。これでさくらは入店初日にして早くも同伴一件をこなしたことになる。

再びドンペリのゴールドが抜かれ、それに続いてワインがオーダーされた。席にはホステスが四人もついている。一本のワインなど、この人数だと一人一杯も飲んでしまえばあらかた空いてしまう。二本が三本、そして四本となった頃、真壁が姿を現した。

僕が協力者だということは摩耶から聞いているらしく、おしぼりを差し出すと、真壁は『調子はどうだ』と言いたげな視線を送ってきた。僕はそれに含みを持たせた笑いで応《こた》えた。

先ほどまでの不安は、どこかに吹き飛んでしまっていた。ワインのオーダーが入る度に、頭の中でレジスターの音がする。それが活力となって、僕はいつにも増して仕事に熱中した。

銀座——。こんな素晴らしい街はない。

＊

ロックミュージシャンの菱見真三《ひしみしんぞう》が店にやってきたのは、それから一月後のことだった。八〇年代の始めに、いまや伝説となったロックバンド、『スイート』のボーカルで音楽界に君臨した男だった。ちょうどその頃生まれた僕にはスイートの活躍を知るよしもないのだが、バンドの全員がリーゼントヘアに黒いレザーのつなぎといった出《い》で立ちでステージに現れる彼らの姿が、当時の若者に多大な影響を及ぼしたことは、いまだにことあるごとにテレビで放映されるせいで良く知っていた。グループはその後暫《しばら》くして解散したのだったが、ソロとして独立した菱見の活動は、それからの方が凄《すご》かった。スイート以来のファンは、いまだに彼の動向に注目し、自分の車を持つようになると彼の名を模した『143《ヒシミ》』というナンバーを取り付け、コンサート会場に押し寄せる者も大勢いた。

彼がそれほどの人気を集める理由の一つは、その生い立ちにあった。学歴は中卒。町工場で働きながら始めたバンドが大当たりし、莫大《ばくだい》な富を摑《つか》んだ。グリースをたっぷりと塗り付けた髪を振り乱しながら、スタンドマイクを派手なアクションで振り回し、ステージ狭しと動き回りながらシャウトする。セクシーな腰の動き。甘い歌詞。スローバラードの曲を歌うと、女性の中には、その場で失神する者が後を絶たない。男は男で、学歴なんかくそくらえ。才能一つで音楽界の頂点に駆け登り、派手な生活を送る彼の姿に、自分の夢を重ね合わせる。まさにロック界のカリスマと呼ぶに相応《ふさわ》しい男だった。

確か今では生活の拠点をニューヨークに移し、日本に帰って来るのは年二回のコンサートの時だけだったはずだ。有名人が店に来ることは珍しくはなかったけれど、菱見、いやシンちゃんだけは別だ。僕にしても、彼の這《は》い上がりストーリーには大いに魅せられるところがあったし、何より彼の音楽を愛していた。

シンちゃんはソロ活動を始めて以来、それまでの黒のレザーのつなぎという服装を改めて、いつも白の上下に身を包んでステージに現れるのがトレードマークとなっていた。この夜も、その例にもれず、白のパンツにジャケットといった出で立ちをしていた。もう歳は五十になっているはずだったが、頭髪を短く刈り込んでいることを除けば、同年代のオヤジなんて足元にも及ばない若々しさに満ちていた。何よりも、長年スターとして君臨してきた、オーラが全身から放たれていた。

さすがに嬌声《きょうせい》を上げる娘はいなかったが、めざとくシンちゃんの姿を見つけた、ホステスたちの目が一斉に彼に集中するのが分かった。

シンちゃんはもちろん一人ではなかった。一目で業界人と分かる、軽い感じのする男たちを五人ほど連れていた。店長が先に立って、奥のボックス席に一行を案内すると、シンちゃんは当たり前のように中央の席に座った。

僕は席に向かうと、例によって片膝をつき、熱いおしぼりを広げながらシンちゃんに差し出した。

「ありがとよ」

痺《しび》れるような、低い声でシンちゃんは言った。感動した。テレビや雑誌のグラビアでしか見たことのないシンちゃんが僕に礼を言ってくれた。直接言葉を交した。

できることなら、サインの一つも貰《もら》いたいところだった。

もちろんシンちゃんは、僕のそんな心中を察するはずもない。優雅な手つきで掌《てのひら》を軽く拭《ぬぐ》うと、ポンとおしぼりをテーブルの上に放り投げた。その仕草がまた痺れるほどに恰好《かっこう》良かった。

「割といい店じゃねえか」

「クイーンと言えば、銀座でもトップの店ですから」

取り巻きの一人が言った。

「やっぱ、アメリカのピアノバーやクラブとは違うな」

シンちゃんは、店の中を見渡しながら煙草を銜《くわ》えた。キャメルだった。

そうか、シンちゃんはキャメルを吸うんだ。僕が日頃吸っているのは、マイルドセブン。それも一番軽めのやつだったけど、シンちゃんに倣って、今度からはキャメルにしよう。そう思った。

シンちゃんの目が止まった。

「あれ？　摩耶じゃねえの」

「ママをご存じですか」

店長が訊《たず》ねた。

「昔リオにいた摩耶だろう」

「そうです」

「懐かしいなあ。俺、昔リオには何度か行ったことがあってさ。あの娘《こ》がよく席についてくれたんだよ。俺、今ニューヨークで暮らしてんだろう。銀座はとんとご無沙汰《ぶさた》になっちまって、馴染《なじ》みはどこに行っちまったのか全然分かんなくなっちまったんだけど……摩耶を呼んでよ」

「かしこまりました」

店長は、すぐに立ち上がった。

シンちゃんは、吸いかけたばかりの煙草を灰皿に擦り付けた。僕はすぐにそれを取り換え、席を離れた。煙草の吸い殻なんて、すぐにゴミ箱に捨ててしまうものだけど、シンちゃんが吸ったとなれば話は別だ。厨房に戻った僕は、それをティッシュペーパーに包んで、ポケットの中にねじ込んだ。

再び灰皿を手にして席に戻ると、ちょうど摩耶がシンちゃんの傍らに腰を下ろしたところだった。さくらも一緒に呼ばれていて、他のホステスたちと共に連れの男たちの間に座った。

「菱見さん。お久しぶり」

「おう摩耶、ご無沙汰だったたな」

「お会いしたのはリオでしたわね。あの節は随分お世話になりました」

「お前ここでママやってんのか。えらく出世したもんだな」

「ママといっても雇われですわ」

「でもさ、お前まだ二十五、六だろう。それでママはやっぱ凄いよ」

「菱見さんにそう言っていただけるなんて光栄ですわ」摩耶は如才なく答えると、テーブルの上を見渡し、「あら、お飲み物は？」と訊《き》いた。

「この店は初めてでね。ボトルがないんだ」

連れの男が言った。

「何になさいます。確か菱見さん、いつも最初はシャンパンでしたよね」

「ああ、それにしてくれ。極上のやつ」

「ありがとうございます」摩耶は拝むように手を顔の前で軽く合わせると、「ドンペリのゴールドをお持ちしてね」

「かしこまりました」

僕は丁重に頭を下げると、すぐにドンペリのゴールドを用意した。店で用意できるシャンパンの中では最も高い代物だった。

さすがはシンちゃんだぜ。僕はすっかり痺れて、グラスとボトルを載せたトレーを捧《ささ》げ持って、席に戻った。いつもの手順に従って、コルクの栓を抜いた。磨き抜かれたグラスに注がれた液体が、白い泡を立てると、瞬く間に黄金色に変わって行く。

「それじゃ、再会を祝して乾杯！」

「おう、ご出世おめでとう」

「ありがとうございます」

あのシンちゃんとため口をきける。それだけでも、摩耶が一回りも二回りも大きく見えた。その摩耶と、秘密を共有できる僕も、なんだか随分と偉くなったような気がして、嬉《うれ》しくてたまらなかった。

シャンパンが空くと、シンちゃんはワインを飲むと言い出した。

「あら、菱見さん。お飲み物変えたの。昔はバーボンでいらしたでしょう」

摩耶が訊ねると、

「最近、俺、ワインに凝ってるんだ。ニューヨークの家にはさ、ワインセラーもあって、コレクションもそうとうなもんだぜ。今度ニューヨークに来る機会があったら、遊びに来なよ。美味《うま》いワインを飲ませてやるからさ」

「まあ、嬉しい」

摩耶が、ぐいと膝をシンちゃんの太腿《ふともも》に押し付けるのが分かった。

「それじゃ、ワイン何になさる。それほど飲み慣れていらっしゃるんでしたら、リストをお持ちした方がいいかしら」

「極上のやつ」

またしてもシンちゃんは言った。

「極上ね」極上が値段に比例するものだとすれば、店で一番高いのはロマネ・コンティの九十万円だけど、摩耶は僕の方を見ると、

「それじゃボーイさん」

と言いながら、例の真壁社長のところから仕入れたワインをオーダーしてきた。

僕は席にずっといたわけではないから、会話の逐一を聞いていなかったけれど、新しいボトルを持って行く時や、灰皿を取り換える際には、アロマが何だとか、やっぱ赤はフランスに限るとか、最近ではカリフォルニアもヨーロッパ並に美味いワインがあるとか、シンちゃんは盛んにワインについての蘊蓄《うんちく》を傾けているようだった。

シンちゃんは、それから二時間ほどクイーンにいて、五人でワインを五本ほど空けた。

もちろん勘定を払ったのは、連れの男の一人だった。しっかりと領収書を貰って行ったところをみると、興行主か、あるいはレコード会社の人間であったのだろう。一度コンサートをすれば、東京ドームを三日間満員にできるほどの人気があるシンちゃんのことだ。それにCDだって、必ずチャートのトップにランクインする。この程度の出費など、どうと言うこともないのだろう。

シンちゃんの姿を見ていると、人生、一旦《いったん》いい方向に転がり始めると、雪だるま式に幸運が舞い込んでくる。何だか、そんなふうに思えてしかたがなかった。

シンちゃんという憧《あこが》れの人と会えたという興奮。それに真壁社長のところから持ち込んだワインのすり替えも、一月経っても誰も気がつかない事実。たぶん、僕はその時、シン

ちゃんの姿に、将来の自分の姿を重ね合わせて見ていたのかも知れない。

＊

シンちゃんが店を出ると、摩耶は早々に帰り支度を始めた。

僕はすぐに店の前に車を回すと、運転席で摩耶が出てくるのを待った。

やがて摩耶がエレベーターから降りてくると、後部座席に腰を下ろした。僕はゆっくりと車のアクセルを踏んだ。終電間際の銀座の路上は、客待ちのタクシーが列をなしており、歩道は家路を急ぐ人たちでごった返している。

「ママ、シンちゃんと知り合いだったんスね。凄《すご》いスね」

「あら、あなたファンだったの」

「ファンなんてもんじゃないっスよ。シンちゃんのCDは全部持っています。学生時代からずっと聴き続けてますもん」

「私がこの世界に入ってからだから、随分長いお客さんになるわね。もっとも、今日お会いしたのは、五年ぶりのことになるけど……」

「リオで会ったそうですね」

「何でそんなこと知っているの」

「ママを席に呼ぶ前に、シンちゃんが言っていたのが聞こえたんですよ」

「あの頃は、シンちゃんも日本にいて、よくあの店に来てくれたものよ。店が引けた後は、ディスコなんかに遊びに行ったものだったわ」

「シンちゃんとディスコ、スか。二人で行ったんスか」

「まさか」摩耶は微《かす》かに笑いを含んだ声で言った。「カリスマ的人気を誇るロック歌手が、女の子と二人きりで、夜遊びしてるなんてことになったら、マスコミの恰好《かっこう》の餌食《えじき》になるでしょう。他の女の子たちも一緒だったわ」

「踊りもうまいんでしょうね。恰好いいんだろうなあ」

シンちゃんがステージで見せる派手なアクションが脳裏に浮かんで、僕はうっとりした口調で言った。

「あんな大スターが普通の人と一緒になって踊り始めたら、それこそ大変な騒ぎになって収拾のつかないことになるわよ。ディスコに行くと言っても、ＶＩＰルームでお酒を飲んで騒ぐだけ」

「いいなあ。やっぱ美人は得っスよね。あんな大スターとだって、プライベートで一緒にお酒を飲めるんですから」

「別に、スターと言ったって、一皮剝《む》けばただの人よ」摩耶は、事もなげに言い放つと、

「確かに名誉やお金は手にしたんでしょうけど、昔と全然変わっていないもの」

「そうスかあ。僕は地位というものが人を作るものだと思いますけど。シンちゃんにしたって、あれほどの人の中にあって、光り輝いているし。オーラっていうんですかね、やっ

ぱり普通の金持ちとは違いますよ」

「それは、あなたに思い入れがあるからそう見えるだけよ」摩耶の言葉は相変わらず醒《さ》めた響きがあった。「どこに行っても、いつも、オーダーは決まってる。最初はシャンパン。それも決まって『極上のやつ……』って。今日も、そうだったでしょう。私あれ聞いて、噴き出しそうになったわ」

　正直言って、僕は面白くなかった。唯一ファン、いや憧れの人と呼べるシンちゃんを貶《けな》された。そりゃあ、摩耶にとってはため口をきけるほどの間柄なのだろうけど、少しは僕の興奮を分かってくれてもいいだろうと思った。

「思い出しちゃったのよ、昔の出来事」摩耶は、そんな僕の心中を察する様子もなく続けた。「ディスコに行ってね、あの人いつものように『シャンパン、極上のやつ』ってオーダーを入れたの。だけど、ディスコなんてところに、シャンパン、それも値の張る代物なんてあるわけないじゃない。それで、すっかり困っちゃったお店の人、どうしたと思う？」

「どうしたんスか」

「安物の白ワインを炭酸水で割ったやつを、グラスに入れて出したのね」

「そんなものすぐに分かっちゃうじゃないスか」

「それがあの人、一口飲んで『やっぱ極上は違うな』ですって。もちろん私は、すぐにこれシャンパンじゃないって分かったけど、満足そうにしているあの人を見てると、そんなること言えないじゃない。後で、店の人に問い質《ただ》したら、笑いながらそうこっそり教えてくれたの」

摩耶はひとしきり笑い転げると、

「そうそう、あなたに渡さなければならないものがあったわ」

ハンドバッグを探ると、白い封筒を差し出してきた。

「これ真壁社長から。約束の今月分ね。今月社長のところのワインは五百三本出たから、一本につき三千円。それの五百三倍で百五十万九千円入っているわ。後で確認してちょうだいね。もちろん領収書はなし」

僕は前を見たまま肩越しに封筒を受け取った。ぶ厚い札束の感触。これほどまとまった金を手にするのは生まれて初めてのことだった。たかだか、輸入元のラベルが違うワインをすり替えただけで、これほどの現金が舞い込んできたのだ。実のところを言うと、いかに摩耶に持ちかけられたとはいえ、世の中にそんな美味《おい》しい話などあるわけがないと、内心半信半疑でいた。きっと何かどんでん返しがあって、お金を貰えたとしても僅《わず》かなものになるのかも知れないという思いがあった。

僕は百万円は厚さにして一センチになる、という言葉を思い出した。いま手に触れている封筒の厚さは確かに二センチ弱はある。やっぱり摩耶の言葉に嘘はなかったのだ。

「ありがとうございます」

礼を言う言葉が弾んだ。いや絶叫と言った方が当たっていたかも知れない。僕は封筒を助手席の上に置いた。ハンドルを握る手に力が入った。有頂天になった。シンちゃんを貶されたことなど、もうどうでも良くなった。僕にはこれからも毎月大金が舞い込む。ワインが捌《さば》ければ、さくらの工場にも仕事が入る。全てのことがうまく回り始めた。そんな予感に僕は満たされた。

「しかし、同じワインをすり替えただけで、こんな大金を払って、真壁社長損はしないんですか」

幸せは人の口を滑らかにする。後で考えると、そんな質問をしなければ良かったと後悔することになるのだが、僕は軽い気持で訊《たず》ねた。

「損なんかするものですか」

「だって、幾らで仕入れているものかは、分からないスけど、ワインの原価って仕入れルートでそんなに違うものなんスか。真壁社長だって、フランスから輸入するとなれば、運送費やなんやかやでコストはそれなりにかかるでしょうに」

「だって、あのワイン中身が違うんですもの」

「はあ?」

僕は思わずブレーキを踏んでいた。後ろに続いていた車が抗議のクラクションを鳴らした。頭の中が白くなって、何も考えられなくなった。ハザードを出して、車を路肩に寄せると、後ろを振り返り摩耶を見た。

「今、何て言ったんスか」

「中身が違うって言ったの。あれはね、真壁社長がカリフォルニアから輸入した、安物のワインなの。市販価格にしたら三千円程度のね。だから真壁さん、あなたに三千円払ったところで、損なんかしないの。あなた気がついていなかったの？　輸入元のラベルだって真壁さんのところじゃなかったでしょう」

摩耶はいとも簡単に言ってのけた。

「そんなこと気がつきませんでしたよ。だって並行輸入品だって聞いていたから……」

「とっくに気がついていると思ってた」

「それって、詐欺じゃないスか」

「詐欺って言えば、そうかも知れないわね」

「詐欺です。これ絶対詐欺です。俺、もしこういう話だと最初から聞かされていたら、絶対乗らなかったッス」

酷《ひど》いと思った。少なくとも、僕はこれまで何一つ法を犯すような行為はせずに生きてきたという自負があった。大学はろくでなしの集まりみたいなところだったけど、彼らが当たり前のように話す万引きだって唯《ただ》の一度もしたことはない。いや正確に言えば、女は買ったことがあるから、全く法を犯したことはないと言うのは言い過ぎかも知れないけれど、警察だって独身の警察官に、変な不祥事を起こされるくらいなら、ソープに行けと上司に指導されるという。もっともこれは謙介の話だから、真偽のほどは分からないけれど、この程度のことなら世間では許されることに違いない。

それをまさか詐欺の片棒を担がされるとは……。

「詐欺なんて大袈裟《おおげさ》に考えないの。そりゃあ、お客さんが、最初から目当てのワインを飲みに来ているならともかく、ウチのような店に来るお客さんなんて、端《はな》から目的が違うのよ。お酒なんて、何を飲んだって同じ。女の子をはべらして、雰囲気を楽しむ。俺はこんな高い店に来て酒を飲めるだけの金と地位がある。そして、あわよくば目当ての女の子とねんごろになれるかも知れない。そんな下心を持って来るんだから。それに何も毒を飲ませているわけでもあるまいし」

「いや、しかし……それはないスよ。酷い。あんまりスよ」

「それに、陽ちゃん。あなた、もしこの話、最初に聞いていたら断ったかしら」

「俺、絶対に断っていたっス」

「そうかしら」摩耶は、悪びれる様子がないどころか、自信満々といった態《てい》で続けた。

「だって、さくらちゃんの工場に頼んだのは、輸入元のラベルの話だけじゃないのよ」

えっ、と僕は声を漏らした。

「ワインのラベルそのものを印刷する仕事を回したの。それも一枚につき五千円で買い取るという条件でね。さくらちゃんのお父さん、それは喜んで仕事を引き受けたそうよ。もちろん、さくらちゃんだって、承知の上。つまりあなたがワインのすり替えをやってくれなかったら、お父さんの工場は今ごろ潰《つぶ》れていたってわけ」

摩耶はさくらに対する僕の気持はとうの昔にお見通しとばかりに、最も痛いところをついてきた。

確かに、言われてみればその通りかも知れない。さくらの工場にとって、一枚五千円ものの値段で、ワインのラベルを買い取るという仕事は、とてつもなく大きなものだったに違いない。僕はさくらの家の窮状を知っている。もしも、そんなことになれば、バイトのホステスどころか、もっと手っ取り早く大金を稼げる仕事、つまりヘルスとか、あるいはソープにだって身を投じたかも知れない。

それを知りながら、僕は摩耶の申し出を断れただろうか。いやそうではなかったろう。さくらに抱く想いが成就するかどうかは別として、できる限りのことをしよう。そう思ったに違いない。

つまりどちらにしても摩耶の言う通り、結果は同じということだ。

「まいったなあ……」

僕は情けない声を上げながら、ハンドルに顔を埋めていた。

「心配することないって。絶対バレやしないから」摩耶は、混乱する僕を見ながら、落ち着いた声で言った。「さっきも言ったけど、クラブに来てわざわざワインを飲む客なんか、何を飲ませても同じよ。分かるもんですか」

「そうスかあ」

「考えてもみなさいよ。ウチはソムリエのいる高級レストランじゃないのよ。それも一つの席にホステスが何人もつけば、お客さんが飲める量なんて、グラス一杯か二杯がせいぜい。それで、このワインがラベル通りのものかどうかなんて分かるもんですか」

「しかし、中にはいつも飲んでるやつとは違うなんて言う客が出てくるんじゃないスか」

「あのねえ、ワインなんて、同じラベルはついていても、収穫の年、保管状況によって味なんて変わってくるの。陽ちゃん、そんなこと言うなら、あなた、日本酒の味なんて分かる」

「いや、そう言われると……まあ、確かにちょっと甘いか、辛いか、その程度のことを感じることはありますが、二口目からは何を飲んでも同じですけど……」

「でしょう。だいたいね、高級レストランに行っても、最初にソムリエがテイスティングのためにワインをグラスに少し注いでくれるでしょう。でも『いかがですか』って訊《き》かれて、『これはおかしい』なんて文句をたれる人なんかいやしないわ。十人が十人、『結構』。分かったふりして、そのまま飲んじゃうものよ。超高級ワインのラベルのついたものが、実は三千円かそこらのものだとしても、絶対に分かるもんですか。たとえちょっと変だなと思っても、クイーンみたいな店で文句言うような無粋な客なんていやしないわ。今日だってそうだったでしょう。あなたの尊敬するシンちゃんにしたって、自分でワインセラーを持って、通ぶっていても少しも変だなんて言わなかったじゃない」

　摩耶は自信満々といった態で答えた。

　確かに、その通りだった。シンちゃんは、アロマが何とかかとか、小難しい言葉を並べ講釈をたれていたけれど、中身に関しては何一つ疑問を抱いている様子はなかった。それにこの一月の間を振り返っても、山野社長も、横山社長も前と同じようにあのワインを飲み、高い金を支払って店を後にしていた。本当はワインなんてものの味が分かる人間は、世の中に数えるほどしかいなくて、そもそもそんな人たちは、銀座のクラブでワインを飲んだりしないものなのかも知れない。

罪の意識は消えなかったけれど、僕は心の片隅にそんな気持を覚えた。かといって、完全に不安が払拭《ふっしょく》できたわけではない。

「だけどコルクはどうするんですか。ラベルを変えたとしても、コルクを見ればすぐにそれが、本物かどうか分かっちゃうんじゃ……」

ふと思いついて、僕は訊ねた。

「いい質問だわ」摩耶は待ってましたとばかりに、口を開いた。「その点は、抜かりないの。今回の話は、真壁さんが輸入契約を結んでいるワイナリーと結託して、最初からコルクにはすり替えるワインの刻印を押してあるの。輸入通関の時だって、さすがにコルクまでは調べやしないからね」

何から何まで周到に準備されていた計画だった。おそらく今回の話は、真壁社長が絵を描き、摩耶に持ちかけたのだろう。最大の問題は、ワインのラベルをどこで偽造するかだったと思われる。そこに飛び込んできたのがさくらだったというわけだ。どうりで、摩耶がホステス志願のさくらを快く受け入れたわけだ。経営不振に喘《あえ》ぐ街の印刷工場にとっては、たとえそれが犯罪行為とはいえ、一枚五千円もの金が舞い込む。それも領収書なしともなれば断るわけがない。そして、日頃摩耶の送迎をして小遣いを貰《もら》っている僕……。役者はその時点で全て揃った。

　ふと目をやった先に、助手席に置かれた封筒が目に入った。詐欺の片棒を担がされて、手にした金があった。百五十万九千円。さくらのところには、二百五十万以上の金が入ったことになる。おそらく摩耶には、偽ワインを捌《さば》いて潤った真壁が店に落とす金が報酬となるのだろう。

　誰も傷つかない。騙《だま》された客にしたって、そうとは気がつかない。そんなもんだと思ってただワインを飲んで大金を払って帰って行っただけだ。

「どうする、陽ちゃん」

　突然、摩耶が訊《たず》ねてきた。

「どうするって、訊かれても……」

　僕は思わず答えに窮した。

「あなたが、辞めるって言うならこの話、なしにしてもいいのよ」

　本当のことを言えば、バレないうちに辞めてしまいたかった。だけど、僕が降りればさくらの工場は潰れてしまう。そうなればさくらは……。それに、月にこれだけのまとまった金を手にできる機会は、これを逃せば一生涯巡り合うことはないようにも思われた。

　金の魅力は、罪の意識を補ってもあまりあるものがあった。

「俺……やります。この仕事、続けます」

僕は覚悟を決めて答えた。

*

一旦《いったん》覚悟を決めたつもりだったが、やはり罪の意識は消えなかった。店でワインのオーダーが入ると、いつかバレるんじゃないかと、常にびくびくしていた。僕の体には、確実にストレスが溜《た》まっていたと思う。それが体の変調として現れたのは、摩耶にことの真実を告げられた、四日後のことだった。

眠れぬ夜が続いていた。暗闇の中で、何度も寝返りを打つうちに、会陰《えいん》部、つまり肛門《こうもん》から陰嚢《いんのう》にかけての部分に何かしこりのようなものを感じ、そこを中心に発する不快感が尿道を走った。

かつて性病に罹《かか》ったのではないかという思いに襲われた時と似た症状だった。あれから風俗には行っていない。もちろん、女性との接触も一切なかった。心配することはない。気のせいだ、気のせい……。

僕は必死になって、自らに言い聞かせたが、症状は治まるどころか、ますます酷《ひど》くなる。闇の中で悶々《もんもん》としていると、神経がその一点に集中し、気が狂いそうになる。それは寝ている間だけではなく昼も続いた。特に摩耶の送迎のために車の運転をしている時は更に症状は酷くなった。微妙な車の振動が、シートを通して伝わって来ると、尿道の辺りがむず痒《がゆ》いというか、痛痒いというか、とにかくいてもたってもいられなくなるのだ。体の中で、何かが変調をきたしているのは明らかだった。

耐えられない不快感に僕はついに医者の診断を仰ぐことにした。今回は怪しげな病気でないことは明らかだったので、まともな病院に行くことにした。新宿にある大学病院だった。しかし、どの科にかかっていいのかさっぱり見当がつかない。僕は病院の玄関をくぐるとすぐのところにある、相談窓口に行き、看護師に症状を話した。

「それなら、泌尿器科ですね」

話を聞き終わった看護師は、即座に断言した。その病院にかかるのは初めてのことだったので、初診の手続きをし、三階にある泌尿器科の窓口で発行されたばかりの診察券を差し出した。すぐに紙コップが用意され、そこに尿を入れて持って来るように言われた。ここは新大久保の例の怪しげな病院とは違って、世の中にこれほどの病人がいるのかと思えるほどの患者でごった返していた。初診ということもあって、僕の番は意外なほど早く回ってきた。手続きを済ませて三十分ほども経っていなかっただろう。名前を呼ばれて診察室に入った。中には看護師と医者がいた。

「どうしました」

医者は、カルテに何事かを書き込みながら、穏やかな声で訊ねてきた。症状を話すと医者は、

「尿に菌はないようですね」

と言った。さすがは大学病院である。怪しげな病院とは違って、検査も迅速で充分に納得が行くものだったので、僕は少しほっとした。
「ちょっと診てみましょう」
医者は告げた。どうしたらいいのかと思って、椅子に座ったままでいると、
「そこのベッドに横になって下さい。ズボンとパンツはそこの籠《かご》に入れて下さい」
「それって、下全部脱ぐってことですか」
「そうです」
医者は、当然といった顔で言った。隣にいる看護師が気になった。まだ二十代半ばとい
ったところだろうか。僕とあまり歳は違わない若い女性だった。なかなかの美人というの
も、僕の気持を萎《な》えさせた。だが心配はいらなかった。医者は無表情のまま、カーテンを
引くと、彼女との間に布の壁を作った。ベルトを緩め、ズボンとパンツを一緒に下ろした。
その間に医者は右手にラテックスの手袋をはめた。
何をするんだろう。
僕は少しばかりの不安を覚えながら、その場に立ち尽くした。新大久保の怪しげな病院
では、ペニスをしごきあげられた。同じことをするのだろうか。とにかく、僕は指示に従
って下半身を露《あらわ》にしたままベッドの上に横になった。
「両足を交差させて下さい。座禅を組むような姿勢です」
どうやら、医者の目的はペニスではないらしい。何をされるのか分からないまま、僕は

ポーズをとった。寝たままヨガの瞑想《めいそう》のポーズをとっているようになった。医者の左手が、交差した両足首の辺りをぐいと体の方に押し付けた。

えっ！　これってまさか……。

僕は大いに慌てた。尻《しり》が持ち上がり、そこに向かってラテックスをはめた右手が伸びて行くのが見えたからだ。ファックサインをするように、中指が突き立てられていた。

ちょっ、ちょっとお――。

声を上げる間もなく、

「失礼……」

医者の指が、僕の肛門に突き立てられた。いつの間にか、指には潤滑剤が塗られていたらしく、驚くほどのスムーズさで、指が体内に滑り込んでくる。

「ちょっと動かしますよ」

体内に差し込まれた指がぐりぐりと動き回る。何だか、急に酷い便意に襲われたような、奇妙な感覚が下腹部に押し寄せてくる。

「ここは痛い？」

「いいえ……」

「じゃあ、ここは？」

医者の指が、会陰部の方、つまりペニスの付け根と思《おぼ》しき辺りに当てられ、強く押された瞬間、僕は悲鳴を上げた。

「痛《いて》え！　そこ痛え！」

「ああ、やっぱりねえ。だいぶ硬くなってるもんねえ」

医者は、納得した様子で指を引き抜くと、汚らわしいものを取り去るように、手袋を脱ぎ捨て、すぐにそれをゴミ箱に放り込んだ。

「慢性前立腺炎《ぜんりつせん》ですね」

「慢性前立腺炎？」

初めて聞く病名だった。

「あのね、何らかの原因で前立腺が炎症を起こしてるんですよ」

「何らかの原因って……」

「それがなかなか分かんないんです。あなた座り仕事？」

「いや、どちらかというと、立ち仕事です」

「自転車は」

「乗りません」

「車に長時間乗ることは？」

「車は毎日乗りますけど、長時間ってほどでは……」

「う〜ん。まあ、この病気は、一般的には座り仕事の人が罹ることが多いんですけど、原因ははっきりしないんですよね。まあ、とにかく、薬を出しておきますから、様子を見て下さい」

様子を見る——。何だかはっきりしない言葉に、

「それで症状からは解放されるんですか」

「何とも言えないんだよねえ。これ、治んねえんだよなあ」

「えっ……」

ぽつりと医者が漏らした一言が僕の心に深く突き刺さった。

「これね、タクシーの運転手さんとか、自転車に乗る人に多い病気でね、前立腺ていう尿道を取り巻くようについている胡桃《くるみ》大の器官が炎症を起こしているの。前立腺炎っていうのは慢性と、急性があってね。急性の場合、尿道から侵入した菌が前立腺の中で繁殖して炎症を起こすから、肛門からメスを入れて切開してやればドバっと膿《うみ》が出てそれで完治するんだけど、慢性は病名が似ていても全くの別物なんだな。とにかく何が原因になるのかってことは十人十色なわけよ。ストレスから来ることもあるしね。まあ、そういった点から言えば、生活習慣病の一つとも言えるわけでね。治療法は、薬を飲んで症状を緩和するか、前立腺を自分でマッサージして柔らかくする以外、手はないんだよね」

「尿道感染と言いますと……」

「てっとり早く言ってしまえば、性病の菌が尿道から入った場合なんかが典型的なものだね」

何てこった。いけない遊びをした揚げ句に前立腺に炎症をきたした場合は、すぐに完治しても、何一つ疾《やま》しい行為をしたわけでもなく、慢性化した炎症の方がずっと始末に負え

ないというわけだ。

　こんな不条理が世の中にあっていいのだろうか。これじゃまるで、無実の罪で無期懲役を宣告されたようなもんじゃないか。

　僕はまだ二十三歳。おそらくこれから半世紀は生きるだろう。その間、ずっとこの不快な症状と、付き合って行かなければならないのだろうか。

　そう思うと僕は途方に暮れた。何だか自分がこの世の不幸を一身に背負ってしまったような絶望的な気持に襲われた。

「まあ、そのうち慣れるよ。別に珍しい病気じゃないし。とにかく、与えられた薬は毎日きちんと飲む。苦しい時には前立腺マッサージを自分でやる。気長に構えることだね。それからセックスはしても構わないし、子供を生むに当たっても、何の支障もないから」

　そんな言葉は何の慰めにもならなかった。僕は、医師の言葉が終わると、すっかり意気消沈して診察室を後にした。

　会計を済ませて、処方箋《せん》を貰《もら》うと、病院のすぐ前にある薬局で薬を貰った。一つは抗炎症剤で、もう一つは漢方薬だった。化学的な薬はともかく、漢方薬というのは即効性が期待できないような気がして、心もとないこと甚だしい。

　ふと、医者が漏らした、ストレスから来る場合もある、という言葉が思い出された。

　そうだ、きっと僕の場合、それが一番の原因なのかも知れない。偽ワインを店で捌《さば》き、いつバレるとも知れない不安に怯《おび》えながら、毎日を過ごしている。きっとそれが、回り回って前立腺に炎症をきたすことになったに違いない。

そんなことを考えているうちに、いつの間にか僕の足は自然と歌舞伎町に向いていた。

自分一人の胸にしまっておくには、摩耶と交した秘密は、あまりにも重過ぎた。誰か、一人でもいい。秘密を共有できる人間がいれば、僕の心も少しは落ち着くかも知れない。

秘密を打ち明けられる相手となれば、一人しか思いつかない。そう謙介だ。

僕は、携帯電話を取り出すと、彼の番号を呼び出していた。

＊

「そりゃあ、美味《おい》しい話だな」

歌舞伎町の中心にある喫茶店で、ことのあらましを聞き終えた謙介は、意外にも興味津々といった態《てい》で身を乗り出してきた。

「美味しい話って……お前これ、立派な詐欺だぜ。俺は知らないうちにその片棒を、担がされちまってるんだぜ」

謙介は必死に訴える僕など眼中にないとばかりに、

「しかし、うまいところに目をつけたもんだな」すっかり冷めたコーヒーを啜《すす》ると、煙草に火をつけ、ほとほと感心したといった様子で言った。「確かに、ホストクラブなんかを見ていると、客もホストもワインなんて何でもいいのさ。店にやって来る客は、ばか高い金を使うためにワインを空ける。ホストにしたって、中身なんか関係ない。とにかくボトルを入れさせれば、大金が転がり込んでくる。あんなやつらにワインの味なんて分かるわけがねえからな」

「それは銀座のクラブだって同じなんだけどさ。高級ワインを売ってはいるけど、ソムリエの資格を持っている人間がいるわけじゃない。わけの分からねえバイトのホステスたちが、寄ってたかって飲んじまう。席に三人もホステスがつけば、一本入れたとしても、客が飲めるのは二杯かそこらでボトルは空いちまう。もっともソムリエがいたって、ピンからキリだ。選ぶ相手を間違えなければ、そう簡単に分かるもんじゃないだろうけどね」

謙介は、口元を歪《ゆが》め不敵な笑みを宿すと、

「考えてもみろよ。ワインなんてもんは、同じ銘柄でも穫《と》れた年代によって微妙に味が違う。もちろん保管条件も影響してくる。同じ銘柄の違う年代のワインを全て飲んで、味を記憶している人間なんているわけないぜ。何しろ生産量に絶対的制約があるからな。世の中にはワイン好きと称する人間は無数にいるけど、ワインの銘柄だってどれだけあるか分かりゃしない。それに葡萄《ぶどう》の種類、年代という要素が絡み合えば、飲んだ代物が本当にラベル通りのものかどうかなんてことは、いくらソムリエの資格を持っているからと言ったって当てるのは簡単なもんじゃない」

「摩耶ママも同じようなことを言ってはいたけどさ……。日本酒にしたって、甘いか辛いかの違いは分かっても、銘柄なんてそう当てられるものじゃないって」

「ワインだって同じことさ。ソムリエだってピンからキリだ」

「それなりに有名なワインでもかい」

「誰がその金を払うんだよ」謙介はきっぱりと断言すると続けた。「ソムリエを職業としている人間だって、自腹を切ってまで、高級ワインを予め《あらかじ》飲んでしっかりと身に覚え込ませることなんてしやしない。たまさか、店に来た金回りのいい客が、ばか高いワインを注文して、テイスティングする際に少し味わうか、気の利いた客なら、勉強のためと称して、おすそ分けをくれるか……そんな程度だ。陽一よ、お前フレンチとかイタリアンの店に行ってワインを注文したことはあるか」

「ソムリエのいるような店になんか行ったことねえよ」

「あのな、高級店では、ソムリエが最初に自分のグラスに少しワインを注いで、テイスティングするだろう。連中が何でまたそんなことをするかと言えばだ、中身が悪くなっていねえかどうか、それを確認する程度のことなんだな。客にしたところで、色を見たり、匂いを嗅《か》いだり、果ては口の中でぐちゅぐちゅとやって味見をしたりするけど、あれだってふりをしているだけでね。これはちょっと、なんてことを言い出すやつはいやしない。まあ、全てが儀式ってわけだ」

「もし、そこでイメージした味とは違うなんて言ったらどうなるのさ」

「新しいのを出して来るよ」

「それじゃ、客はイメージしたワインが出てくるまで、何度でも取り換えることができるのかい」

「もちろん」

「それじゃ店は、大損こくじゃないか」

「馬鹿だなあ、お前。それは客が注文したもんだぜ。そんなことをしても、テイスティングで終わったワインはしっかり勘定に乗せられるだけのことさ」

「飲んでもいないのに？」

「だって自分で注文しておきながら、断ったのは客の方だぜ。中身が腐ってるってんなら、話は別だろうけど、店には何の落ち度もないんだもの。当たり前の話だろうが」

「いずれにしても、店は損しないってわけだ」

「ああ」謙介は、また一度、煙草をふかすと、「うん、こいつは面白いことになるな。偽ワインね。これは絶対にうまく行くな。でかい商売になるな」

すっかり興奮した口調で言った。また嫌な予感がした。僕は謙介に秘密を話して、少しばかり気を楽にしたかっただけだ。何とか、この気乗りのしない裏稼業から、早々に足を洗いたい。僕なんかより世慣れた謙介のことだ。それ相応の知恵があるに違いない。そう思ったからこそ、ここにやって来たのだ。それが謙介ときたら――。

「どうだ、俺もその話に一口乗せてくれねえか」

果たして謙介は切り出してきた。

「お前、俺はどうしたらこの話から抜けられるか、それを相談しに来たんだぜ」

「何ビビってんだよ。だいたい詐欺って言うけどな。お前のところの勘定を考えてみろよ。座っただけで、五万からの金を取るんだろう。歌舞伎町のキャバクラでそんな料金取ってみろ。たちまちボッタクリの烙印《らくいん》を押されちまう。そんなところに来る客は、酒を飲みに来てるんじゃねえ。夢を買いに来てるんだ。満足して帰ればそれでいいんだ」

やっぱり、謙介に相談したのは間違いだったかも知れない。僕は少し後悔しながらも、その一方で、そこまで断言されると、何だか摩耶や真壁社長がまともな感覚をしていて、僕だけがいらぬ心配をしているんじゃないか。そんな気がしてきた。

「偽の酒と言えばさ、お前は知らないだろうが、一昔前に、ウイスキーの中身を店が入れ替えちまうってことが流行したことがあったんだ。その時には詰め替え防止策として、注ぎ口に玉のついたボトルが開発されたんだが、あの頃は、洋酒の値段がばか高かった時代だ。洋酒の値段が、昔とは比較にならないほど安くなった今、そんなことをする店はありゃしねえ。あったとしても、飲み放題幾らの、得体の知れないキャバレーぐらいのもんだろう。もっとも、ウイスキーの場合は、店で入れている銘柄も限られているから、客にしても飲み慣れてるもんな。何だかいつものやつと味が違うって、気がつくやつだって出てくるだろうさ。だがな、ワインは別だ。絶対バレやしない。頼むよ陽一。その摩耶ママに口利いてくれよ」

「いや、しかし……。それに俺が、ママにそんなこと言い出したら、秘密を喋《しゃべ》っちゃったことがバレちゃうじゃないか」

僕は苦しい言い訳をしたが、謙介は怯《ひる》まなかった。

「ママ、いやその真壁っていう社長にしたって、悪い話じゃないだろう。俺の店で偽ワインを扱うってことになれば、儲《もう》けはでかくなる。いいから話してみろ。きっと断りゃしねえから。何なら俺が直接交渉しようか」

冗談じゃないと思った。一面識もない謙介が乗り込んできて、話を持ちかければ、誰が秘密をばらしたか、すぐに分かってしまう。つまり結果は同じだ。

「それは止めてくれ、俺が話すよ。だけどそれに当たって一つ訊《き》きたいことがある」

しかたなく僕は、とりあえず謙介の話に乗るふりをした。

「何だよ」

「お前の店じゃ、日にどれくらいのワインが出るんだ」

「どんな銘柄を持ち込むつもりだ」

謙介の問いに、僕は高額なことで名を知られるフランスワインの名前を口にした。

「そいつなら、日に五十本、多い日だと七十は出るな」

「月にならすと、どの程度だ」

「千五百から二千の間だろう」

「凄《すご》い量だな」

「ホストクラブで飲めば十万からの値段がつく代物だが、安過ぎもせず、かといって高過ぎもせず。まあ、見栄を張るにも手ごろなワインだから。それくらいの量は常に捌《さば》けるね。

それで、お前偽ワインを捌いて幾ら貰《もら》ってるんだ」

謙介の顔が商売人のそれになった。

「一本につき三千円。さくらのところには、ラベル一枚当たり五千円……」

「そいつは凄えな。もしも俺が一口噛《か》まして貰って、お前と同じ金額を支払って貰えるとしたら。月に五百万からの金を手にできるってわけか。こいつあ、悪い話じゃねえよな」

悪い話どころか、こんなぼろい商売があるもんか。僕は苦笑を漏らしながら、謙介を見た。果たして彼も、頬の筋肉が弛緩《しかん》するのを堪《こら》え切れないといった様子である。

「しかし、ちょっと待てよ」謙介は、何事かが閃《ひらめ》いた様子で、急に真顔になった。「偽のワインを入れるのはいいとして、うちが仕入れたワインはどうなるんだ」

「本物のワインは、真壁社長が引き取ってくれることになっている」

「引き取ったワインをどうするつもりなんだろう」

「たぶん、どこか馴染《なじ》みのレストランにでも転売するんじゃないのかな」

その言葉に嘘はなかった。摩耶ママから告げられたのは、余剰となった本物のワインは、真壁が引き取る。そう言われただけで、それから先のことは何も聞いていなかった。

「ふう〜ん」謙介は暫《しばら》く何事かを考えている様子だったが、「まあ、いいや。どちらにしても、泡銭《あぶくぜに》を稼げるチャンスだ」

「でもさ、お前のところのお父さん、なんて言うかな」

僕は、とっておきの言葉を吐いたつもりだったが、謙介はそれを一笑のもとに吹き飛ばした。

「親父？　馬鹿なこと言うなよ」

「まさか、お前、儲けを独り占めするつもりじゃないだろうな」

「あのな。こっちはただでさえも、安い給料で働かされてるんだ。それに親父は、あれで意外と堅物なところがあってさ。偽のワインを客に売りつけるなんて言ったら最後、馬鹿なこと言うなって激怒するに決まっている」

「しかし……」

「まあ、任せておけって。倉庫の鍵《かぎ》は俺が預かっている。夜になって、密《ひそ》かに在庫を持ち出し、偽のワインとすり替えるのはわけないことだ。この話は、お前ら四人と、俺だけの話にしておこう。第一ことが公になれば、立派な詐欺罪だからな。秘密の話はどこから漏れるか分かったもんじゃない。知る人間が少なければ少ないほどいいに決まってる」

「じゃあ、本当にお前、この計画に乗るんだな。詐欺の片棒を担いで、後悔しないんだな」

僕は改めて念を押した。

「乗らいでか。こんな美味《おい》しい話、そうめったにあるもんじゃない」

「とにかくママには話してみるよ。喜んでくれるといいけど……」

「喜ぶさ。さくらもな」

いきなりさくらの名前を出されて僕は思わず口籠《くちごも》った。

「それでさ、陽一よ」

謙介は新しい煙草を銜《くわ》えると、目を細めながら訊《たず》ねて来た。

「何だよ」

「お前、この偽のワインを売って、先月はなんぼの銭が入ったんだ」

＊

その週末、僕は摩耶とさくらを乗せたベンツを駆って、横浜にある真壁社長の会社へと向かった。

本牧埠頭《ほんもくふとう》に近いところにある古ぼけた三階建てのビルが真壁の会社だった。外見からすると一階と二階はどうやら倉庫になっているらしい。トラックがそのまま荷降ろしができるようになったプラットホームがついた一階の扉はシャッターで閉じられ、休日のせいだろうか、人影はない。営業車と思《おぼ》しきライトバンが五台ほど敷地内に停まっている。

ベンツを敷地内に乗り入れ、エンジンを止めた。それを見計らっていたかのように、正面玄関のドアが開くと、真壁が姿を現した。

「摩耶ママ、休日にすまないね」

銀座に現れる時とは違い、まるでゴルフに出掛けるかのようなリラックスした恰好《かっこう》をした真壁が親しげな声を掛けてきた。

「社長のたっての頼みですもの、どうぞお気になさらないで」

如才なく摩耶は答えた。

「こちらは……確かクイーンのボーイさんだったね」

「改めてご挨拶《あいさつ》させていただきます。岩崎です」

僕は頭を下げた。

「世話になるね。それに今度は歌舞伎町の酒屋さんを紹介していただけるなんて、本当に感謝しているよ」

僕はあの日、店が引けた後、摩耶を送る車中で謙介の申し出を話した。二人の関係、謙介の商売。そういったことを包み隠さず全て話し、最後に秘密の誓いを破ってしまったことを詫《わ》びた。きっと摩耶は血相を変えて怒るに違いないと思ったが、彼女の反応は全く別のものだった。

「いいじゃない、その話。あなたの親友と呼べる人なら、身元もしっかりしているし、それに何より量が捌ければ、真壁さんだって喜ぶに決まってるもの」

いともあっさりと言い、話はとんとん拍子に運んだ。そして今日、今回の計画に加わる全ての人間が、一堂に会してこれからの打ち合わせをすることになったのだった。

「いいえ。そんな……」

改まって礼を言われるのも何だか変な気持がした。別にボランティアで、こんな計画に乗ったわけじゃない。金の魅力、さくらの家の事情。とにかく僕にとっては、最大の弱みを二つも突きつけられた揚げ句の苦しい選択だった。今となってもその複雑な心境を完全に拭《ぬぐ》い去れたわけではない。

　そんな僕の心境を真壁が知るわけもない。彼は、さくらの方に視線を転ずると、

「さくらちゃん、本当に今回は世話になったね」

「お礼を言わなければならないのはこちらの方です。いいお話をいただきまして、ありがとうございます」

「いやいや、こちらこそ無理を言ってすまなかったね」

「そんな……父も本当に助かったって、喜んでます」

「それはどこの会社も同じだよ。私にしたところで、ラベルの印刷をどこに頼んだらいいのか、なかなか決断がつかずにいたところだったんだ。もちろん、ワインを輸入している商売柄、輸入元を示すラベルを頼んでいる業者はあるにはあるんだが、さすがにこうしたことは言い出せなくてねえ」

「それなら尚更、今回さくらちゃんのところで、ラベルを印刷して貰えるのは好都合だったというわけね」

「全くだよ。変にこれまでの業者に弱みを握られても困るし。願ったり叶《かな》ったりだよ」真壁は、手入れの行き届いた歯を覗《のぞ》かせて笑うと、「ママにもたっぷりとお礼をしなけりゃならないね」

「あら、私のことならお気遣いご無用ですわ。これまで通り、お店に来ていただければそ

れでいいのですから」摩耶は、さらりと真壁の言葉を受け流すと、「それより社長、さくらちゃんのこともよろしくね」

「ああ、同伴でも、何でも売上に繋《つな》がることなら協力させて貰うよ」

同伴と聞いて僕は正直面白くなかった。何だか、さくらを摩耶ママに紹介したことが、二人の距離を縮めると思っていたのに、逆に彼女が手の届かないところへ行ってしまうような気がした。会陰《えいん》部から尿道にかけて、むず痒《がゆ》い不快な感覚が走った。

そんな気持を知るよしもない摩耶は、

「さくらちゃん良かったわね。入店早々、真壁社長に同伴していただけるなんて、あなたついてるわ」

すっかり恐縮した態《てい》のさくらの肩を優しく叩《たた》いた。

その時、一台のライトバンが、敷地の中に乗り入れて来た。白いボディの横には、『平木酒店』の文字がペイントされている。

「社長、平木が来ました」

救われる思いを覚えながら僕は言った。

「おう、歌舞伎町の酒屋の息子さんだね」

「はい」

ライトバンが止まると、中から謙介が降り立った。

「すいません。遅れました。少しこの辺りで迷ってしまって……」

薄手の赤いセーターにジーンズ。セーターの色と相まって、金色に染めた髪が、いつにも増してど派手に見える。

「紹介します。こちらが、私の大学時代の友人で平木です。平木、こちらはワインの輸入をしている真壁社長――」

「よろしくお願いします」

「こちらこそ、世話になるね」

「とんでもないっス。こんないい話をいただいて、恐縮っス」

言葉遣いは相変わらずだが、いつになく丁重に謙介は頭を下げた。

「それじゃ、中に入って貰《もら》おうか。商品を見せるから」

「陽ちゃん、ラベルを降ろしてくれる」

摩耶が今朝刷り上がったばかりの追加のラベルを降ろすように命じた。

僕は、ベンツのトランクを開けた。中にはぶ厚い紙の束になったラベルが、大きめの段ボール一箱に入れられていた。確か五千枚ほどの数があるはずだった。とても一人では持ち上げることができない重さだ。事実積み込む際には、さくらの父親の手を借りたほどだった。

「おい、謙介。手を貸してくれ」

「何だよ。その程度のもの、一人で運べないのかよ」

「お前のような肉体労働者とは、体のできが違うんだよ」

「何言ってやがる。お前だって頭脳労働者ってわけじゃねえだろう」謙介は毒づくと、

「どけよ」僕を押しのけ、段ボールを気合いを入れる声と共に担ぎ上げた。

「こんなもん、酒のケースに比べたら軽いもんさ」

「ブツは一階に出してあるから」

先頭に立って歩き始めた真壁について、僕たちは建物の中に入った。

鉄の扉が引き開けられると、ひんやりとした空気が流れ出してくる。カビ臭いような、埃《ほこり》っぽいような、まったりとした酷く特徴的な臭いが嗅覚《きゅうかく》を刺激した。

真壁が電気をつけると、心細いほどの明るさの蛍光灯が空間を照らし出した。

「こいつがブツだ」

倉庫の一角に山と積まれた木箱がある。外側には、カリフォルニア産のワインの銘柄がプリントされている。

真壁はその中の一箱を取り出すと、蓋《ふた》を開けた。

中には十二本のワインが入っていた。モスグリーンのボトル。ラベルもしっかりと貼り付けてある。

「こいつを全部貼り替えるんですか」

謙介が訊《き》いた。

「ああ、そうだ」

「しかし、ワインのラベルを剝《は》がすのは、楽な仕事じゃありませんよね」

「それが、こいつにはちょいとした仕掛けがあってね」

「仕掛け？」

「まあ、見ていたまえ」

真壁はその場にかがみ込むと、ジャケットのポケットから金属のヘラを取り出し、ボトルに貼り付いたラベルの角を軽く擦った。たちまち角がめくれ上がった。男性にしては華奢《きゃしゃ》な指先が、その部分を摘《つま》み上げると、真壁はそれを一気に、しかし丁重に引いた。

意外なほどのスムーズさで、ラベルがボトルからぺろりと剝がれた。

「へえっ」

一同の間から感嘆の声が漏れた。

「聞いているとは思うけど、今回の件はワイナリーぐるみのことだからね。ラベルを貼り付けるに当たっては、私が現地に行って、日本から運び込んだ糊《のり》を渡してあるんだ」

「どんな糊なんです」

「どこの文房具屋でも売ってる代物だよ。剝がしても跡が残らないスプレー式のね」

「そんな便利なものがあるんですか」

「普通の会社に勤めていれば、誰でも使っているものだよ」

『普通の会社』と言われて、何だか自分たちが世間では異質な仕事をしているような気がして、僕は押し黙った。

真壁社長は、僕がそんな気持を抱いたことなど一向に気付く様子もなく、

「まあこれを見てみたまえ」

裸になったボトルを差し出してきた。

受け取ったのは謙介だった。

「封印の刻印も変えてある」

「本当だ！　しかし、こんなものがよく、税関を通りましたね」

「税関だって、いちいち封印までチェックなんかしやしないさ」

「驚いたな。ワイナリーにしたって、こんなことがバレたら、大変なことになるでしょうに」

啞然《あぜん》としている謙介を尻目《しりめ》に、

「ワイナリーだって、生き残りに必死だからね。特にカリフォルニアの場合、この十年を見ても、ワイナリーの数はかつてと比較にならないほど激増しているんだ。アメリカ人にとって、ワイナリーを持つのは成功者の証《あかし》し、夢だからね。事業を立ち上げ、大金を手にすれば、次はワイナリー。今ではナパと呼ばれる地域はかつてとは比較にならないほど広がっているし、他にもソノマとか、ロシアンリバーとか、生産地域が拡大し続けている。中には背に腹は代えられないって状況に陥っているところも少なくないんだよ」

ひとしきり状況を説明すると、

「それじゃ、さくらさんのところで印刷して貰ったラベルをくれないか」

僕は謙介が運び込んだ段ボールを開け、中から一枚のラベルを手渡した。

真壁はそれを受け取ると、すでに箱の山の上に置いておいたバッグの中から、スプレー缶を取り出し、中の液体糊を裏面に吹き付けた。

「こいつはカリフォルニアで使ったものとは違う。もっと強力なやつだ。乾いちまえば普通のボトルに貼ってあるラベルと同じ程度の強度がある」

そう言いながら、裸のボトルに貼り付けた。

「どうだい。これで市価三千円のワインが三万円のワインに変身したというわけだ」

真壁は満足そうな声を上げたが、他の誰もが何と答えたものか、一言も発することはできなかった。

「と言っても、本物と比べてみないと分からないか」

苦笑いを浮かべた真壁は、再びバッグに歩み寄ると、中から一本のワインを取り出した。

「こいつは、本物。どうだ、見比べてみて違いが分かるかね」

蛍光灯の下で見る限り、いくら目をこらしても、どちらも同じもののように思える。

「紙質といい、印刷の色の出具合といい、二つは完全に同じもののように見えますね」

「それはそうよ。今の印刷技術を使えば、偽札ってんならともかく、この程度のものを作るのはわけのないことよ。それに紙だって、ちょっと見ればどんなものを使えばいいかたちどころに分かるわ。なんたって、こっちは印刷のプロですからね」

さくらが誇らしげな声で答えた。

「さて、外見で見分けがつかないとなれば、今度は味だが……」

真壁は、倉庫の片隅にある事務室のようなところに入ると、グラスを八つ、手に持って帰ってきた。

グラスを木箱の上に置くと、こちらに背を向け二つのワインをシャッフルした。

再び木箱の上に置かれた二本のワインが露《あらわ》になった時には、どちらが本物で偽物なのか、区別がつかなくなった。

ポケットからワインオープナーを取り出した真壁は、さすがに鮮やかな手つきで栓を抜き、中の液体をグラスに注いだ。

「飲み比べてみてよ」

勧められるままに二つのグラスを手にして交互に匂いを嗅《か》いでみる。濃厚な香りが鼻孔の中に広がった。微妙に香りは違うが、正直言ってどちらが三千円で、三万円なのか、僕には判断がつかない。軽く口に液体を含むと、渋味と共に、舌にまつわりつくような感触と、充分に熟成した葡萄《ぶどう》の味がした。

「こちらが本物。こちらが偽物……でも偽物も悪くないワインですわ。三千円のワインにしては上の部類ね」

さすがに飲み慣れているだけあって、最初に反応したのは摩耶だった。

「君たちはどう思う」

僕には全く分からなかった。確かに二つのグラスの中に入ったワインは、微妙な違いがあるのは事実だが、それにしたって三千円と三万円といった違いがあるとは思えない。

さくら、それに謙介の様子を窺《うかが》うと、二人とも首を傾げている。

真壁は二度、三度と肯《うなず》くと、

「ママ、正解。さすが毎晩高いワインを飲んでいるだけあるね。でも、これが三万のワインかよって客が、銀座にいるかね」

「まあ、絶対にいないとは言い切れませんけど、何も言わずにお出ししたら、そんな野暮なこと言い出すお客さんはいないでしょうね。第一、純粋にワインを楽しむのが目的でクラブなんかに来るお客さんなんていやしませんもの」

「ましてや歌舞伎町なら尚更ですね。だいたいホストクラブなんてところは、いかに早く客の入れた酒を飲むかですからね。客もホストも味わってる人間なんかいやしませんよ」

謙介もまた断言した。

「それじゃ、この計画は、このまま続行する。それで異論はないね」

「もちろん」

即座に返事をしたのは摩耶だった。それに続いて謙介が、さくらが、クビを縦に振った。

「よし。それじゃ商談成立だ」真壁は高揚した声を上げると、「ただし岩崎君、平木君の二人には頼みがある」

「何でしょう」

「このラベル貼り替えの作業は君たち二人にやってもらう」

「えっ！　俺たちがやるんスか」

そんな話は聞いていなかった。思わず尖《とが》った声が口をついて出た。今までクイーンで使うワインは、金曜の夜に僕がこの倉庫から一週間分をピックアップしてベンツのトランクに保管して、それで終わりだった。

「まさか、こんな作業を従業員にやらせるわけには行かないだろう」

それはそうには違いないが——。

僕は押し黙ったまま謙介を見た。

謙介もまた、どうするとばかりの視線を向けてきた。

「これは倉庫の鍵《かぎ》ね。一週間分のワインのラベルを貼り替えて、土日のどちらかに運び出す」

「どうりで、いい金払ってくれるわけスね。あの利鞘《りざや》の中には作業費も含まれているってわけスか」

「まあ、そういうことだ」

「じゃあ、こうすればいいじゃない」不満の色を見て取った摩耶が、とりなすように言った。「平木君は一週間分のワインをお店の倉庫に保管しておく。あのライトバンにならそのくらいの量は積めるでしょう。どっちにしたって、陽ちゃんは、今まで通りベンツのトランクにお店で使う分を常に入れておく。どっちにしたって、毎日受け渡しをしていたんじゃ、人目についちゃう。ラベルの貼り替えにしたところで、いま見た通り、簡単なものだし、それがベストな方法だと思うわ」

もはや話がここまで来てしまった以上、抜けるわけには行かない。僕はいよいよ覚悟を決めた、全ては金のため、さくらのためだ。何しろ偽のワインを店に持ち込むだけで、月に百五十万からの金が転がり込むのだ。どうやら、その思いは謙介にとっても同じのようだった。

「異存がないのなら、商談成立だ」真壁はそう言うと、再びバッグの中を探り、「さっそく今日から始めてくれ。これは君たちへの前渡し金だ」ぶ厚い封筒を三つ取り出し、さくら、謙介、そして僕に手渡した。

ずしりと重たい封筒の中身が何かは容易に推測がついた。金だ。現生だ。

前回は後払いだったけど、今回は前払い。最初に金を受け取っていくらも経っていないというのに再び手にした札束の重さに、有頂天になった僕は、

「ありがとうございます！」

全く金の力は恐ろしい。気がついた時には真壁に向かって、土下座せんばかりの勢いで頭を下げていた。

＊

師走《しわす》に入ると、店は今までにも増して忙しくなった。特にクリスマスシーズンは一年でも最大の書き入れ時だ。十二月に入ると、ホステスが貯め込んだ名刺や顧客リストをもと

に、ダイレクトメールの発送が始まり、同伴のノルマも厳しくなる。開店前ともなると、ホステスたちは、携帯電話から馴染《なじ》みの客に電話を入れまくる。一日に一件の同伴をしていたのではとうていノルマなど達成できやしない。同伴には付き物の夕食などどうでもいい。客が来店することが確実に分かり、入り口の前で待ち合わせ、店に連れ込む。それを何回繰り返せるかが勝負だった。

もちろん、店だってホステスに頼りっきりというわけではない。

クリスマスパーティーと銘打っている以上、豪華なプレゼントを用意し、ホステスたちをバックアップする。今年の景品の目玉は、銀座の高級店に相応《ふさわ》しく、フォルクスワーゲンの新車が用意された。もちろん、来店しただけでこんな豪華な景品が当たるわけではない。一枚三千円の金を支払って、クジを買い、当たりが出ればの話である。一等の車の当たりクジは一枚だけ。あとは、温泉旅行や高級レストランでのお食事券といった景品も用意されていたが、クジの総数は二千枚からある。当たる確率は極めて低いことは言うまでもない。たいていの客はスカを引き、千円足らずのハンカチや、靴下を手にすることになる。だからと言って、文句をたれる野暮な客などいやしなかった。所詮《しょせん》は酒場のお遊びである。誰一人として本気で車を当てようなどと考えている客などいやしない。

ホステスに勧められるまま、クジを買うのも付き合いの一つだと思っているのだろう。客の多くは三枚、五枚とクジを購入しては小さな包みを受け取った。

そんな中にあって、一際人目を引いたのは、横山の金の使いっぷりだった。

いつものように、ボディガードと思《おぼ》しき男を五人、それに女性秘書を一人連れて現れた横山は、摩耶が席についてクジを勧めると、

「そんなら、百枚ほど買ってやる」

いともあっさりと言ってのけた。尻《しり》のポケットからぶ厚く膨らんだ財布を取り出すと、十万ずつ束にした札を三つ引き抜いた。摩耶と共に席についていたさくらは、あまりの展開に目を丸くして驚きの表情を隠さずにいる。彼女もすでにクイーンに入って、二ヶ月が経とうとしていた。横山や山野といった大金を落とす客を間近にして、銀座の雰囲気にも随分と慣れたようだったが、酒席の酔狂に三十万円もの金をポンと出す、その感覚は今を以《もっ》てしても理解の範疇《はんちゅう》を超えるものであったらしい。

「ボーイさん。横山社長がクジを百枚ですって。すぐにお持ちして」

「かしこまりました」

「おう、当たるやつを持ってこいよ」

黒のスラックスに同色のセーターといった、くつろいだ出《い》で立ちの横山が胴間声を上げた。

「いいところを選んでお持ちします」

もちろん当たりクジがどこに入っているかなんてことは分かりゃしない。それでも愛想笑いを浮かべながら、僕は答えると、店長に声をかけた。

「横山社長が、クジ、百枚ご購入です」

「百枚！　そいつあすげえな」

さすがの店長の声も裏返った。

「数えるだけでも大変ですよ」

「俺も手伝おう」

交互にボックスの中に手を入れながら、クジを取り出しては枚数を数える。それを次々にトレーの上に積み上げて行く。百枚を数え終えた時には、小さな紙片が山となっていた。

僕はそれを横山の席に運ぶと、

「お待たせいたしました」

片膝《ひざ》をつき恭しく差し出した。

「おう来たか」

煙草を銜《くわ》えながらソファに深く身を預けた横山の代わりに、さくらがトレーを受け取った。

ホステスたちの間から嬌声《きょうせい》が上がった。車が当たるクジとはいえ、多い客でも十枚も買う客はめったにいない。せいぜいが三枚から五枚といったところだ。クジを捲《めく》るのは、たいていの場合客が行なうものだが、横山は、

「お前らも手伝え。当たったやつには、今度同伴してやるぞ」

と言い、ホステスたちに捲るのを任せた。

席についた女たちの目の色が変わった。誰が当たりクジを引き当てようが、もちろん景

品は金を出した横山のものになるのだが、同伴のノルマがことさら厳しいこの時期、たとえ一件とはいえ、確実に数字を稼げるのは何よりもありがたい。

目の前で一枚、また一枚とクジが捲られて行く。山が半分ほどになったところで、三等が出、引き続いて二等が出た。

「二等はなんや」

「ペアで温泉旅行ご招待です」

「温泉旅行、それもペアでとは気がきいとるな。どや、さくらちゃん。わしと温泉に行こうか」

「駄目よ。社長はママのお客様。私なんかと温泉に行ったら叱られてしまいますわ」

「しもうた。ママがいない時に誘うんやった」

冗談には違いないとは分かっていても、さくらに好意を抱く身からすれば面白いわけがない。

くたばれ、このくそオヤジ。尿道がむず痒《がゆ》くなった。

僕は内心で毒づきながら、まるで選挙の開票作業のように、開けられたクジを当たりと外れに分けてトレーの上に積み上げて行った。

山が大分少なくなり、トレーの底が見えてきた。三角のクジを拾い上げたさくらが一瞬の間を置き、

「社長！　一等が出ました！　大当たり！」

「ほうか、一等が当たったか」

ホステスたちが一斉に嬌声を上げた。僕は用意してきたベルを取り出すと、威勢よく振った。軽やかな音が店の中に広がって行く。他の客やホステスたちが一斉にこちらを見た。

「凄《すご》いわ。ワーゲンの新車ですよ」

興奮したさくらの声に触発されたかのように、摩耶がすかさず、

「お祝いしましょう！　ドンペリ抜きましょう。いいでしょう社長」

「おお、いいともさ。パアーっと行こう。この人数じゃ一本いや二本でも足りんな。三本ほど持ってこい」

「陽ちゃん、ドンペリ・ゴールド三本ほどお願いね」

「かしこまりましたあ」

クジが三十万。ゴールドが三本で六十万。これだけでも九十万円。更にこれにテーブルチャージや他の飲み代がかかることを考えれば、今夜の支払いだけでもワーゲンの新車が買えてしまうかも知れない。

シャンパンを用意しに席を離れた僕に代わって、店長が小走りに横山の許に駆け寄った。狭い厨房の中で、シャンパンの入った棚から三本のドンペリ・ゴールドを取り出した。アイスペールに氷をぶち込みグラスを用意する間に、店長が戻って来ると驚きを隠さずに言った。

「まいったなあ。横山社長、車いらねえって言うんだよ」

「えっ！　せっかく引き当てた一等をですか」

「まあ、確かにあの人にとっちゃ、ワーゲンなんてかったるい車は貰《もら》っても邪魔以外の何物でもないんだろうがねえ」

「それで、横山社長、車をどうするって言うんです」

「それがさ、さくらちゃんにやるって言うんだよ」

「さくら……さんにですか」

「他の連れにあげたらどうですって言ったんだがねえ――。社員全員にならともかく、一人にやるわけには行かない。それに一等を引き当てたのはさくらじゃねえか。そう言ってきかねえんだ」

「それじゃ他のホステスに示しがつかないじゃありませんか」

「そうなんだが、何しろ、ほれ、横山社長はウチの大事なお客さんだからねえ」

「摩耶ママから言ってもらったらどうです」

「それがさ、摩耶ママも『さくらちゃん、せっかく社長がああおっしゃっているんだから貰っておけば』だってさ」

　摩耶がさくらをことさら可愛がっているのは、傍目《はため》にもはっきりと分かった。そもそも、何の経験もない新人ホステスが入店に際して多くの花で門出を祝われるなどありえない話だ。銀座には数多《あまた》の店があるといっても、狭い世界である。前にどこの店にいたのか。一晩に何本のボトルを入れさせたか。いくらの売上を上げたか。そんなことはすぐに知れ渡ってしまう。

当然さくらがずぶの素人で、初めてこの世界に身を投じたということもホステスのみならず、店の全員が知っている。そんな派手なスタートを切れたのも摩耶の尽力があってのことなら、順調に同伴のノルマをこなし、指名を受けられるようになったのも、摩耶がさくらを自分の妹分として可愛がっているからこそのことだ。

当然、他のホステスたちにとってみれば面白かろうはずはない。客の前では体裁を繕ってはいても、身内だけの時ともなればほとんど無視。まともに口をきいてくれるホステスなどいやしなかった。そんな扱いを受ければ、たいていの女性はめげそうなものだが、さくらは違った。

さすがにそうした気配を察して、入店してほどなく、それとなく僕は訊《たず》ねたことがあったのだったが、

「ホステスって職業は、仲良しクラブじゃないんでしょう。所詮《しょせん》は一匹狼が群れながら獲物を狙っているだけじゃない。皆が私を無視しているのは分かっているけど、そんなこと構うもんですか。私はね、摩耶ママのようになりたいの。大きなお客さんを摑《つか》んで、この世界のトップに立ちたいの」

いったい、どこにこんな芯《しん》の強いところがあったのか、勝ち気なところがあったのか、無視されて悄然《しょうぜん》とするどころか、一向に気にする様子もない。

「まずいんだよなあ。ああいうことされるとさ」

さくらに何かと便宜を図ってきたのは何も摩耶だけではない。店長もまた同じだ。馴染《なじ》みの客が連れを伴って来店すると、店長は決まってさくらをその席につけた。旧来の客の担当は決まっていても、初めてくる客が再び来店し、そこでさくらを指名すれば、永久指名を一本取ったことになる。

もちろん今のさくらは、単なるバイトに過ぎないが、指名一本、同伴一つが、給与に加算される。新規の客は、ホステスたちの誰もが狙う獲物だ。数多いるホステスの中で、あからさまにそうした行為を店長が続けてきたのも、やはり売上ナンバーワンの摩耶が口を利いたからだった。

「俺も少しあの娘《こ》を甘やかし過ぎたかも知れないなあ」

店長が苦々しげに言った。ふと、さくらの言葉が脳裏をよぎった。

『摩耶ママのようになりたいの。この世界のトップに立ちたいの』

もしかすると、さくらは本気で摩耶ママの伝説の再現を夢見ているのかも知れない。しかし、夢を実現するためには、この店にいたのでは、そこそこまでは行けたとしても、大きく羽ばたくことなどできはしない。頂点への階段を、駆け登る手段は決まっている。他のホステスの客も、新規の客も引き連れて、どこか他の店へ移る。それを繰り返すしかない。

さくらはひょっとすると、客を摑んだ時点で、店を移るつもりじゃないだろうか。そんなことになれば、彼女は本当に俺の手の届かないところに行ってしまう。やはり、さくらを摩耶に引きあわせたのは間違いだったのかも知れない——。

僕は、妙な胸騒ぎを抱きながら、シャンパンとグラスを載せたトレーを両手に捧《ささ》げ持つと、厨房を出た。

第四章　誤算

人気のない倉庫の片隅で、僕は謙介と共に山と積まれた木箱の中から、カリフォルニアワインを取り出してはラベルを貼り替えるという作業を続けていた。物を保管しておくだけの倉庫に、暖房などという気の利いたものなどありはしない。真壁が用意してくれた小さな電気ヒーターだけが、暖をとるただ一つの道具だった。粗末なパイプ椅子に座り、黙々と作業を続けていると、足元から真冬の寒気が這《は》い上がってくる。

「謙介よ。ところでさ、お前が納品している先からはこの偽ワインにクレームなんて出ないの」

馴れというのは恐ろしいものだ。ラベルを貼り替える効率は格段に上がっていた。それ以上に、店で出す偽ワインに誰一人気付く人間はいなかった。その現実が、僕の心から罪の意識を完全に取り払っていた。謙介にそんな質問をしたのも、偽ワインがバレることを心配してのことではない。ただ何となく、そんな言葉が口をついて出てしまった。それだけのことだった。

「お前なあ、自分のところと比較してものを言えよ。銀座の一流クラブで誰からも文句が出ないのに、何で歌舞伎町のホストクラブやなんかで文句をつけるやつがいるんだよ。年末セールと銘打って価格を少し下げたら、注文はうなぎ登りさ」

「そんなに凄《すご》いの」

「歌舞伎町のホストクラブはな、銀座とは違って朝の七時までやってるんだぜ。それに今年は、年末年始が九連休だろう。どこもこのクリスマスで売上を伸ばそうと必死さ。年が明けたって休みの分を取り戻そうと、商売に拍車がかかることは目に見えている。多めにストックを持っておかないことには、注文に追いつかない。昨日なんかさ、ついに在庫が底をついちまって、本物を配達しちまった。それでも店の売上にはなるんだが、この商売に慣れちまうと、本物を売るのが馬鹿馬鹿しくなってきちまってさ」

　時折かじかむ手をヒーターに翳《かざ》しながらも、謙介は手際よくラベルを剝《は》がしては、偽のラベルを貼り替えて行く。

「でもさあ、ホストクラブって言ったって、集まって来る客はＯＬや風俗のねえちゃんたちだろう。料金だって、こんなワインをぽんぽん抜いてたら、俺のところとそうは変わりはしねえだろうが」

「何だかよく分からねえけどさ。贔屓《ひいき》のホストが売上ナンバーワンになるかどうか。それにねえちゃんたち命を懸けているらしいんだな」

「湯水のように金を使って、贔屓のホストが一番になって何が面白いのかね」

「ゲームでも育て物ってあるだろう。古い話だけどさ、ほら、『たまごっち』ってあったじゃねえか。あれと同じ感覚なのかな。ましてや贔屓のホストってのは、普通好みの男ということになるわな。それが数多《あまた》いるホストの中でナンバーワンになる。女にしてみれば、自分の目が確かだってことの証明になるんじゃないの」

「選挙の投票じゃあるまいし。結局太い金蔓《かねづる》を摑《つか》んだやつが勝つんだろう。いくら指名が多くても、売上で負けちゃしょうがないんだろう」

「お前も、一度あの店の様子を見たら、びっくりすると思うよ。何しろ、ワインやシャンパンをボトルから一気飲みだぜ。あっという間に空いちゃうんだぜ。そんなところにいて、一本飲み干されて、はい終わりなんて言えるかよ。俺に言わせれば、ねえちゃんたちの懐具合より、ホスト連中が体を壊しやしねえかと、そっちの方が心配になるよ」

　謙介は、また一枚ラベルを貼り終えると、ボトルを床の上に置き、

「こんなもんの一本なんて、ものの十分もあれば空いちまう」

「それじゃ何を飲ましたってバレねえよな」

「バレるもんか。酒なんてもんはさ、じっくりと味わって飲めば微妙な違いも分かるもんかも知れねえよ。だけどさ、品評会の時だって、利き酒をするのはほんの少し。それも僅《わず》かな量を啜《すす》っては水で洗い流さないと味が混じって分からなくなる。その点、連中ときたら、ワイン、コニャック、スコッチ、バーボン。酒なら何だってほとんど一気飲みだ。あれで、微妙な味の違いが分かるやつがいようもんなら、まさに奇跡というやつだね」

「しかしなあ、これだけの量が毎週捌《さば》けるんなら、お前の実入りも結構なもんになってる

んじゃないの」

　僕は、山となった箱を見ながら言った。摩耶の話に嘘はなかった。一本のワインから抜ける利鞘《りざや》が三千円。十二月に入ってからは、年末ということもあって、他の月に比べて客の数が多かったせいで先払いで貰《もら》った金額をすでに上回っていた。

「俺もさ、思わぬ金が手に入ったもんで、家を借り換えようと思うんだ」

　僕が続けると、

「そいつぁ、まだ止めておいた方がいいな」

　謙介が即座に言った。

「何でさ。一月に百五十万もの金が転がり込んでくるとなれば、三分の一を家賃に払ったとしても、そうとうなところが借りられるぜ。今のアパートは一応会社の寮扱いになっているから、家賃はただなんだけど、何しろワンルームだろう。なんだか惨めったらしくてさ」

「お前、考えてもみろよ。手取り十五万の給料のやつが、何で家賃五十万の物件なんか借りられるんだ。そんなことをすれば、何かろくでもないことをやってるって、周りに感づかれちまうだろうが」

「そんなの、黙ってりゃ分かりゃしねえって」

「馬鹿言え、一応クラブとはいっても、お前のところは社会保険に入ってるんだろう。税金だって、天引きで会社が払ってる。住まいを変更したら、当然住所変更の手続きをしなけりゃならねえ。一発でバレるって」

「そうかな」

「そうだよ。そんなこと当たり前だろう」

「しかし、こうしてみると裏金ってもんは、使うのも厄介なもんだな。政治家や世の中の金持ちの気持が少し分かったような気がするよ」

たかだか月に百五十万円の金を裏金と呼ぶのは、少し大袈裟《おおげさ》な気がしたが、僕にしてみれば、つい二月前までは、これほど纏《まと》まった金を手にすることなど考えたこともなかったのだ。大仰な溜息《ためいき》をつきながらまた、一枚ラベルを貼り替えると、

「ところで謙介、お前、受け取った金はどうしてるんだ」

「俺か……」一瞬、謙介は口籠《くちご》ると、「それがよう、やっぱ、持ちなれねえ金を手にするとさ、気分が大きくなっちまってさ」

「使ってんの」

「麻雀《マージャン》も今までのようなチンケな額じゃ物足りなくなってな、今じゃ一晩に数十万円も動く場で打つようになっちまった。それに競輪にも随分注ぎ込んでるしな」

「何だ博打《ばくち》かよ。それで勝ってんの」

「う〜ん。そりゃ負けっぱなしってことはないんだが、大金を手にしたといっても所詮《しょせん》は泡銭《あぶくぜに》だろう。金が入ってくる当てがあると、勝負への執着がなくなっちまっているのかな。どうも雑になっていけねえ」

「どうにか赤字を出さねえ程度で済んじゃいるがな」

「そう言われると身も蓋《ふた》もないんだが……」謙介は頭を掻《か》くと「どうにか赤字を出さねえ程度で済んじゃいるがな」

「赤字を出さねえって……お前の実入りは、俺の比じゃねえだろうが」

「先月は五百万、今月は七百万は入ってるかな。そいつが気がつくとすっかりなくなっちまってるんだ」

「それじゃ、何の意味もねえじゃねえか。せっかくやばい橋を渡って大金を手にしたってのに」

「まあ、来月になれば、また五百万からの金が入ってくるんだ。こんなもん、一時の熱病のようなもんだ。今後は気をつけることにするよ」

そう言っている端から、謙介はジーンズの尻《しり》のポケットに手を回すと、折り畳まれた紙の束を取り出した。競輪新聞だった。すでに各レースの欄には、赤ペンで複数の数字が書き込んである。

「言ってる端から、競輪かよ」

「そう言うなよ。ギャンブルは俺のただ一つの趣味なんだからさ」

ラベルを貼り替える手を休めると、謙介は携帯電話を取り出した。ふと腕時計に目をやると、時間は午後五時半になろうとしていた。

「あっ、平木っス。今日の松戸の結果なんスけど……はい、第七レースからっス」

相手がノミ屋であることはすぐに分かった。結果を聞く謙介の目が、見ているうちに失望の色を濃くして行くのが分かった。

果たして電話を切った謙介は、

「畜生、全部外れかよ……」

「お前、いったい今日一日でどれくらい負けたんだ」

「二百万……」

「正気かよ。俺の取り分の一ヶ月分以上を、今日一日でスッちまったの？」

確かに泡銭には違いないが、いかに何でも謙介の金の使いっぷりは常軌を逸していた。

思わず非難がましい声を上げると、

「まいったなあ。一レースにそれぞれ五十万ずつ。都合二百万を注ぎ込んだんだけど、一つでも当たりゃ、せめてとんとんには持ち込めると思ったんだが……」

さすがに悄然《しょうぜん》とした様子を隠しきれないで謙介は漏らした。

「お前さあ。歌舞伎町の商売は厳しいって常々言っていたよな。そりゃあ、こんな大金を手にすれば、オヤジさんの手前、おおっぴらに金を使うことはできないのは分かるさ。それにそんな時間もないだろうからな。だけど、この偽ワインの販売だっていつまで続くか分からないんだぜ。商売が厳しいって言うなら、もしもお前の店が落ち目になった時に備えて、少しは貯めておくことも考えろよ。後で後悔することになることだってあるかも知れないんだぜ」

豪勢なマンションに越そうか、と言った口が乾かないうちに僕は説教をたれた。

「ああ、さすがに今回ばかりは思い知ったよ。そもそも俺には博才《ばくさい》なんかないって……」

謙介は、予想紙をくしゃくしゃに丸めると、上着のポケットにねじ込み、

「そうとなれば、さっさと仕事を片づけちまおうぜ。二人の堅実な生活に向けて、こいつを片づけたら東京で今日はぱあっと行こう」

気を取り直したように言い、またラベルを貼り始めた。

＊

摩耶ママから、電話があったのは、正月休みが終わる前日のことだった。

その年の年末年始は九連休で、久々に田舎に帰った僕は、帰省ラッシュが始まる前に一足早く東京に戻っており、粗末なアパートの一室で退屈なテレビを見ていた。

こんなにゆったりした気持で正月を迎えたのは初めてのことだった。懐が暖かかったせいもあって、ささやかな贅沢《ぜいたく》だけど、往復の新幹線はグリーン車を使った。帰省する前には、おふくろにディオールのマフラー、親父にはバーバリーのセーター、それに十万円の小遣いをやった。偽ワインを捌いて得る収入、それに摩耶ママから貰う小遣いからすれば、些細《ささい》な金額だったが、それでも両親は、

「お前、何か悪いことをしてるんじゃないだろうね」

喜ぶより先に、困惑した表情を浮かべながら訊《たず》ねてきたものだった。

「この不景気でもね、銀座には金を持った人間が毎晩やってくるんだ。年末の売上が予想以上に良かったもんで、ご祝儀が出たのさ」

山形の片田舎で生まれ育った両親に、銀座の実態など分かろうはずもない。その言葉を聞くと、両親は初めて喜びの色を露《あらわ》にした。摩耶の送迎で得た金はまだしも、偽ワインを売りつける、その行為は紛れもない詐欺だ。少しばかり後ろめたい気持になったが、それでも初詣《はつもう》でに近所の神社に出掛けた折りに、買ってやったばかりのマフラーとセーターを律義に着た両親の姿を見ると、そこはかとない幸せと、充実感を感じたものだった。

「良かった。陽ちゃん帰っていたのね」

受話器を取ると、摩耶の声が聞こえて来た。何やらせっぱ詰まった様子がその口調から窺《うかが》えた。

「あっ、ママ。明けましておめでとうございます。今年も――」

「そんな新年の挨拶《あいさつ》なんかしている場合じゃないわよ」

摩耶の声が遮った。

「何スか、そんなに慌てて」

「大変なことが起きたの。真壁社長が倒れたのよ」

「真壁社長が？」

「真壁さん、年末からハワイに行っていたのね。本当は昨日帰国することになっていたのだけれど、仕事始めに同伴してもらおうと思って、携帯に電話を入れても出ないの。それで、たまにご一緒する会社の方に電話を入れてみたら……」

「何があったんスか」

「脳梗塞《こうそく》で倒れて、現地の病院に入院しているんですって」

「脳梗塞ゥ！」

医学知識はほとんど持ち合わせてはいなかったが、その病がどんなものであるかは知っていた。脳の血管が詰まり、血液が行き渡らなくなって機能不全を起こすのだ。実家の祖父母はすでに亡くなっていたが、祖母がこの病に冒された時には、それから実に十年もの間自宅で寝たきりの生活を余儀なくされ、両親はその看病に大変な苦労を強いられたものだった。

「それで、酷《ひど》いんスか、真壁社長の容態」

「詳しいことは分からないけれど、暫《しばら》くはハワイの病院に入院するそうよ」

「軽いものならいいんスけど、重症だと長引きますよ、この病気は」

「そんなこと分かっているわよ」摩耶は少しばかりムキになった口調で言った。「程度が軽くたって多少の麻痺《まひ》が残る。機能回復のためにはリハビリも必要になる。当然お酒なんてご法度――。これが私にとってどれほど深刻なことか分かる？」

確かに摩耶にしてみれば、深刻な事態には違いない。何しろ歩合の雇われママ。担当するお客の勘定の、四十二％が収入である。おそらく、真壁社長一人で、月に二百万は優に使っていただろうから、ママが住んでいる家賃程度の収入はまるまる吹っ飛んでしまうことになる。もともと、大金を使う客しか相手にしてこなかった摩耶にしてみれば、いかに月に一千万円からの収入があるとはいえ、若年性アルツハイマーで入院している実父の入院治療費に大金を費やしていることを考えれば、大きな痛手には違いない。それに銀座のママというのは、毎日の美容院代、衣装代、それに盆暮れに限らず、付け届けだって多い。それらにかかる経費だって、決して馬鹿にはならない。実入りに比して出費だって多くなるものなのだ。

「いや、よく分かります」

「何を人ごとみたいに言っているのよ。陽ちゃん、真壁社長が倒れたとあっては、影響を受けるのは私だけじゃないのよ。あんたたちだって、今やっている偽ワインのすり替えだって中断せざるを得なくなるのよ」

「えっ……すり替え、中止するんスか」

「当たり前じゃない。私たちがワインのラベルを貼り替えているなんてこと、真壁社長の会社の中では誰も知らないんだもの。バレたらそれこそ詐欺罪に問われる犯罪ですからね。週末に貼り替えるワインを指定の場所に用意するよう指示していたのも真壁さんなら、カリフォルニアのワイナリーで偽造コルクを詰めさせる交渉をしてきたのも真壁さん。あの人なくして、今の仕事を続けるわけには行かなくなるのは当然じゃない」

大変なことになったと思った。偽ワインのすり替えを始めてまだ二ヶ月とはいえ、この仕事の旨味《うまみ》はすでにたっぷりと味わっている。もともとなかった金だと言ってしまえばそれまでだが、一旦《いったん》それだけの金が入ってくる、言わば禁断の果実の味を知ってしまった身には、何だか収入の当てが全て閉ざされてしまったような心細さが込み上げてくる。

リストラされたサラリーマンの心境とは、こんなものなのだろうか。ふと、そんな思いが脳裏を過《よぎ》った。

「それだけじゃないわよ」摩耶は、電話口で押し黙った僕に追い打ちをかけるように続けた。「真壁社長の容態いかんによっては、あなたにお願いしている送迎ね。あれ止めにしてもらうことになるかも知れないわよ」

「えっ！　ママ、それは……」

「だって、しかたがないじゃない。真壁さんがお店にいらっしゃらないようになったら、当然私の収入は激減する。かと言って美容院代や衣装代を減らすわけには行かない。何しろ銀座で商売をする上での必要経費ですからね。もちろん父の介護代を減らすわけにも行かない。そうなれば、どこで出費を抑えるかとなれば、矛先が向く方向は自ずと決まるってもんじゃない」

「そ、それは勘弁して下さい。そんなことになったら俺、どうやって生活していけばいいのか」

哀れな声が漏れるのが自分でもはっきりと分かった。ママから貰《もら》う金は、偽ワインの仕事をするようになってから心付けが加わったせいで月に約二十五万ほどに上がっていた。

これがなくなるとなれば、収入は店から貰う給料だけ。つまり手取り十五万円に逆戻りだ。まさに天国から地獄に突き落とされるとはこのことだ。

「とにかく、今は様子を見るしかないのだけれど、陽ちゃん、万一の時は覚悟しておいてね」

言葉を返す暇もないままに、電話が切れた。

たった一人の部屋に、テレビの音声が虚《うつ》ろに流れた。羽織袴《はかま》に振《ふ》り袖《そで》……。年頭恒例の馬鹿騒ぎなどに見入っている場合ではなかった。テレビのスイッチを切ると、そのまま長い電話番号を押した。

さくらの携帯電話の番号だった。

時を刻むかのような発信音が流れてくる。それが途切れたと思うと、

『お掛けになった電話は、電波の届かない場所にあるか、電源が入っていないため掛かりません――』

無機的な女の声が聞こえてきた。

「この大事な時に」

さくらの親父さんが経営する工場にしても、今回の仕事のお陰で経営も回復の兆しが見えてきたところだという。そんな時にワインのすり替えが中断されれば大打撃となり、再び資金繰りに追われる日々に逆戻りだ。

それに偽ワインのラベル印刷は、真壁のところと同様、従業員が帰宅した後、さくらの

両親が夜なべ仕事でこなしているという。工場が休みになるこの時期は、纏《まと》め刷りするには絶好のチャンスだ。今こうしている間にも、輪転機が回りラベルが刷り上がっているかも知れない。使い道がなくなるだけでなく、発注者である真壁が病の床にあるとあっては、補償も何もあったものではない。一刻も早く、知らせてやらねば……。

しかし、メッセージすら残せないとあってはしかたがない。

僕は、舌打ちをすると新たな番号をプッシュした。

再び発信音——。今度はそれに続いて呼び出し音が鳴った。

「はい……」

押し殺したような謙介の声が応《こた》えた。不機嫌さが伝わって来るような声だった。その背後から、固いものが触れ合う音が聞こえてくる。麻雀牌《パイ》の音だ。

「陽一、悪《わり》いけどいま手を離せねえんだ。こっちから掛け直す」

用件を切り出す間もなく、謙介は電話を切ろうとした。

「謙介、呑気《のんき》に麻雀《マージャン》なんか打っている場合じゃねえぞ」

「俺もお前と話している場合じゃねえんだ、今でかい——」

せっぱ詰まった謙介の言葉を、僕は途中で遮った。

「真壁社長が倒れた。脳梗塞だそうだ」

「なにい？　真壁社長が」

「ああ、つい今し方摩耶ママから連絡があった。ハワイの病院に入院したそうだ」

「それで」

さすがに謙介の口調にも動揺の色が浮かんだ。

「ワインの偽造な、暫くの間は中止だそうだ」

「そんな……」

相変わらず麻雀牌が触れ合う音がする。その時、誰かは分からぬ男の声で、

「ロン！　リーピン・ドラドラ、裏々でハネマン！」

「あっ！　馬鹿野郎。お前がつまんねえこと言うから、振り込んじまったじゃねえか」

「これがつまんねえことかよ。偽ワインが調達できなくなったら、俺たちゃ、たちまち元の貧乏暮らしに逆戻りだ。それでもいいのかよ」

「冗談じゃねえ。陽一、それほんとの話かよ」

「新年早々こんな悪い冗談言えるか」

「それで真壁社長の様子はどうなんだ」

麻雀牌をかき回す音が聞こえる。

「分からねえ。だがな脳梗塞ってのは、程度によっては寝たきりになることだってある」

「寝たきりになったところで、真壁社長のところの誰かがブツを回してくれるだろうが」

「この仕事は真壁さんと俺たちしか知らねえのはお前も知ってるだろうが」

「これマジやばい話だぜ」

心なしか、謙介の声が震えているような気がした。

今振り込んだ手にしたところでいったい幾らになるものかは分からないが、おそらく今日も相当に高いレートで麻雀を打っているのだろう。

再び牌がリズミカルに触れ合う音が聞こえて来た。

「とにかく、この勝負が終わったら、すぐそっちに行く。あと一時間もしたら、ここを出られる。お前、今日は家にいるよな」

「ああ、どこにも出掛ける予定はない」

「とにかく、こいつは少々厄介なことになっちまった。お前に、少し助けて貰わなけりゃならなくなるかも知れねえ」

「助けるって、何を」

「そいつは会ってから詳しく話す。それじゃな……」

そう言うと謙介は一方的に電話を切った。

＊

謙介が現れたのは、夜八時を回った頃のことだった。

ドアを荒々しくノックする一方で、

「陽一、俺だ俺、謙介……」

まるで辺りをはばかるかのように声を潜めながら名前を言った。

「どうしたんだよ、謙介。いったい何が起きたんだ」

「えれえことになっちまった」

謙介はスニーカーを脱ぎ捨て、慌ただしい足取りで上がり込んで来ると、蛇口を捻《ひね》りコップ一杯の水を一息に飲み干した。顔色がいつになく青白く見えるのは、蛍光灯の光のせいばかりではあるまい。すっかり血の気の引いた顔には、寒風吹きすさぶ中をやってきたというのに、うっすらと汗が噴き出している。

「お前、今金どれくらいある」

「いきなり何を言い出すんだ」

「いいから、いくらあるかって訊《き》いてるんだよ」

「ざっと三百万ってとこかな」

「それが全財産かよ」

「当たり前じゃねえか」いきなり理由も話さないうちに、人の懐具合を訊《たず》ねてくる。いくら親しい友人とはいえ、あまりの態度に、「だいたいなあ、俺の月給知っているだろう。手取りで月に十五万ぽっち。それに摩耶ママから貰う小遣いが月に二十五万。真壁社長のワインを捌いて、月百五十万。それだって二ヶ月しか経っていないんだ」

むっとして答えた。

「それっぽっちじゃどうにもならねえ」

「どうにもならねえって、何がだよ」

そう問い返しながら、はたと脳裏に閃《ひらめ》くものがあった。

「お前、まさか博打《ばくち》――」

「そのまさかだよ」

「有り金全部使っちまったのか」

「全部どころか、大借金を作っちまった」

「冗談だろ。お前の手元にはこの二ヶ月で千二百万からの金が入っているだろうが」

「だから前にも言ったろう。最近じゃ麻雀にしてもでかいレートで打ってるって」

「いくらでかいって言っても、限度ってもんがあるだろうが」

「だいたいよう、正月なんて何もやることがねえだろう。ましてや今年は九連休だ。それで、毎日雀荘に籠《こも》りっきりででかいレートで打っていたわけよ。それと競輪もな」

「競輪って……正月は休みだろうが」

「お前、何も知らねえんだな。競輪ってのはな、毎日どこかで必ず開催されているもんなんだよ。一年三百六十五日、一日の休みもなくな」

「それで、それで手持ちの金を全部スッちまった揚げ句に、借金までこさえたってわけか」

「最初はついてたんだよなあ……」謙介は、ぼそりと言った。「暮れの間は妙についてな、麻雀はでかい手が次々に転がり込んでくるし、競輪だって結構な的中率で、完全な黒字だった。それでつい調子に乗って、ここぞとばかりにでかい金を注ぎ込んだんだが、年が変わった途端に、全然つかなくなっちまって……」

「いったい、幾らの借金をこさえたんだよ」

「四百万……」

「四百万！」

声が裏返った。

「今夜の負けはどうにか払えたんだけど、競輪の方がな……」

謙介はその場にへたり込むと、すっかり途方に暮れた様子で頭を抱えた。

「お前、まさかノミ屋に……」

「そのまさかだよ」

「それ、やばいよ。ノミ屋ってヤーさんがやってんだろう。支払えなかったらどんな目に遭わされるか分かったもんじゃないぞ」

「だからこうしてお前のところに来てるんじゃないか」

「しかし、ノミ屋にしてもよくもまあ、そんなでかい賭《か》け金を受けたもんだな」

「そりゃあ、連中には随分と貢献しているからな。お得意様ってわけだ」

「それにしても、賭け金がでかくなれば当たった時の払いも大きくなる。受ける方にしたところで、冷や汗もんだろうが」

「そう簡単には当たらねえところが博打ってもんだ。確率の問題だよ。もっとも、ノミ屋だって馬鹿じゃない。俺が使っているところは一つの目に張る金額は最高百万円まで、配当はなんぼ高くついても、百倍が上限っていう保険があるんだけどさ」

謙介は、ブルゾンのポケットから煙草を取り出すと火をつけた。

「それじゃ、ノミ屋は最大損しても、一レースで一億ってわけか」

「それは一点買いして、穴が来た場合さ。賭ける方にしたところで、そりゃあ一レースに十も二十もの車券を買えば当たる確率は高くなる。いやそんだけ買えば、当たらない方が不思議ってもんだが、穴が来ない限り普通そんな買い方をすれば賭け金の方が配当金よりも高くなっちまう。それじゃギャンブルをする意味がない。一レースに四つか五つの車券を買うのがせいぜいだ。だけどそれがことごとく外れちまったんだよ」

「俺の手持ちは三百万しかないんだぜ。残りの百万はどうするんだ。親父さんにでも泣きつくか」

「親父に競輪で大金をスッたなんて言えるかよ。殺されちまうよ。それに金の出処《でどころ》を訊かれたら何て答えるんだよ。まさか偽ワインを売って稼ぎましたなんて言えるわけねえだろう」

「そんなら、どうするんだよ」

「とにかく、三百万用立ててくれれば、あとの百万は何とかする」謙介は、吸いかけの煙草を灰皿の上でもみ消すと、「頼む、陽一、この通りだ。三百万用立ててくれ」改めて身を正すと、額を畳に擦《こす》り付けんばかりに頭を下げた。

無二の親友にここまでされれば、助けないわけには行かない。

「三百万全部は無理だが、二百五十万なら何とかする。こっちにも生活があるからな」

「ありがてえ。それでも助かる」

謙介の顔に幾分赤みが差した。

「だけどさ、お前、残りはどうするんだよ。それでもまだ百五十万は残っているじゃねえか」

その時、机の上に置かれた謙介の携帯電話が鳴った。液晶画面に表示された番号を見た謙介の顔が再び蒼白《そうはく》になった。頰の筋肉が緊張のせいだろう、細かく震えるのが見て取れた。

「はい、平木っス」

か細い声で謙介は名乗った。

「あっ、富樫《とがし》さんスか……はい、分かってます……四百万、集金は明日っスよね……大丈夫スよ。今までだって支払い遅れたことないじゃないスか。明日渡しますから……昼頃でいいスか……はい。それじゃその時に……」

何度も頭を下げながら、ようやくといった態《てい》で答えた謙介の額には、短い時間の間にも、うっすらと新たな汗が噴き出している。

「ノミ屋からか」

「うん……」

「大丈夫かよ、そんな安請け合いして」

「ああでも言わなきゃしょうがねえだろうが」

それはそうには違いない。博打、ましてやノミ屋などとは今まで関わったことはないが、何しろ相手はヤクザだ。それも新宿は歌舞伎町でシノギを削るバリバリだ。もしも金がないなどと言おうものならどんなことになるか分かったものではない。

「陽一、もう一つ頼みがある」

謙介は、正座したままの姿勢で、視線を向けて来た。

「何だよ。金はもうないぞ」

「俺と一緒にサラ金に行ってくんねえか」

「サラ金?」

冗談じゃないと思った。謙介の給与が幾らかは知っている。もっとも彼の場合、親と同居ということもあって、食事と寝る場所は確保されているとしても、たかだか手取り十万しかない。まともな消費者金融から借りたところで、全額を支払いに回したとしても、利子を考えればとても払い切れるものではない。つまり、二百五十万を貸した上に、身代わりとしてサラ金から借りた金の返済は当面、俺がやらなければならないことになる。

「やだよ、そんなこと」

「頼む、一生のお願いだ」

「だってお前、サラ金から借りるって言ってもさ、いくら借りられるか分かったもんじゃねえだろうが」

「お前なら四十万は借りられるだろう。クラブのボーイとはいっても、一応は株式会社だ。保険だって社保だろう」

「それはそうだが……」

「あとは俺が何とかする」

「何とかするって……」

「お前が借りるのはサラ金一社、四十万だけでいい。俺は二社から借りる」

「それでも百二十万。残り三十万はどうするんだ」

「もう、こいつしかないよ」

謙介は、ポケットの中から、皺《しわ》くちゃになった一枚の紙片を取り出した。

『三十万円まで即日融資。迅速審査——』

見るからに怪しげな惹句《じゃっく》が目に飛び込んできた。駅のトイレや、電話ボックスに貼り付けられているチラシだ。それも連絡先は携帯電話ときている。

「そんなもん、どっから手に入れた」

「このところ、俺の賭ける金が急にでかくなっただろう。この間配当を届けに来たパシリがさ、万が一の時にはどうぞって言いやがって、置いていったんだよ」

「それって、かなりやばい金貸しじゃねえの。法外な金利を取るやつだろう」

「そんなことは分かってるさ。だけど、こうなった以上、とにかく金を作るのが先決だ。そうじゃないと……」

「そうじゃなければ、どうなるんだ」

「よくてマグロ船に乗せられるか……へたをすりゃ——」

「へたすりゃ……」

「東京湾に沈められる、かも知れん」

「まさか」

「まさかじゃねえよ。本当の話だ。ヤクザはやる時にはやるからな」

謙介はせっぱ詰まった目を向けると、

「なあ、陽一、お前には前に金を用立ててやったこともあったよな。助けてやったことがあったよな。恩を着せるつもりはねえが、頼むよ、今回だけだ。助けてくれ……」

拝み倒す謙介の様子には鬼気迫るものがあった。決してはったりをかましているわけでもなさそうだった。

「しょうがねえ。一度きりだぜ」

僕は腹を括《くく》った。

「ありがてえ。一生恩に着るよ」

謙介はそう言うと立ち上がり、

「それじゃさっそく出掛けよう」

「どこへ」

「決まってるじゃねえか。サラ金の自動貸付機のところだよ」

先に立って玄関に向かった。

＊

真壁社長の容態は、脳梗塞《こうそく》が発症してから一月が経っても、回復の度合いははかばかしくないようだった。

一月の半ばになって、病状が安定したところで、どうにか帰国したらしいのだが、摩耶の言によれば、右半身に麻痺《まひ》が残り、自宅療養を余儀なくされ、銀座はおろか会社にも復帰する目処《めど》すらつかないという。

摩耶ママは客の前でこそ、それまでと変わらぬ態度でいたが、真壁社長が落としてくれていた金は馬鹿にならない。月に二百万円としても、摩耶ママの売上の十％以上を占める大口の客だ。ましてや歩合の雇われママともなれば、まさに懐直撃というやつだ。

今のところ、送迎の仕事はこれまで通り続けられていたが、このままの状態が続けばいつ打ち切られてもおかしくはない。そうなれば、月額二十五万円の臨時収入は途絶え、手にする金は月給の手取り十五万円だけとなる。

謙介のたっての頼みとあって、消費者金融から四十万円を用立ててはやったが、その一回目の支払い期日は目前に迫っている。これまで、謙介からは別として、本当の意味での借金を経験したことのない身には、そのプレッシャーが常にまつわりつき、僕の心を重くした。

月末毎に四万円ずつ。それを十三回も繰り返さなければならないのだ。摩耶ママからの臨時収入が続くなら、どうということはないが、もしもそれが途絶えてしまったら……。

そう考えると、夜も眠れなくなった。久しく症状が出なかった慢性前立腺炎《ぜんりつせん》がぶりかえし、僕は尿道に不快な感覚を覚え眠れぬ夜を過ごしていた。

同じ水商売でも、レストランや寿司《すし》屋といったところなら、賄い飯があって、とりあえずは食い物の心配をすることはないのだろうが、そもそもクラブは料理を提供する場所ではない。毎日三食、自前で過ごさなければならない。もともと朝が遅い仕事だけあって、一日二食で済ませてはいたが、あれ以来は朝はハンバーガー、夜は二十四時間営業の牛丼で過ごしていた。体中から脂が噴き出しそうだった。栄養が偏っていることは重々承知だが、万が一に備えて、少しでも金を残しておきたいという気持がそんな食生活を続けさせていた。

それに、借金にしたところで、考えてみれば全く自分に責任がないと言いきれない部分もある。この話に彼を巻き込んだのは紛れもないこの僕だ。

大金。それも泡銭《あぶくぜに》を手にすれば、はめを外したくなるのが人間というものだ。事実、僕にしたところで、摩耶ママの送迎をすることになって、小遣いを貰《もら》うようになってからは、さくらに豪勢な食事を振る舞ったこともあれば、風俗に出掛け、揚げ句はばか高い治療費をふんだくられたことだってある。謙介の場合、その度合いが過ぎただけのことだ。きっと彼は、僕の比ではなく、莫大《ばくだい》な借金に眠れぬ夜を過ごしているに違いない。

とにかく、僕名義で借りた借金は、なるべく早くに返済し、楽な気持になることだ。来月も摩耶ママが、送迎を続けさせてくれれば、一括返済という手だってある。

しかし、一旦《いったん》歯車が狂い始めると、思いもよらぬ方向に事態が発展するのが世の常というものだ。

全く予期しなかった知らせを突然に受けたのは、二月に入ってすぐのことだった。

その日、僕はいつものように摩耶のマンションにベンツを駆って迎えに行った。

インターフォンを押すと、普段は下で待つように言う摩耶が、

「ちょっと、話があるから上がってちょうだい」

と言ったのが始まりだった。

摩耶の部屋に入るのは、これが三度目のことだった。相変わらず小奇麗に掃除が行き届いた部屋に僕を招き入れると、摩耶は、

「陽ちゃん、そこにかけなさいよ」

リビングに置かれた革張りのソファを顎《あご》で指した。どことなく冷たい口調に、不吉な予感が脳裏を過《よぎ》った。

「失礼します……」

長いソファの隅にちょこんと腰を下ろすと、

「ねえ、陽ちゃん。あなた、さくらちゃんから何か聞いていなかった？」

摩耶は切り出して来た。

「何スか。さくら、何かあったんスか」

「本当に何も聞いていないの？」

摩耶は、すっかり外出の支度を整え終わった姿で、再度訊《たず》ねてきた。

「俺、何も聞いていないス。だいたいこの頃は、店で顔を合わせても話をする時間はないし、週末に携帯に電話をしても、めったに出ないし……。出ても今忙しいからってすぐ電話を切ってしまうし……」

「あなた、さくらちゃんとはどんな関係なの」

「どんな関係って……大学時代の同級生で……」

「本当にそれだけ？」

「それだけって、どういう意味スか」

「最初に聞いておくべきだったのだけれど、陽ちゃん、あなたとさくらちゃんって、普通の関係じゃなかったんじゃないの」

「それって俺とさくらが付き合っているってことスか」

「そうじゃなかったの」

「いや、それはないです」

「本当に？」

「本当も何も、そんな関係じゃないんスから」

「じゃあ、陽ちゃんはどうなの。本当はあなたさくらちゃんのことを内心では好きだったんじゃないの」

「それは……」

思わず口籠《くちご》もった。男と女のことにかけては、摩耶の方が一枚も二枚も上手《うわて》だ。他のホステスやボーイたちには、さくらが僕の紹介で店に入ったことは知られてはいなかったが摩耶は別だ。平静を装っているつもりでも、さくらを見る目つきや、日頃の接し方から、心の内を見抜かれていたとしても何の不思議もない。

「どうやら図星のようね」

「はあ……」

答える一方で、なぜ摩耶がこんな話を急に切り出して来たのか、その理由を考えていた。もしかすると、自分の心中を察して、間を取り持ってくれるつもりなのだろうか。それともさくらが、そんな話を摩耶にしたのだろうか――。

しかし、そんな期待は、次の瞬間、粉々に砕け散った。

「あの娘《こ》ね、お店を辞めるって言い出したのよ」

「えっ！　それ本当スか」

「本当も何も、さっき私の携帯に電話があったの」

「いつ辞めるんスか」

「もう今日からお店に出てこないって。ちょっと陽ちゃん、これどういうわけ」摩耶は咎《とが》めるような口調で続けた。「そりゃあ、こういう商売ですから、入るも出るも自由よ。だけどね、私にだって立場ってものがあるじゃない。銀座で一匹狼として生きてきた私がこんなこと言えた義理じゃないんだけど、妹分として可愛がってきてあげて、たった一本の電話で、はいさようならって、これってあまりにも礼を失した態度だと思わない」

「それは、その通りです」

それ以上に返す言葉が見つからず、僕は沈黙した。さくらを摩耶に紹介したのは他の誰でもない。この僕だ。ましてや、例の偽ワインの件では、仕事を回して貰って、会社の危機を救ってもらっている。そんな恩義のある摩耶にいくら何でも電話一本で、辞めるはないだろう。

「すんません。ママにあんなに良くしてもらった上に、そんな失礼なことを……」

僕はかろうじて言った。

「あなたが、謝ることはないのよ。さくらちゃんだって、一人前の大人なんだから」

摩耶は立ち上がると、香《こう》ばしい匂いをたてるコーヒーメーカーの前に立ち、二つのカップにコーヒーを入れた。

「さくら、何で店を辞めるんスか」

「それがね、いくら聞いても、はっきりした理由を言わないのよ」

テーブルの上にカップを置くと、

「それで陽ちゃんなら何か心当たりがあるんじゃないかと思って」

「いや、全然知らないっス」

「そうよね、今聞いたところじゃ、あなたとも満足に話をしていないようだし……お父様の会社が、偽ワインのラベルの仕事を貰って、一息つけたからかしら」

確かに、その推測が成り立たないとは言えない。僕や謙介が手にした金は、実際に偽ワインを捌《さば》けた量の分だけだったが、さくらの父親はラベルを刷った分だけを前払いとして貰うことになっていた。どれだけの枚数を刷ったものかは知らないが、かなり纏《まと》まった金を、それも現金で手にしているはずだ。

「まさかあの娘、他の店に移るつもりじゃないでしょうね」

「えっ！」

考えてもいなかった言葉を聞いて、僕はカップに伸ばしかけた手を止めた。

『摩耶ママのようになりたい。この世界のトップに立ちたい』

いつかさくらが言った言葉が脳裏に浮かんだ。

「何か、思い当たることがあるの？」

微妙な感情のゆらぎが顔に出たものか、摩耶が探るように言った。

「いいえ……でも、それはないんじゃないスか……さくらはちょっと変わったところがありますけど、そんな恩知らずじゃないっスよ」

「本当に？　陽ちゃん絶対そうだと言い切る自信がある」

「いや、絶対そうかと言われれば、それは……」

「もし、そうだとすると、これはちょっと厄介なことになるわね」

思案を巡らす摩耶の目つきが変わった。足音を忍ばせつつ歩み寄ってくる敵の匂いを敏感に察知した雌の目だ。そんな不穏な表情を宿す摩耶を見るのは初めてのことだった。

「私、あの娘には心を許し過ぎたかも知れないわ」

「と、言いますと」

「だってそうでしょう。私が限られたお客さんしか相手にしていないのは、あなたも知っているでしょう。それも大きなお金を落としてくれる人たちばかり。そのことごとくを、さくらちゃんには紹介してきたのよ。もしも、もしもよ、あの娘が私のお客さんを引き連れて、他の店に移ったらどんなことになると思う」

「いや、ママのお客さんに限ってそんなことは……」

「そんなことはないわ。実際あの娘はお金に困っている。お父様の会社が危機を脱したとは言っても、今のご時世を考えれば一時的なことでしかないわ。偽ワインのラベル印刷の仕事がなくなれば、また元の木阿弥《もくあみ》。たちまち経営が行き詰まることは目に見えている。それに今の店にいる限り、あの娘はヘルプに毛が生えた程度。店を変えて、歩合制にしてもらってそこに私のお客さんが行き出すようになれば、あの娘の懐には莫大《ばくだい》なお金が入るようになる」

それは摩耶が若くして銀座のナンバーワンに上り詰めてきた歴史そのものだった。

「陽ちゃん」

「はい！」

「あなた調べてちょうだい。なぜあの娘が店を辞めるのか。これからどうするつもりなのか、そこのところをあの娘の口からはっきりと聞いてちょうだい。あなたにはその責任があるはずよ。なんて言ったってあの娘を私に紹介したのは、あなたなんだから」

「分かりました」

「それから一つ言っておくけど、これは私だけの問題じゃないのよ。私のお客さんが、あの娘に持って行かれるようなことになれば、あなたに、送迎代をあげることもできなくなるんですからね」

摩耶は、きっとした視線を向けると、とどめを刺すように言った。

*

さくらの身の振り方が分かったのは、それから三日の後のことだった。

彼女が店を辞める話を摩耶ママに聞かされたその日のうちに、僕はさくらと連絡を取ろうとしたが、

『お客様のおかけになった電話番号は、現在使われておりません――』

携帯に何度電話しても、空《むな》しい返事が返ってくるばかりだった。こうなれば、直接さく

らに会って話を聞く以外に、ことの真偽を確かめる手だてはない。

そう思い立った僕は、週末の午後、一人でさくらの家を訪ねることにした。江東区《こうとう》白河。かつての木場《きば》の面影を残す運河沿いの一角に、さくらの家はあった。

大学時代から数えれば、さくらとの付き合いは三年にもなるのだが、家を訪ねるのはこれが初めてのことだった。車一台がやっと通れるほどの狭い路地に入ると、薄汚れたコンクリートでできた、三階建ての家がある。一階は工場《こうば》になっているらしく、路地に入ると週末にもかかわらず、輪転機が回る音が聞こえてきた。『有限会社　川村印刷』。ペンキが剝《は》げた粗末な看板が戸口に掲げられている。

僕は、アルミサッシの引き戸に手を掛けたが、磨《すり》ガラスに電話番号が書かれているのを見て思い留《とど》まった。突然、何の連絡もせずに、家におしかける。それがさくらの気分を害することになりはしないかと考えたからだ。

携帯電話を取り出して、磨ガラスに書かれた電話番号を押した。短い発信音の後に呼び出し音が鳴る。

「川村印刷です」

声の様子からすると、母親だろうか。中年の女性の声が聞こえてきた。

「あのう、岩崎と申しますが――」

「岩崎さん。どちらの」

「さくらさんと、大学で同級だった者です。さくらさん、いらっしゃいますか」

「はあ、おりますが、ちょっとお待ち下さい」

　愛想よく答える声に代わって、輪転機の回る音が聞こえる。引き戸一つ隔てて聞こえてくる現実の音と、受話器を通して聞こえてくる音が、何だかとてつもない距離があるような気がした。

「もしもし……」

　暫《しばら》くしてさくらの声が聞こえてきた。明らかに不快な感情が籠っていることが感じられた。

「俺、陽一」

「分かってるわよ。何の用事」

「何の用事はないだろう。君が急に店を辞めちまったから心配してさ」

　取りつく島もないさくらの口調に、僕はどぎまぎしながら答えた。

「それで、わざわざ電話番号を調べて電話して来たってわけ」

「少し話できないかな」

「話なら今してるじゃない」

「そうじゃなくってさ、直接会って話をしたいんだ」

「残念だけど、小一時間したら、私出掛けなきゃならないの」

「時間は、取らせないよ。それにもう君の家の前まで来ているんだ」

「家の前って……」

「そう、今君の家の前の道から電話している」

がちゃり——。いきなり受話器が叩《たた》きつけられるような激しさで電話が切れた。

心臓が一つ大きな鼓動を打ち、指の先までが冷たくなるような気がして、僕はその場で固まった。何だか、これでさくらとの縁が完全に切れてしまったような、そんな気がした。

だが、ここまで来てしまった以上、おめおめと引き返すわけにも行かない。

再び携帯電話を操作して、リダイヤルをしようとした刹那《せつな》、磨ガラスの戸が勢い良く引き開けられた。今まで見たこともないような、冷たい光を目に宿したさくらがそこに立っていた。

「いったい、何よ。家にまで押しかけてきて」

「いや、だから君が急に店を……」

そこまで言いかけた時、

「ちょっと、こんなところでそんな話しないでよ。この辺は東京とは言っても、周りは皆身内みたいなもんなんだから。店がどうのこうのなんて話を聞かれたら、大変なことになるんだから」

さくらは、そこで一つ溜息《ためいき》をつくと、

「しょうがないわね。ちょっとこっちへ来て」

言うが早いか、先に立って早足で路地を歩き始めた。

下町情緒の残る路地を抜けると、ちょっとした通りに出る。そこからほどなくの距離にある運河沿いの道に出るまで、僕たちは一言の言葉も交すことなく歩を進めた。

「それで、何を聞きたいの」

「だから、どうして店を急に辞めたんだよ。俺も驚いたけど、摩耶ママだってあまりに急だし、何の相談もなかったたって、心配してるんだぜ」

「たかが、ヘルプのホステスが一人辞めた程度のことで大騒ぎするほどのことじゃないでしょう」

「そんな言い方はないだろう。俺は君を摩耶ママに紹介した責任があるし、ママにしたところでどれほど君を可愛がってきたか」

「ママそんなに私のこと心配してくれているの」

「ああ、さくらちゃんどうしたのかしら。何かあったのかしらって、そりゃあ——」

僕は嘘を言った。

「ママが心配しているのは、私の今後の身の振り方じゃないの」

「どういうことだよ、それ」

内心ギクリとするものを覚えながら、平静を取り繕いながら訊《たず》ねた。

「だって、そうじゃない。ママが私に何かと目をかけてくれていた、それは事実よ。山野社長に、横山社長、それに真壁社長……、ママにとってはとっておきのお客さんをことごとく私に紹介して下さったんですもの。それも妹分だと言ってね」

運河を冬の冷たい風が吹き抜けて行く。さくらの長い髪が、頬にかかりそれを振り払う手の仕草が今までになく艶《なま》めかしかった。

「ママ、私が店を変わるんじゃないか、本当はそれを心配してるんでしょう」

「そんなことはないよ」

「そりゃあ、気が気じゃないわよね。もしも私があの人たちを引き連れて、他の店に移ったら、ママにとっては大打撃、それこそ死活問題ですもの。気になるのも当然よね」

「お前、まさか……」

「陽ちゃん、この際だからはっきり言っておくわね」

さくらは歩を止めると、決意の籠《こも》った目を向けてきた。

「私、お店を移ることにしたの。クイーンを辞めることにしたのはそれが理由よ」

「マジかよ。本当に店、移んのかよ。どこの店に」

「エムプレス……」

「エムプレス?」

その名前は聞き覚えがあった。確かクイーンとは数ブロックも離れていないところにある、クイーンと同じ格の店で、しかも大箱だ。

「店、移るってんならヘルプってわけじゃないよな」

「今度は歩合よ」

「つまり、本当のプロのホステスやるってわけ?」

「そういうこと」

「そんなに簡単に行くかな」

「どういう意味よ」

「歩合のホステスは厳しいぞ。収入はさくらの客がどれだけ店に金を落としてくれるかで大きく左右される、って言うか、それが全てだ。それに売上はもちろん、同伴のノルマだってある。どんな客を連れて行くつもりかは知らねえけどさ、摩耶ママのような太い客を摑《つか》んでいるならともかく、駆け出しのさくらにはまだ無理だよ」

「私がそんな間抜けな女だと思ってるの？」

さくらは一瞥《いちべつ》をくれると、ぷいと背を向けた。

「そんな算段もつかないうちに、店を飛び出したりする女だと思う？」

背筋が強《こわ》ばった。次の言葉が見つからずに僕は押し黙った。

「太い客ならもう摑んでいるわ」

「それって、まさか……」

「そう、そのまさかよ。ママのお客さん」

「お前、いくら何でもそれはないだろう。あれほど目をかけてくれたママの恩を仇《あだ》で返すってのか」

「銀座のホステスは仲良しクラブじゃない、食うか食われるか、そう教えてくれたのはママよ。それに私が今やろうとしていることは、ママが銀座でトップにのし上がった手法そのものじゃない」

「それはそうかも知れないけどさ……」

いったいこの自信は、どこから来るものなのだろう。真壁社長は今病床にあって、とても銀座に来られる身ではない。山野社長は、ママとは愛人関係にある人だし……だとすると横山社長だろうか……。それにしたところで、そう簡単に摩耶ママを捨ててさくらに乗り換えるとは思えなかった。

「さくら、お前何か勘違いしてねえか」

「何を」

相変わらずこちらに背を向けたままさくらは言った。

「ママのお客さんは、どれをとっても、ママが銀座にデビューして以来の馴染《なじ》みだぜ。誰がさくらをけしかけたかは知らねえけどさ、そう簡単にママを捨てて、お前に乗り換えるとは考えられないよ」

「デビュー以来って言うなら私も一緒でしょう。摩耶ママにしたところで、最初に店を変わった時には、前の馴染みのホステスから客を奪ったんでしょう」

「摩耶ママは特別だよ」

あの人は、それこそ体を張って——と危うく言いかけるのを、僕は呑《の》み込んだ。

「特別？　摩耶ママが特別って言うなら、私もその最初のきっかけをもう摑んでいるわ」

「どういう意味だよ」

「陽ちゃん」

さくらは川面《かわも》に視線を落とすと、静かに言った。

「今日、工場で輪転機が回っていたでしょう」

「ああ」

「この不景気に、今うちの工場は週末もフル稼働なの。物凄《ものすご》く大きな仕事が舞い込んできたの」

「そりゃあ、結構な話だけど、それとお前の客とどういう関係があんの」

「オリエンタル製薬の店頭用チラシやポスターの仕事を一手に引き受けることになったのよ」

「ハアッ？」

「それも全国の薬局に置く販促用のもの全部。大変な量よ」

いやな予感がした。次の言葉を聞くのが怖かった。

「どうして山野社長がそんな大きな仕事をくれたか、分かる？」

答えたくなかった。本当のところを言えば、耳を塞《ふさ》いでこの場からすぐにでも立ち去りたかった。しかし、意に反して体が硬直して動かない。

「私、山野社長と寝たの」

「寝たあ〜！」

「そうよ、私、山野社長の愛人になることにしたの」

さくらは突然振り返ると、真正面からこちらの目を見据えて来た。その目が気のせいか少し潤んでいるようだった。

「軽蔑《けいべつ》する？」

返す言葉がなかった。

「摩耶ママのお客を寝取った女。恩を仇で返す女って思う？」

膝《ひざ》から、いや全身から力が抜けて行くようだった。さくらが山野社長と寝た。その言葉が頭の中で何度も共鳴して鳴り止むことがない。

「そう思われてもしかたがないのは分かってる。だけど、うちの経営状況はもうどうしようもないところまできているの。そりゃあ偽ワインのラベル印刷の仕事は、実入りの多いものだったけど、所詮《しょせん》は急場凌《しの》ぎ。抱えている借金の額に比べれば微々たるものよ。銀行だって容赦なく貸し剝《は》がしにかかってくる。そんなところに、オリエンタル製薬のような大企業の仕事を一手に任す。銀行の保証もしてやる。客にもなってやる。そう言われたらどうする」

「だけどさくら……俺は……」

ずっと恋心を抱いていた女性の口からそんな言葉を聞くのは何よりも辛《つら》く、そして悲しかった。

「家のために男と寝た。金のために好きでもないオヤジの前で股《また》を開いた、そんな女を軽蔑する？」

もうそれ以上の話は聞きたくなかった。

さくらに対する想い。それに病床にある父親のために、やはり好きでもない山野の愛人となった摩耶の姿が重なって、僕は何も言えなかった。

「さくら……話は分かった……俺、帰るわ」

「陽ちゃん……」

「俺、さくらのことを本当に好きだった。ずっと……でも、これからもその気持は変わらないと思う……」

僕は、振り絞るようにその言葉を残すと、さくらを置いて駆け出した。寒風が目に染みて、視界がぼやけた。

あのさくらが山野に抱かれた。それも全ては金のために……。

さくらを責める気にはなれなかった。むしろ、そんなさくらが健気《けなげ》で、悲しく思えた。それと同時に、金の力で摩耶ママを囲い、今度はさくらを囲おうとしている山野に対して、やり場のない怒りが込み上げてきた。同時に、摩耶にこの事実を何と話したらいいのだろうと思った。

山野は摩耶の生活を支えている大事な人だ。彼女が山野に愛情を覚えているとは思えなかった。全ては山野の財力が摩耶が日陰の身に甘んじることを決意させたのだ。その山野が摩耶の許を去ってしまう。アルツハイマーで高額な治療費を必要とするお父さんはどうなるのだろうか。店での摩耶の立場はどうなるのだろう。一旦《いったん》落ち目になったママを、今まで以上の好条件で迎え入れてくれる店なんてありゃしない。つまり摩耶はこれまで築き上げてきた全てを失い、また一から出直さなければならないことになる。

その夜、僕は今まで経験したことのない、酷《ひど》い不快感に襲われた、会陰《えいん》部に何か塊が挟まったような感触があり、尿道に我慢できないほどの痛みとむず痒《がゆ》さが走った。いてもたってもいられなくなった僕は、初めて医者から教わった前立腺マッサージを試みた。

たった一人きりの部屋で、白い光を放つ蛍光灯の下、下半身に付けていたものの全てを脱ぎ去った。使い捨ての医療用手袋を装着し、中指に潤滑ゼリーをたっぷりと塗りつけ横になった。股を大きく開いて、肛門《こうもん》に自らの指を差し入れた。括約筋が指を締めつけ、その先に硬いシコリが触れた。灼熱《しゃくねつ》感が尿道を突き抜ける。涙が流れてきた。痛みのせいばかりじゃない。自分の姿が惨めだったせいばかりでもない。きっと僕が涙を流した最大の理由は、窮地に陥ったさくらにも、摩耶にも何もしてやれない。そんな情けなさが心中を満たしていたからだ。

指を引き抜いても、違和感は一向になくなる兆しはなかった。ただ肛門の辺りに、異物が挟まったような奇妙な感覚だけが残った。使い終えた手袋を始末しながら、僕は声を上げて泣いた。

＊

新しい週が始まった。

僕はアパートのベッドの上で、掛け布団を巻き込みながら、寝返りを打った。カーテンの隙間から朝日が、狭い室内に一筋の光となって流れ込んでくる。

肩口の辺りに籠《こも》る息が酷く酒臭い。

さくらが山野社長と寝た——。その事実が脳裏にこびりついて離れなかった。ベッドの中に入って目を閉じると、山野の下で艶《なま》めかしくのたうつさくらの裸体が目蓋《まぶた》の裏に浮かんでくる。

さくらはもう自分の手の届かないところへ行ってしまったのだ。もう忘れることだ。必死に自分を納得させようと思っても、考えはどうしてもその一点に集中してしまう。そんな気持を少しでも紛らわすために、この二日ばかり、僕はしたたかに酒を飲んだ。

憂さを晴らすために酒を飲む——。

世間ではよく言われる話だが、そんなことをしても何の役にも立たなかった。飲めば飲むほどに、考えは堂々めぐりを始める。それを紛らわすためにまた杯を重ねた。一向に良くなる兆しのない前立腺の具合が僕の心をさらに重くした。

まさに悪循環というやつだった。お陰で、日曜の朝も、そして今朝も酷い二日酔いだ。

健全な肉体には健全な精神が宿る——。そんな修身めいた言葉は今の時代に、小学校の校長だって言いやしないのだろうが、込み上げてくる吐き気、頭痛……こうまで体調がすぐれないと、精神状態だっていいわけがない。

泥沼の中に沈み込んで行くように意識が混濁して行く中で、脳裏に浮かぶのはやはりさくらのことだった。不思議なことにさくらを責める気にはなれなかった。苦境にある家のために、体を張った。その心情がただ悲しかった。僕にさくらの苦境を救ってやるだけの甲斐性《かいしょう》がないことが惨めだっただけだ。そして、さくらの家の苦境を救ってやることと引き換えに、彼女の体を奪った山野の行為が、何ともさもしいものに思え、怒りが込み上げてくるのだった。

山野のやつ、絶対に許せねえ。

しかし、そうは言っても、一介の銀座のボーイに過ぎない僕に、大企業の社長の山野相手に一矢を報いてやる手だてなどあろうはずもない。社会的な地位も、財力も、何一つとしてかなうものなどありはしない。いっそ、この事実を摩耶に話してしまおうかとも思ったが、考えてみれば、今回のことで最大の被害を被るのは彼女だ。こんなことを話せば、酷く傷つくに決まっている。

胸中を満たす忸怩《じくじ》たる思いを、誰かと共有できれば、多少は気も楽になるかも知れないが、ここしばらくは、ずっと自分一人の胸にしまっておかねばならない。

携帯電話が鳴ったのは、そんな思いを巡らせている最中のことだった。

液晶画面を見ると、『摩耶ママ』という表示が出ていた。

時計を見ると、午前十時半だった。

「陽一っス」

「おはよう陽ちゃん」

「おはようございます」

口の中に粘つくものを感じながら、僕は答えた。

「今日も、迎えお願いね」

「はい、これから家を出ます」

「それから、さくらちゃんのこと何か分かった？」

摩耶は早々に切り出してきた。

「いえ、それが、連絡つかないんスよ。どうもさくら、携帯の番号を変えちゃったみたいで……」

僕は嘘をついた。

「それは私も知っているわ」

「ママ、さくらに電話したんスか」

「あなたにも新しい電話番号言っていないの？」

「はあ」

「いったいどういうつもりなのかしら、あの子。私はともかく、あなたとは学生時代からの友達でしょう。それに店を紹介してくれたあなたにも連絡つかないようにしてるなんて」

「俺も、困ってるんスよ。辞めることになった真相を、ママにははっきりと知らせるべきだと思って、いろいろ知り合いのところにも電話したんスけど、やっぱり新しい番号は誰も知らないみたいで」

「あなた自宅の電話番号は知らないの」

「聞いているのは、携帯の番号だけっス」

「そうよね、今の時代に自宅の電話番号を聞いてもしかたがないものね」

「ところで、今日はどうすればいいんスか。同伴はありっスか」

「横山社長が同伴して下さることになっているわ。あとはこれから連絡してみるけど」

「あのう、山野社長は」

「あの人は、今日から大阪に出張で、そのあと福岡、名古屋と回るんですって。今週は来られないって」

「そうっスか」

「そろそろ決算の準備もしなければならない頃だし、何かと会社の方も忙しいんでしょう。今週は、他のお客さんにがんばってもらわないとね」

「それじゃこれから出ます。マンションに着いたらインターフォンを鳴らしますから」

「分かった。よろしくね」

何だかとてもママが可哀そうな気がした。体を張って摑《つか》んだ最も大口の客が、自分が育て上げたさくらに奪われてしまうというのに、その事実を知らないでいる。おそらく、山野社長の出張は嘘に決まっている。何しろ、今日はさくらが歩合のホステスとして新しい店にデビューする日なのだ。あの社長のことだ、彼女の門出を盛大に祝ってやるつもりなのだろう。

　銀座は狭い街だ。事実が知れるのは時間の問題というものだが、ここでことの真相を話してしまえば、僕は当事者の一人となってしまう。もうこの件で、振り回されるのは御免だ。

　少しばかり卑怯《ひきょう》な気もしたが、僕は知らんぷりを決め込むことにし、重い体をベッドの上に起こした。

＊

　摩耶が、横山社長を同伴して店に現れたのは、夜九時を回った辺りのことだった。

「これは社長、いらっしゃいませ……」

　最敬礼をして迎える店長に、鷹揚《おうよう》に肯きながら、いつものように五人ばかりの部下を従えて店に現れた横山は、定席となった一番奥のボックス席に向かった。

　少し遅れて入ってきた摩耶は、ショールを仕舞おうと、ロッカールームの方に向かいかけたが、

「陽ちゃん、ちょっと……」

　足を止めると、手招きをしながら声を掛けて来た。

「何スか」

「あの子、やっぱり店を移ったのよ」

「えっ……何か分かったんスか」

僕は、内心どきりとしながらも、初めて聞いたとばかりに身を乗り出した。

「分かったも何も、横山社長のところに挨拶状《あいさつ》が来たんですって」

「挨拶状？　そんなものをよりによって横山社長のところに」

「たぶん、この調子だと、他のお客さんのところにも送っているに違いないわね。それにしても、手回しのいいこと」

「いや、挨拶状っていっても、彼女のところ、ほら、印刷工場スから」

摩耶がじろりとねめつけるような目で見てきた。

「陽ちゃん。あなた、本当に知らなかったの」

「いや、知らないスよ。今朝も言った通り、携帯電話は番号変えちゃったみたいだし……それで、さくら、今どこの店にいるんスか」

「エムプレス。あなたも知っているでしょう。ここからちょっと新橋寄りに行ったところにあるお店。ウチと格はそう変わらない大箱よ」

「よりによってそんな近くに」

「私、大恥かいちゃった。横山社長、今日がさくらちゃんの初日だっていうから、お花を出したらしいのね。それで、お前も妹分が店を変わったんだ。当然花の一つも送ったんだろうって」

「花なんか出せるわけないじゃないスか。ママだってさくらが店を移るってこと知らされていなかったんスから」

「それでね、今日はさくらの新しい門出を祝ってやるために、ここで飲んだ後、エムプレスに行ってやろうって、横山社長そう言うの」

「ママ、この後、どなたかお見えになることになってるんスか」

「今日は、皆さん忙しいらしくてね。何しろ月曜日でしょう。今のところ横山社長一人だけ」

「それで、エムプレスに行くんスか」

「断るわけには行かないじゃない。あの子が一言の挨拶もなしに店を変わったなんて、そんなことみっともなくて言えないし……」

やばい予感がした。確かに決算を翌月に控えている上に月曜日ともなれば、民間企業で働く人たちは、何かと忙しいのが事実だろうが、山野社長はきっとさくらのところに行っているに違いない。そんな気がした。大阪にいるはずの山野社長が、もしもエムプレスにいれば、摩耶と鉢合わせになる。いまだ愛人関係が続いていることをつゆほども疑っていない摩耶がそんな現場を目にすれば、どんな修羅場に発展しないとも限らない。いや、さくらがすでに山野社長と特別な関係にあることを告げられなくとも、嘘をついてまでさくらの入店初日に駆けつけた、それを見ただけでも摩耶のプライドはずたずたに切り裂かれてしまうだろう。

「止めておいた方がいいんじゃないスか」

僕は、やんわりと言った。

「私、行くわ」

ママはショールを僕に手渡しながら、きっぱりと断言した。

「あの子が、いったいどんな顔をして私を見るか。どんな弁解をしてくるのか、この目で確かめてみたいの」

「いや、しかし……」

「あの子は私の妹分ってことで通ってきたんですからね。それが店を変わったとなれば、お客さんを連れて、お祝いに駆けつける。それが銀座のしきたりってものですからね」

確かにママの言う通りだった。どの店でも、一人のホステスがずっと同じ店で働くわけではない。そんな時には、入店初日にママが花を贈り、自分の客を連れて新しい店を訪ねてやるのが慣例だった。

「陽ちゃん、悪いんだけど、あなたこれから花屋さんに行って、胡蝶蘭《こちょうらん》を一鉢と生花をすぐにエムプレスに届けてもらうように手配してくれない」

「はい……」

「とにかく、こうなった以上、後には引けないわ」

摩耶はそう言うと、バッグの中から財布を取り出し、札を手渡し、

「お願いね」

そう言い残すと、店内に消えて行った。

＊

その夜、ついに摩耶からの連絡はなかった。

佃にあるアパートに帰り着いた時には、午前二時を回っていた。

薄ら寒い蛍光灯が灯《とも》るエントランスの一角には、粗末な郵便受けがずらりと並んでいる。どうせ入っているのは、ろくでもないチラシか、請求書の類《たぐ》いと相場は決まっていたが、放っておくわけにも行かない。

「陽一よう」

郵便受けの扉に手を掛けたその時だった。不意に自分の名を呼ばれ、僕はギクリとして手を止めた。

振り向くと、エントランスの陰に隠れるようにして、黒い人影が見えた。

「誰？」

「俺だよ、俺」

顔を覗《のぞ》かせたのは謙介だった。いったいどれほどの時間そこに立ちつくしていたのだろう。寒さのせいか、あるいは照明のせいかは分からないが、顔からは血の気がすっかり消えている。いやそればかりではない。いつもはきちんとジェルが塗られ、ピンと逆立っているはずの頭髪も、ぼさぼさだった。それに何よりも全身から精気が抜け、まるで幽霊を見ているようだった。

「謙介……どうしたんだ、こんな時間に」

「大変なことになっちまったよ」

謙介は怯《おび》えた目で周囲の様子を窺《うかが》いながら、声を潜め早口で言った。

「何があったんだ」

「とにかく、ここじゃ何だ。部屋へ行こう」

謙介は先に立って階段を上り始めた。

三階のテラス状の廊下を歩く。誰が見ているわけでもあるまいに、謙介はまるで追われるように早足でドアの前に立つと、早く開けろとばかりにこちらを振り向いた。

鍵《かぎ》を取り出し、ドアを開けると、真っ先に謙介が身を滑り込ませた。

ドアを後ろ手に閉じ、電気をつけたところで謙介は大きな溜息《ためいき》を漏らすと、その場にへたり込んだ。

「どうしたんだ。何があった」

「追い込みをかけられているんだ」

「追い込み？」

「借金取りだよ」

謙介はようやく立ち上がると、部屋の中に上がり込んだ。

「借金取りって、どっちの」

「決まってるじゃねえか。あのチラシにあった金貸しだよ」

「お前、借金の返済していなかったの」

「していたさ。だけど返済が滞っちまってさ、にっちもさっちも行かなくなっちまったんだよ」

「だけど、あの時は、お前、給料を全額返済に回せばどうにかなる、そう言っていたじゃないか」

「それが、あの金貸し、とんでもねえ代物でさ。金利は十五《とおご》だって言いやがるんだ」

「トオゴ？」

「つまり、十日で五割」

「十日で五割って……確かお前が借りたのは三十万だったよな」

「ああ、手にした金はそれで間違いはないんだが、実際に借りた金額は四十五万ってことになっているんだ。つまり利子は先払いってわけだ。次の十日目に入ると、約六十八万、その次は百二万……」

「お前、一度も金利を払わなかったの」

「払ったさ。店の集金の金をちょろまかして、何とか工面したさ。もっとも利子分だけだがな。でもそうこうしているうちに、消費者金融の支払い期限は迫って来るし、また間の悪いことに、店の方も月末の伝票締めがあってさ、そこで俺が売上から金を抜いていたことがバレちまって、親父が激怒して……」

「それで、支払いが滞って、追い込みをかけられたってわけかよ」

「そういうこった」

「それって、今盛んに世間で問題になってる090金融ってやつだろう」

「ああ」

「それなら、法定利息以上の利子を支払う義務はないって話だぜ。どこか弁護士か司法書士のところにでも行って相談してみたらどうなんだ。一発でカタがつくんじゃないのか」

金貸しについて然程《さほど》の知識があるわけではなかったが、この手の闇金がとかくマスコミに取り上げられるせいで、対処のしかたについては聞き覚えがあった。

「馬鹿言え」

意外にも謙介は、めっそうもないとばかりに首を振ると続けた。

「あのなあ、俺が借りている090金融はどんなやつがやっているか分かったもんじゃねえんだぞ。そりゃあ、弁護士か司法書士のところへ駆け込めば、何とかなるかも知れないってことぐらいは分かってるさ。だけどな、相手は新宿で看板掲げている連中だぜ。後ろには必ず尻持《ケツも》ちがついているに決まってる。もしもコレ者《もん》がついていたら、大変なことになる。いやノミ屋が紹介してくれたとなれば、当然連中の息がかかっていると考えた方がいいだろう」

謙介は、頬を人差指でなぞると言った。

「だったら何でそんなやばい金貸しから借金したりしたんだよ。結果は目に見えていただろうが」

「そうと分かっていてもまずはノミ屋にだけは、金を都合しなけりゃなんなかったんだよ。何しろあっちは正真正銘の筋者がやってるんだからさ。博打《ばくち》をしました、負けました、でも金はありません。なんて言ったら、どんな目に遭わされるか」

「それで、お前どうするつもりなんだよ」

何てついていない日なんだろう。弱り目に祟《たた》り目とはこのことだ。

僕は溜息をつきながら訊《たず》ねた。

「とにかく、耳を揃えて返せる目処《めど》がつくまで、身を隠すしかねえ」

嫌な予感がした。

「まさか、お前、ここに居座るつもりじゃねえだろうな」

「他に行くところがねえんだよ」

またしても予感的中だ。

「しかし、耳を揃えて返すって言ったって、そんなことできるのかよ。当てはあるのかよ」

呆《あき》れた口調で訊ねた。

「こうなった以上しょうがねえだろう。とにかく誰彼構わず借りまくるしかねえ。今週中に六十八万。何としても作らねえと……」

謙介は、そう言いながら探るような目を向けてきた。

「俺？　俺を当てにしているなら駄目だぜ。お前に用立てたお陰ですっからかんだもの。生活費を捻出《ねんしゅつ》するのがやっとだもん」

「畜生、真壁社長があんなことにならなきゃ、こんな目に遭わずに済んだものを……」

その金を当てにして、自分を窮地に追い込んだのはいったい誰だ、と言いたくなったが、

「まあ、無理だろうな。真壁社長、先月帰国したそうだけど、脳梗塞《こうそく》の後遺症のせいで右半身は麻痺《まひ》していて、銀座はおろか会社にも一度も出ていなくて、自宅療養を余儀なくされてるっていうからな。摩耶ママも、大事なお得意さんをなくして頭を痛めているよ」

「摩耶ママ——」

突然、謙介がにじり寄って来た。

「何だよ」

その仕草に、僕はまたしても不吉な予感を覚え、少し距離を置いた。

「なあ陽一、摩耶ママから借金できねえかな」

やっぱり——。

「そいつぁ無理だ」

「どうしてだよ。摩耶ママとは俺も面識があるし、第一、例の偽ワインの件では、ママの大事なお得意様のために、俺もやばい橋を渡って売上に随分貢献したんだ。その程度の金なら、都合つけてくれてもいいじゃねえか」

「それが、ちょっとな……」

「ちょっとって何だよ」

それから長い時間をかけて、僕は今日あった一連の出来事を謙介に話して聞かせた。もちろんさくらが、山野社長と肉体関係を結び、愛人になった、という部分だけはストーリーを変えた。

「そうか、歩合のママが客を逃がすかも知れないとあっちゃ、財布の紐《ひも》も固くならざるを得ないだろうな。やっぱり無理か」

「たぶん、無理だと思うよ。何しろママはクイーンに移って来てからというもの、新規の客を全く取らなかったからなあ。全員がさくらに乗り換えるとは思えないけど、分散すればダメージは大きい」

「それにしてもさくらのやつ、なかなかどうしてしたたかだな。あいつ水商売に向いていたんだな」

「それはどうかな、さくらも本当に好きでこの商売をしているのかどうか——」

「しかし、摩耶ママが無理だとなれば、やっぱり小さな金を積み上げるしかねえな」

謙介は、改めて僕を見ると、

「とにかく悪いが、金ができるまでここに世話になるぜ。手土産と言っては何だが、こいつはほんの挨拶《あいさつ》代わりだ」

そう言いながらバッグの中からヘネシーのXOを取り出しテーブルの上に置いた。

＊

けたたましい目覚まし時計の音で目が醒《さ》めた。暖かい布団の中から手を伸ばし、ベルの音を止めた。昨夜したたかに飲んだ酒がまだ残っている。脳が鉛でできているように重く、ともすると再び深い眠りに落ちて行きそうになるのを必死に堪《こら》え、僕は反動をつけてベッドの上に上半身を起こした。

視線を転ずると、炬燵《こたつ》の中に下半身を入れ、毛布を巻き付けたまま眠りこけている謙介の姿が目に止まった。テーブルの上には、空になったヘネシーのボトルとグラス、それに吸い殻が山となった灰皿が散乱している。ニコチンと、コニャックの残り香が交じり合った臭いが鼻をつき、胸が悪くなりそうだった。

ベッドを抜け出すと、思わず身震いするほどに部屋の中は冷えきっている。口の中全体が厚い粘膜で覆われたような不快な感触を感じながら、キッチンに向かった。

シンクの片隅に置いてある古ぼけたコップに入れた歯ブラシを手にすると、歯を磨きながら、換気をするために通路に面したガラス窓を半分開けた。さらに冷たい外気が部屋の中に流れ込んでくる。

その気配を察したのか、

「おう、陽一、今何時だ」

謙介が、くぐもった声を上げた。

「もう十時だ」

「何だよ、まだそんな時間かよ……もう少し眠らせてくれよ」

「そうは行かねえんだよ。摩耶ママを迎えに行く準備をしなけりゃな。昨夜、遅くまで飲んだせいで風呂《ふろ》にも入っていねえんだ。せめてシャワーでも浴びないことには、店にも出られねえ。それにお前、本当に、家に戻らなくてもいいのか」

「帰れるわけねえだろう」謙介はもそりと体を起こすと、「親父にとっつかまるのも地獄なら、借金取りに追われるのも地獄……せめて金を工面する目処が立たねえことにはな」

大きな欠伸《あくび》をしながら言った。

「まさか、借金取りにお前がここにいるってことバレやしねえだろうな」

「それはねえだろう」

「しかし、お前が捕まらねえとなりゃ、当然親父さんのところへ押しかけるだろう。そうなりゃ、お前が駆け込むところなんて限られている。足がついちまうんじゃないのか」

「大丈夫だよ」

「何で、そう断言できるんだ。自信満々だな」

「あのな、あの手の金融屋ってのはさ、当事者以外の第三者にことが知れるのを極端に嫌うんだ」

「そうかな。金の回収のためなら、職場にも電話をかけまくるって言うじゃねえか」

「そりゃあ、やばい借金に手を出したことが知れて困る人間の場合だよ。親父、俺が店の売上を抜いたことでそうとう頭に来てるからな。居場所が摑《つか》めるなら、お前らが俺の首に縄をつけてでも連れてこい——せいぜいそんな捨てゼリフを吐くのが関の山だ」

「そんなら、いいけどさ。とにかく、俺は面倒に巻き込まれるのは御免だぜ。ただでさえもさくらのことで頭が痛いんだ」

「分かってる。お前にはこれ以上迷惑はかけねえよ」

口を漱《すす》ぐと、爽《さわ》やかなミントの香りに少しばかり不快な感触が和らぐ気がした。

僕は、衣服を脱ぎ捨てると全裸になり、ユニット式の狭いバスルームの中に体を滑り込ませると、熱いシャワーを頭から浴びた。体が温まるまで随分時間がかかったが、汗が噴き出す頃になると体内に残っていたアルコールが汗と一緒になって流れ出ていくのが分かった。

タオルで体を拭《ふ》きながらバスルームを出ると、謙介は深刻な顔をして携帯電話を耳にあてているところだった。

「やっぱり、連中、俺を必死に捜しているな」

ボタンを操作しながら謙介は言った。

「そりゃそうだろうさ、金を支払う期日が来てるのに、姿をくらましたんだから」

「昨日から電源を切っている間に何件、留守番電話にメッセージが残っていたと思う」

「さあね」

「二十件だぜ。まあ、とにかくこいつを聞いてみろよ」

「嫌だよ」

にべもなく断った。悪名高い闇金が残したメッセージがどんなものかは、おおよそ見当がつく。しかも彼らに追われる謙介を匿《かくま》ったとなれば、もはや自分だって当事者の一人だ。ぞっとするようなメッセージを聞けば、気分が滅入《めい》るだけだ。

僕は、謙介を無視して服を着ると、

「とにかく、俺はこれからママのところに行って、そのまま店に出る。帰って来るのは深夜になるが、お前どうする」

「どうするって訊《き》かれても……とにかくメモリーの中に入っているダチのところに片っ端に電話をして借金を頼んでみる。それしかねえだろう」

仮に首尾よく六十八万円もの金を調達できたとしても、それもまた借金だ。ただ相手が、たちの悪い闇金から『お友達』、あるいは『知り合い』に変わっただけだ。いずれにしても謙介が大きな借金を抱え続けることに変わりはない。

自業自得と言ってしまえばそれまでだが、一番の友人であることは事実だ。手持ちの金に余裕はないが、何かいい手だてはないものだろうか。

その時、携帯電話が鳴った。画面を見ると摩耶からだった。

「おはようございます」

「陽ちゃん……」

受話器の向こうから、摩耶の声が聞こえてきた。心なしかその声が沈んでいるような気がした。昨夜の一件が脳裏を過《よぎ》った。あれから彼女はさくらと会ったはずだ。いったいどんな話が交されたのだろう。

「今日はお店に出るのは止めにするわ」

「それじゃ迎えはいらないんスか」

「そうじゃないの。病院に行くのは午後にしたいの。ただその前にちょっとあなたに相談したいことがあるの」

「相談？　俺にスか」

「そう」

「何スか」

「電話では長くなるから、いつもの時間に私のところに来てくれない」

どうやら、何かわけありの話のようだった。

「分かりました。今ちょうどそちらに伺おうと思っていたところです。これからすぐに行きますから」

「じゃあ、待ってる」

何だか摩耶ママは酷《ひど》く打ちひしがれているようでもあり、その一方で、話しぶりのどこかに、何か秘めた決意を窺《うかが》わせるような、不穏な響きがあるようにも感じた。

「謙介、俺、出掛けるわ」

「今の電話、摩耶ママからか」

「ああ。部屋は勝手に使ってくれ。それから食い物だけど、買い置きのカップラーメンがキッチンにあるから、腹が減ったら食ってくれ。もしも夜になっても、ここにいて食い物が必要な時には、帰りに弁当を買って来るから連絡してくれ」

「悪いな」

「それから。こいつは部屋の鍵《かぎ》だ」

僕はシンクの引き出しを開けると、スペアキーを取り出して謙介に手渡し、開け放しておいた窓を閉め、慌ただしく部屋を出た。

＊

広尾のマンションへと車を走らせながら、僕は昨夜あれから摩耶とさくらとの間で、どんな会話が交されたのか、そのことを考えていた。

さくらはママにどんな言い訳をしたのだろう。先ほどの電話口での摩耶の話しぶりを思い出すと、妙な胸騒ぎを感じた。

マンションの前に車を止め、路上に降り立つと、一陣の風が吹き抜けた。小さな渦に舞う二枚の枯葉は、縺《もつ》れ合うように宙を舞い、やがて離れ離れになった。何だか、ママと山野社長の関係を暗示しているような気がして、僕は寒々とした気持に襲われた。

インターフォンを押すと、

「はい」

暫《しば》しの間を置いて摩耶の声が聞こえてきた。

「岩崎っス」

「陽ちゃんね、部屋の方に来てくれる」

「分かりました……」

オートロックが鈍い音を立てて解除された。エントランスの奥にあるエレベーターを使って、三階に上がると、摩耶はドアを半開きにして待っていた。

「おはようございます」

「入って……」

ほとんど化粧をしていない摩耶は一晩の間に随分窶《やつ》れたように見えた。それに昨夜は満足に寝ていなかったのだろうか、肌が荒れているのが傍目《はため》にもはっきりと分かった。

薄暗い廊下を摩耶の後について歩き、リビングに向かった。

「そこにお掛けなさいよ」

促されるままに革張りのソファに腰を下ろした。摩耶は座らずにキッチンへ入ると、

「コーヒーでいい」

と、いつものように訊《たず》ねてきた。

「あっ、俺、いいスから。そんなに気を遣わないで下さい」

食器が触れ合う音がする。

「いいのよ、もう淹《い》れてあるから」

香ばしい、コーヒーの匂いが微《かす》かに漂ってくる。

トレーの上に二つのカップを載せた摩耶が姿を現すと、傍らのソファに腰を下ろし、

「どうぞ……」

コーヒーを勧めた。

「いただきます……」

熱いコーヒーに口をつけた。

「まいったわ……本当にまいった……」

ママは手にしたカップを手の中で玩《もてあそ》ぶようにしながらぽつりと言った。

「何がスか」

「決まってるじゃない。山野のことよ」

摩耶がパトロンである社長のことを呼び捨てにするのを初めて聞いて、僕はギクリとした。

「何かあったんスか」

「あったなんてもんじゃないわよ。私も銀座で働き始めて随分になるけど、こんな屈辱を味わったことは初めてよ」

我慢ならないといった摩耶の口調。固く封印していた感情の扉を解き放った彼女の口か

ら言葉が流れ出した。

「昨日、エムプレスに誰がいたと思う？　山野社長よ」

やっぱり――。

予感というものが悪いことに限って的中するのはどうしてなのだろう。

薄々感じていたことが現実となった。それだけでも何だか自分もさくらの片棒を担いでしまったような気がして、僕は身を固くしながら、

「山野社長が？　だって社長、昨日は大阪にいるはずじゃなかったんスか」

かろうじて言葉を返した。摩耶はふんと鼻先で笑って、

「私を見た時のあの人の顔ったらなかったわ。すっかり狼狽《ろうばい》しちゃってね。大阪の出張が急にキャンセルになったんで、さくらちゃんの入店祝いに来た、そう弁解するのよ」

「社長、優しいっスから。それにさくらはママの妹分としていつも席を一緒にしていたわけだし、新しい門出に花を添えてやりたい、そう思ったんじゃないっスか」

「ばっかねえ。陽ちゃん本当にそんなふうに思っているの。第一ね、心に疾《やま》しいところがないんだったら、私の姿を見て何であんなに狼狽するのよ」

「そんなに驚いたんスか」

「飛び上がったわよ。まるで浮気の現場を押さえられたかのようにおろおろして……それに弁解だって妙に歯切れが悪かったし。まるで隣にいるさくらちゃんに気を遣っているようだったわ。それにしてもあの娘《こ》、やるものねえ」

「あの子って、さくらのことスか」

「そう……今度ばかりは完全にやられたわ。足元を掬《すく》われる、恩を仇《あだ》で返されるっていうのはこのことね」

何と返事をしたものか、言葉が見つからずに、僕は黙ってまたコーヒーに口を付けた。

「店を出てからしばらくして山野から電話があったんだけど、あの人何を言い出したと思う」

「いやあ……そんなこと俺には分からないス」

「別れ話を持ち出したのよ」

「別れるって、ママとスか」

「そう……」

「どうしてスか」

「お前との関係はもう三年にもなる。この辺が潮時だろうって……」摩耶はふっと寂しげな笑いを浮かべると、「へたよねえ、嘘を言うならもっとマシな嘘をつけばいいものを」

「嘘？」

「決まってるじゃない。一旦《いったん》外に愛人を囲った男がよ、別れ話を持ち出すなんて、他に女ができたに決まってるじゃない」

「そういうもんスか」

「そういうもんよ」

摩耶は、コーヒーカップを静かに口に付けた。白い陶器の縁に薄いピンクのルージュが付いた。

「私の睨《にら》んだところでは、山野とさくらちゃん、できちゃったみたいね。それで乗り換えることにした……」

「まさか、さくらが……それはないんじゃないスか」

女の直感の鋭さに、大いに慌てながらも、僕はすかさず否定した。

「間違いないわね。本当のこと言うとね、エムプレスに行って、二人が席を同じにしているところを見た瞬間、私にはピンときたの。陽ちゃんも銀座で働いてもうすぐ一年になるから分かるでしょうけど、いかにホステスとは言ってもね、ただの客との間柄か、深い関係にあるかなんてことは、どう隠しても分かってしまうわ」

「いや、俺はそっちの方は全然勘が鈍くて、そんなことはちっとも分かんないスけど」

「さくらちゃん、お家《うち》の経営状態のこと何か言っていた？　例の偽ワインのラベル印刷で、当面の危機は脱したことは知っているけど、あの仕事が没になって、また困ってるようなことは言ってなかった？」

「あの仕事には随分助けられたとは言っていました」

「でも、このご時世ですからね。きっとまた元のように苦しい経営を余儀なくされているんでしょうね」

「俺、さくらとは、このところあまり話していないもんで……」

「そうだったわね。何の前触れもなく店を辞めて、携帯の番号まで変えてしまったんですものね」

「はあ……」

「たぶん山野はそこにつけこんだのね」

「と言いますと」

「本当のことを言うとね、さくらちゃんは、私を裏切るようなまねをするような娘じゃないと私は今でも思っているの。そもそも、この商売に身を投じることになったのも、元はと言えば家を助けるためだったでしょう。何だかあの娘を見ているとね、かつての私の姿がだぶってきてしょうがなかったの。だから、私もあの娘を自分の妹分として、大事なお客さんに可愛がってもらえるように便宜を図ってきた。お家が危機を脱したと言っても、たまたま裏稼業で稼いだ金が舞い込んできただけ。その道が絶たれたら、お家の命運はまさにさくらちゃんの身一つ、腕一つにかかってくる。山野はそこにつけこんだのよ。かつて私を口説き落としたようにね。それがあの人の手口ですもの」

「それじゃ、山野社長、さくらと関係を持った。そう言ったんスか」

「まさか、そんなこと口が裂けても言うわけないじゃない。新しい女ができました。だからお前はもう必要ない。別れる。そんなことを言い出せば、大概の女が激怒して、別れるにしても、もめにもめることは目に見えているものね」

摩耶は煙草を銜《くわ》えると、目を細めながら薄い煙を吐いた。

「前にも言ったけどあの人、店では大きな顔をしていても、家に帰ると奥さんには全く頭があがらないのね。何しろ、婿養子ですからね。オリエンタル製薬の社長とは言っても、筆頭株主は奥さん。もしも別れ話がこじれて、私が家に乗り込もうものなら、身の置き所に困ることになるのは目に見えているもの。山野、それを一番恐れているんですもの」

「それでママ、別れ話に同意したんスか」

「私にだってプライドってもんがありますからね。いつかこんな日が来るとは覚悟していたわ。それに愛人関係が永遠に続くなんて思ってはいなかったもの。いつかこんな日が来るとは覚悟していたわ。でもね、三年もの間よ、愛人という立場に甘んじていた女を、まるで車を買い替えるような気安さで捨てにかかる……その態度が気に食わないの」

「そういう場合、あれスか、やっぱり手切れ金とか……」

摩耶はじろりと睨みながら、ゆっくりと煙草をふかした。

「すんません、立ち入ったことを聞いて……」

不用意に発した言葉が、ママの感情を害してしまったと思って、僕は慌てて頭を下げた。

「山野のやつ、手切れ金として一千万円を用意するって言ったわ」

「一千万！　スか」

「そんなびっくりするような額じゃないわ。三年も囲ってきた女と別れるには少な過ぎる額よ。それに支払いは、自分の会社の役員を店に通わせるから、それで納得してくれって。いかにオリエンタル製薬の重役といえどもよ、そんなに頻繁に店に来られるわけじゃない。

まあ、よく見積もっても一千万の収入を得るためには半年はかかるでしょうね。つまり分割払いってわけよ。せこいったらありゃしない」

「それで、ママは納得したんスか」

「一応はね」

「と、言いますと？」

「あのね、あんたも知っての通り、一千万なんて、今までの私の稼ぎからすれば、一月分に過ぎないのよ。もちろん、その全てが山野からのものじゃないけどね。だけど、今回はさくらちゃんに山野がちょっかいを出したお陰で、私の大事なお客さんをごっそり持って行かれるかも知れないのよ」

「いや、それはどうスかね。ママのお客さんが全てさくらのところに行くとは限らないじゃないスか」

「今まで週一で来てくれていたお客さんが、二週間に一度になっただけでも、私の収入は半減するわ。それに私の見立てでは、さくらちゃん、なかなかのものよ。あの娘には、銀座のホステスとして、のし上がっていくだけの才能と根性があるわ。何よりも必死になってお客さんを持たなきゃならないだけの理由を持っている。侮れないわよ。事実、横山社長にしたところで、さくらのところにもこれからはちょくちょく顔を出してやらなきゃ。そう言っていたもの。他のお客さんの減収分を考えれば、一千万なんて人を馬鹿にするにもほどがあるわ」

摩耶は一転して強い口調で言うと、煙草をエルメスの灰皿に擦り付けた。

「それでも、ママはその条件を呑《の》んだんでしょう」

「だから一応はね、って言ってるじゃない」

「どういう意味スか」

「陽ちゃん、あなた、悔しくない？　あんな山野のような男に好きな女を取られて悔しくない？」

僕の中で何かが弾《はじ》けた。今まで封印していた心の扉の鍵《かぎ》が吹き飛んだような気がした。

「そりゃ、悔しいス……だけど、さくらが山野社長とそうなったんだとしたら、それはそれなりの理由というものがあったはずで……それは俺にはどうすることもできないことだったわけで……」

「つまり、山野の金の力に屈服するしかない、ってわけよね」

僕は返す言葉が見つからなくて、ただ黙ってうなだれるしかなかった。

「陽ちゃん、あなた山野のやつに復讐《ふくしゅう》してやりたいと思わない？」

「復讐？」

「そう復讐……」

いつもは涼しげな摩耶の目に、ぎらつく光が宿った。

「あの男が、窮地に陥り、心底困り果てる姿を見てみたいと思わない？」

「そりゃあ、そんな姿を見れば、少しは心も晴れるでしょうけど……でも……」

「さくらちゃんが困るんじゃないか、そう思うのね」

図星だった。想像するのも辛《つら》いことだったが、山野に身を任せるにはさくらだってそれ相応の覚悟を決めたからにほかならない。家のためとはいえ、金と引き換えに体を開いた。恋愛感情を伴わないそれは、ある意味では売春行為と言われてもしかたがない。だが、それを責める気にはなれないし、何よりもさくらの覚悟を無にすることはできないと思った。

「それなら、大丈夫。山野一人を失ったところで、さくらちゃんは立派に歩合のホステスとしてやって行けるわ。他にいいお客さんがついているんですもの。むしろ山野から解放されれば、さくらちゃんだって嫌な男に抱かれずに済むってものだわ。もっともそのお陰で、私は一からやり直しだけれど……」

なるほど言われてみれば、その通りかも知れなかった。山野への復讐を手伝うことがさくらを救うことになるのなら、それほど痛快なことはない。

「俺え〜……」

「俺え〜、どうするの？」

摩耶が少しばかりちゃかすような口調で言った。

「やります！」

「そう。やってくれる」

「はい。それで、どうすればいいんスか。何をやればいいんスか」

「具体的にどうするかってことは、私にもこれといったアイデアがあるわけじゃないの。

これから二人で知恵を絞らないとね。とにかく、あいつに経済的な面で徹底的なダメージを与える。それも決して世間には公にできないような手段でね」

そう言うと、摩耶はその日初めて白い歯を見せて笑った。

*

その日、摩耶は店を休んだ。送りがないこともあって、帰りは一時間ほど早く、佃には午前一時を少し回ったあたりで着くことができた。

借りている駐車場は、アパートまで徒歩で五分ほどかかる。人気のない夜道を一人歩きながら家に戻った。深夜の空気は異様なまでに澄んでおり、風一つないと言うのに、刺すような冷気が顔に痛く、僕はブルゾンの襟を立てると、ポケットの中に手を入れた。手の先に硬く膨れあがった封筒の感触があった。謙介には用立ててやる金などないと言ったが、本当のところを言えば、まだ五十万円ほどの残高があった。当座の生活費として、どうしても残しておかなければならない金だったが、泡銭《あぶくぜに》を手にするまでは、手取り十五万円の給料だけで何とかやってこられたのだ。最後の手持ちの金の中から、三十万円を用立ててやることにした。謙介が必要としている六十八万円の法外な借金には足りないが、それでも金をかき集める手間が少しは減ることは間違いない。

澄みきった夜空には、星が白銀の光をまたたかせながら輝いていた。

安月給に甘んじていた時は、給料日に、口座に金が振り込まれると、それだけでも何だか随分と懐が暖かくなった気がしたものだった。しかし、僅《わず》かな間とは言え、一旦《いったん》手にした大金が目減りしてしまうと、漠とした不安が頭を擡《もた》げて来るのは否めない。

懐が寒いって言うのは本当のことなんだ。

僕は、ますます酷《ひど》くなってくる冷気から、少しでも早く逃れようと、歩を早めた。

ほどなくして、街路灯に照らされた道の先にアパートが見えてきた。

三階にある部屋に目をやると、閉め切ったカーテン越しに灯《あかり》がともっているのが分かった。足早に階段を駆け昇ると、二度軽くノックをしてからドアを開けた。

「ただいま」

一瞬怯《おび》えたような表情で、謙介がこちらに視線を向けてきた。

部屋の中は、煙草の煙で充満していた。

「おう、陽一かよ」

「他に誰が来るって言うんだ」

「いや、借金取りかも知れねえと思ってさ」

「なんで連中が俺のところにまで押しかけてくるんだよ」

「そりゃ分からんぜ。何しろ連中は追い込みのプロだからな。どこから俺とお前の間柄を嗅《か》ぎつけないとも限らねえだろう」

「そんなことあるもんかって言ったのはお前だぜ」僕は、少し呆《あき》れながらも、「それで、どうだったんだ。金の工面はついたのかよ」

　ブルゾンを脱ぐと、炬燵《こたつ》の中に体を滑り込ませながら訊《たず》ねた。

「それがよう、あんまりうまいこと行ってねえんだ」

　謙介はテーブルの上に置いた携帯電話を見ながら言った。

「今日一日、メモリーに入っているダチに片っ端から電話をしたんだけどさ。何てったって、俺たちのダチって言えば、そもそもが三流大学の出身者ばっか。それも、社会人一年生だろう。借金って聞いた途端に、皆NG……朝から電話かけまくって、ようやく十万ってとこさ」

「十万か……そいつぁ厳しいな」

「厳しいなんてもんじゃねえよ。こんなことちんたらやってたんじゃ、借金は膨れ上がるだけだ。とにかく、あの金融屋からの借金だけは、一日も早くきれいにしないとな」

　謙介は、苛立《いらだ》った様子でテーブルの上に置かれた煙草の箱に手を伸ばした。大きな灰皿は、吸い殻で山となっている。

「ちぇっ、煙草までなくなっちまった」

「これ、吸えよ」

　僕はブルゾンのポケットを探ると、新しいパッケージを放り投げた。

「サンキュー」

　無精髭《ひげ》で覆われた口元に新しい一本を銜えると、謙介は溜息《ためいき》を吐くように、煙を吐いた。

「これ、足しにしてくれよ」

今度は銀行の封筒に入れたままの金を差し出した。

「何だよ、これ」

「三十万入っている。これで俺の手元には二十万の金しかない。本当にこれが最後だ」

「いいのか」

「しかたねえだろう。お前がマグロ船に送られたんじゃ、寝覚めが悪いもん」

「すまねえ、陽一……恩に着るぜ」

「身から出た錆《さび》とはいえ、でかい博打《ばくち》に手を染めるきっかけを作った責任は俺にもあるからな。一応、貸しだからな。借金がちゃんと払いおおせたら、返してくれよ」

「ああ、一番最初に払うよ」

「とにかく、これからは地道にやるこった」

「ありがてえ」

一瞬だが、謙介の顔に明るさが宿ったところで、僕は切り出した。

「ところで、謙介。その代わりと言っちゃなんだが、お前に知恵を貸して欲しいことがあるんだ」

「何だ」

それから三十分ばかりの時間をかけて、僕は摩耶と山野社長との間に起きた一連の出来事と、持ちかけられた計画のあらましを話して聞かせた。

「……という理由《わけ》でさ、何とかあの山野社長をぎゃふんと言わせる方法はねえか、そう言うんだ」

「ふ〜ん。経済的にダメージを与えるって言えば、つまりあれだろう、大金を使わせればいいんだろう」

「そういうこと。何しろ山野は、オリエンタル製薬の社長とは言っても、婿養子。家の財布は奥さんに握られてて、自由になる金はほんの小遣い程度って言うんだな。だから、社長が何とかやりくりした金を全部吐き出させる、そういった方法はないかって、ママは言うんだな」

「女の恨みってのは恐ろしいもんだな。たとえ自分の手元にその金が転がりこまなくとも、相手を徹底的な窮地に陥れたいってか」

「まあ、そういうことだ」

謙介は暫《しばら》く考えている様子だったが、

「手がねえわけじゃない」

「何かいいアイデアがあるのか」

「一番馬鹿らしい金の使い方と言えば、博打ですっちまうことだな」

「博打？　ギャンブルか」

「それが元で借金取りに追われることになった俺が言うんだから間違いねえ」

「でも、山野社長がギャンブルなんかやるかな。あの人は、女はやるが、酒はそこそこ…

…ギャンブルをするなんてことは聞いたことがねえな」

「やんねえんならやんねえで、するように仕向けりゃいいだけのことじゃねえか」

「どうやって」

「それはな——」

謙介は、ニヤリと笑うと、全く思いもよらなかったアイデアを話し始めた。

＊

誰かが、呼び鈴を鳴らす音で目が醒《さ》めた。

昨夜は謙介が話した計画をさらに深く練り上げるために酒を酌み交しながら話し合ったせいで、ベッドに入ったのは午前四時を回った頃だった。酔いはまだ完全に抜けきってはいない。はっきりとしない頭で時計を見ると、まだ八時になったばかりだ。

いったいこんな時間に誰だろう。

反射的に体を起こそうとした僕を、

「シッ……！　陽一、動くな……」

声を潜めながらも謙介が鋭く制した。

「何事だ」

「いいから黙ってろってば……」

謙介は、炬燵の中に下半身を滑り込ませたまま、警戒心と怯《おび》えが交じった目をドアに向け干魚のように身を硬くしている。

少しの間を置いて、再び呼び鈴が鳴った。

郵便配達や宅配便にしては早すぎる。だとしたら、いったい誰なのか。こんな朝早くに訪ねて来る人間に思い当たる節はない。

不吉な予感が脳裏を過《よぎ》った。それを裏付けるように、呼び鈴が乱打された。

これはただごとじゃない。前立腺《ぜんりつせん》がじわりと痛み始めた。

謙介を見ると、顔面を引き攣《つ》らせ恐怖の色を露《あらわ》にすると、掛けていた毛布を引き上げ、頭から被《かぶ》った。

呼び鈴の音が止むと、間を置くこともなく、今度はドアが激しく乱打された。

「岩崎さあ～ん。電報でえ～す。いらっしゃいませんか」

結婚式や葬式ならいざ知らず、この時代に電報なんて使うやつがいるもんか。そんな言葉は嘘に決まっている。そこまでしてドアを開けたいと願うやつ。相手は容易に想像がつく。借金取りだ。どこでどう嗅ぎつけたかは分からないが、とにかく連中は謙介がここにいることを嗅ぎつけたに違いない。

「謙介、借金取りか？　やつらがここを嗅ぎつけたのか」

答えは聞くまでもなかったが、声を潜めて訊《き》いた。

「たぶんそうだ……あいつら俺がここに隠れていることを突き止めたんだ」

「どうすんだよ、お前！」

「出るな！　出たら俺は捕まる。そうなりゃ、この場から拉致《らち》されてマグロ船送りだ」

その間にも、激しく打ち鳴らされるドアの音は止む気配がない。ドアが叩《たた》かれる度に、ベッドの中で自然に腰が浮く。すぐにでも出ないと、外にいる借金取りが、ドアをぶち破って部屋の中に乱入してきそうな気がしてくる。

「だってお前、連中は俺がここにいるのを知っているよ」

声が震えた。ヤーさんの客は店にも来るが、少なくとも銀座ではどこの親分でもボディガードを兼ねた下っ端でも、とても紳士的で堅気の客と何ら変わりはない。それゆえに一旦《いったん》本性を現したヤーさんの恐ろしさが込み上げてくる。

「いいから、黙ってろって……ドアを開けたらお終《しま》いだ」

「だけど謙介、やつらがここに来ちまった以上、応対しないわけには行かないぜ。俺だって一日中ここに籠《こも》っているわけには行かないもの。今日だって仕事に出なきゃいけないんだ。やつらだってこのアパートを見張っているだろうし、外に出たところを捕まえられれば……」

「お前、今日は店休め」

「いい加減にしろよお前、そんなことできるもんか。休むにしても店に連絡の一つも入れないとなんねえだろうが」

「お前なあ、マグロ船に乗せられりゃ一年は海の上なんだぞ。その間に金利は嵩《かさ》む。借金は永遠になくならない。無間地獄だ。俺の身にもなってみろ。店を一日無断欠勤するくらいのこと、何だよ！」

謙介は、語気を荒らげた。

相変わらずドアを打つ手は止まる気配がない。

腹の底を震わせるような音が狭い部屋の中に響き渡る。極度の緊張からくるものなのだろうか、それとも前立腺の痛みが尿道に走るせいかは分からないが、僕は急に尿意を催した。まさか、ここでトイレに立つわけにも行かない。そう考えると、神経は下腹部の一点に集中し、膀胱《ぼうこう》がこの瞬間にも張り裂けそうになった。

「いけねえ、俺、便所に行きたくなっちまった」

「何、便所だあ……」謙介は呆《あき》れた様子で言った。「この大事な時に、何を馬鹿なこと言ってるんだ、お前」

「だってしょうがねえだろう」

「我慢しろよ」

「あの音が響くんだよ」

「構わねえ、そこでやっちまえ」

「そんなことできるかよ」

謙介は狼狽《うろた》えた様子で、部屋の中を素早く見渡した。

ベッドの下は、とてもじゃないが大の大人が身を隠せるだけの空間はない。次に転じた視線の先に、備え付けのクローゼットがあった。

「駄目だよ。あの中には物がぎっしりと詰まっていて、とてもじゃないがお前が身を隠せるスペースはないぜ」

「天井裏は」

「確か、バスルームの天井に蓋《ふた》みたいなもんがついていたと思うけど……開けたことがねえから分かんねえ」

「くそ！　絶体絶命か」

「ドア開けたら、連中入ってくるかな」

「たぶん……」

「そんなことしたら、住居不法侵入だろう。いくら何でも……」

「お前、ヤーさん相手に、警察に駆け込む度胸あんの？」

「いや……それは……」

突如ドアを打ち鳴らす音が止んだ。

思わず謙介と顔を見合わせた。まるで凄《すさ》まじい嵐が駆け抜けた後のように、打って変った静寂が部屋の中を包んだ。カーテンの隙間から、朝日が差し込んできて、薄暗い室内を仄《ほの》かに照らしていた。通りを行き交う車の音が聞こえた。

借金取りはいなくなったのだろうか。それとも、ドアの向こうで息を潜めて中の気配を窺《うかが》っているのだろうか。まるで潜水艦が駆逐艦に追われ、じっと息を潜めて頭上の敵が通り過ぎるのを待つ。そんな息苦しい時間が過ぎて行った。

尿意はますます激しくなってくる。下っ腹の筋肉が張り裂けそうだ。テーブルの上に置かれた、ヘネシーの空き瓶に目が行った。こうなれば、あの中に……。

覚悟を決めて手を伸ばしかけた瞬間だった。

キッチンの方で、アルミサッシの窓が微《かす》かな軋《きし》みを上げて、引き開けられる気配がした。昨日、室内に籠った煙草の煙を逃そうと窓を開けた際に、鍵《かぎ》をかけるのを忘れてしまっていたらしい。

やつらはまだいる!

新たな緊張感が体の中を駆け巡る。廊下に面した窓には、防犯用の格子がしつらえられており、まさかそれを破って侵入して来るとは思えないが、それでもキッチンとリビングはガラスの引き戸を隔てただけの造りだ。こちらが少しでも動けば、気配で知られてしまう。

謙介と目が合った。もはや小声でも会話を交すこともできない。

彼は目で、『動くな』と言っている。

小さな音が聞こえた。マッチを擦るような音だ。それに続いて、何かがキッチンの床にドスンと音を立てて落ちると、ごろごろと転がる音がした。

『な、何だ!』

謙介の目が問いかけて来る。それを訊きたいのはこっちも同じだ。やがて、大蛇の息吹にも似たような音がしたかと思うと、引き戸の隙間から白い煙が室内に漏れ込んできた。

化学薬品の匂いがする。

『バルサンだ！』

匂いの正体を知った謙介は、即座に布団の縁で顔を覆った。僕もそれに続いて毛布を引き上げた。視界が途切れ、真っ暗闇になった。激しい吹き出し音がする。まるでジェット機のエンジンの噴射音のようだ。

『バルサン・ジェット――』

商品名が頭を掠《かす》めた。

連中は俺たちを燻《あぶ》りだす気だ。借金から逃れようとする輩《やから》は、連中にとってはゴキブリだとでも言うのだろうか。僕からすれば、十五《とおご》なんていう法外な利子を取る金貸しこそゴキブリ以下、社会の害毒以外の何物でもない。そんなやつらに何で俺がこんな目に遭わされなきゃなんねえんだ。

顔を覆った、毛布を通して殺虫剤特有の匂いが漂ってくる。

ゴキブリを殺すパワーはあっても、まさか人間まで殺《や》られることはないとは思うが、それでも殺虫剤というからには、毒の成分が含まれていることには変わりない。こんなものを吸わされれば、どんな酷《ひど》いことになるか分かったもんじゃない。

そう考えると、何やら喉《のど》の奥の方がいがらっぽい。呼吸がだんだん苦しくなってくる。

意志と体の自然な反応は別物だ。

次の瞬間、僕はたまらず激しく咳《せ》き込んだ。蒸れた熱を放つ布団の中で、尿道に熱いものが走り、少し小便が漏れた。

もう駄目だ。

僕が咳き込んだのが我慢比べの限界だったのか、謙介もまた激しく咳き込んだ。

とにかくこんなところにはいられない。

僕は布団を撥《は》ね除《の》けると、ベッドを抜け出し、キッチンの引き戸を開け、玄関のドアに飛びついた。真っ白い煙が充満する中で、慌ただしく鍵を開け、外に飛び出した。勢い余って、コンクリートの床に這《は》いつくばった。新鮮な空気が肺の中に流れ込んでくる。涙目になったせいでぼやける視線の先に、磨き抜かれて黒光りする革靴があった。背後からやはり咳き込みながら謙介が飛び出して来た。

「なあんだ、平木さん。やっぱりこちらにいらしたんじゃないですか」

見上げると、二人の男がニヤリと笑いながら、謙介を見下ろしている。

「お支払いの期日、もう過ぎているんですがね。随分捜しましたよお、平木さん」

二人とも、線は細いがやっぱりヤクザだ。こちらが何かをしかければ、バネのように体をしならせながら、切れ味鋭い一撃を食らわしてくる凶暴さを秘めている。短く刈り込んだ頭髪。白い歯を見せてはいても、目は笑ってはいない。小さな黒目が獲物を捕らえた爬《は》虫《ちゅう》類のような残虐な光を宿していた。

「どうして、俺がここにいるって分かった」

「お父さんのところに行きましたらね、きっと岩崎さんのところじゃないかっておっしゃるものでねえ、昨夜からずっと待っていたんですよ」

何が親父は絶対喋《しゃべ》らねえだ。この大法螺《おおぼら》吹きめ。涙で視界がぼやける目で、僕は謙介を精一杯恨みを込めた目で見た。だけど、謙介は目の前に現れた『敵』に応対するのに必死で、それに気付く様子もない。

「親父のところに行ったのかよ」

「随分お怒りでしたよ、お父さん」

「それにしても、乱暴じゃないか」

「乱暴？　私たちが何かしましたか」

「バルサン放り込んだじゃねえかよ」

「はて、そんなことしましたっけ？　害虫駆除はあなた方がおやりになったんでしょう」

「こんな真冬にバルサン焚《た》く馬鹿がどこにいるよ」

「私たち、八時まで待って、お声を掛けただけです。法律順守です」

男たちはあくまでもしらをきるつもりらしい。

「こんな酷いことして、法律順守なんてよく言うよ」

「大きな口をたたくなら、借金きっちり返してからにしましょうね」男は、薄気味悪いほど落ち着いた声で言うと、「それで、お金できたんですか」

と、訊《たず》ねた。

「それが……」

謙介は口籠《くちごも》った。

「できてない？」

返す言葉が見つからないとばかりに、謙介は押し黙った。

「昨日の時点で平木さん、あんたの借金は六十八万円になってるんですよ。それが一銭もできていない。問題ですねえ」

「一生懸命やってるんだけどさ……どうしてもできねえんだよ」

「それなら、しょうがないですね。お仕事、こちらで世話しましょうか。東京と言うわけには行きませんが、少し離れたところなら、割のいいお仕事紹介して差し上げますよ」

男の一人がしゃがみ込むと、謙介の顔を覗《のぞ》き込みながら言った。

「あのう……」

見る間にしょげかえって行く謙介を目の当たりにしているうちに、たまりかねて僕は口を挟んだ。

「三十万なら今手元にあるんスけど……それで今日のところは何とかなりませんか」

「三十万円ねえ……」

二人の男は顔を見合わせた。

「あなた平木さんのお友達。確か岩崎さんでしたよね」

「はい」

「平木さんの借金の肩代わりをなさる、そういうわけですか」

「今俺の手元にあるぎりぎりの金です。今日のところは何とか……」

「あなたお仕事は」

「銀座のクラブでボーイをやってます」

「銀座のクラブでね……いや、三十万円なら、金利分にはなりますからねえ、それは結構なんですが」

男は、ちらりと謙介に視線をやると、

「でも平木さんは、姿をくらました。もうすでに前科持ちですからねえ。三十万の利子を払ってもらうのはありがたいのですが、また雲隠れされると、こちらも何かと手が掛かりますんでねえ」

冗談じゃない。今まで謙介が払った金と三十万を合わせれば、とっくに元本どころか充分な儲《もう》けを上げたはずだ。

だがヤクザ二人を前にしてそんなことを言う勇気はなかった。

次の言葉が見つからずに、思わず押し黙った僕に、

「どうでしょう岩崎さん。あなた、平木さんの連帯保証人になっていただけませんか」

「連帯保証？」

「心配には及ばないんじゃないですか。平木さんがこれからちゃんとお金を支払ってくれれば、あなたには何の害も及びません。万が一再び雲隠れするようなことになっても、私

たちにはあなたという保険がある。もしも条件を呑《の》んでいただけるなら、今日のところは三十万いただいて、引き下がることにしますがね」

「これでも、誠意を見せてるつもりなんですがね、岩崎さん」

「止めろ陽一……」

「止めろとおっしゃるなら、平木さん。ここで耳を揃えて借金返していただきましょうか」

再び謙介は、押し黙った。

連帯保証がどれだけの重さをもつものかは充分に知っているつもりだった。謙介が穴を空ければ、その全責任を自分が負うということを確約するのだ。謙介が逃げれば、次に追い込みをかけられるのはこの僕だ。しかし、この場を逃れるためには、その条件を呑む以外に方法はない。それに、昨夜二人で立てた計画がうまく行けば、借金を払ってでも有り余る金を手にすることができるかも知れない。ここは一か八かだ。

「なります。俺、連帯保証人になります」

僕はきっぱりと言い放つと、

「謙介、昨夜渡した三十万。払ってやれ」

「悪《わり》い……陽一、恩に着る……」

謙介は立ち上がると、まだ煙が立ち籠める部屋の中に消えて行った。

「それじゃ岩崎さん。この連帯保証書にサインとハンコ、お願いしますね」

準備良く折り畳まれた一枚の紙を目の前に突きつけてくると、男は歯をむき出して笑った。

＊

悪夢のような朝が終わった。

借金取りは、とりあえず三十万円の金を受け取ると帰って行ったが、残り三十八万円の借金は残ったままだ。それももはや謙介一人の借金じゃない。連帯保証人の書類に判を押した以上、謙介が払えないとなると、今度は僕がそれを支払わなければならない。それもあと一週間のうちに用意しなければ、十九万円の利子がつく。再び返済が滞れば今度はどんな目に遭わされるか分かったものじゃない。とにかくあんな物騒な連中とは一日でも早く縁を切ることだ。

僕は謙介を乗せると、ベンツを駆って摩耶のマンションへと向かった。

広尾へ着いた時には昼を少し回っていた。

事前に連絡を入れておいたせいで、摩耶はすぐに下りて行くから車の中で待つように言った。

五分もしないうちに、上品なスーツに身を包んだ摩耶が現れた。

車は玄関から歩道を挟んだところに停めていた。摩耶はコートを小脇に抱え、小走りに駆け寄ってきた。ドアのノブに手を掛けたところで、スモークが貼られた後部座席に座る謙介を見とがめた摩耶の顔に、一瞬怪訝《けげん》な表情が宿った。

「あら、平木君……お久しぶりね」

いつもは後部座席に座る摩耶が助手席に乗り込みながら言った。

「ご無沙汰《ぶさた》っス」

「今日はどうしたの？　仕事は？」

当然の質問というものだ。平日の昼過ぎと言えば、本来ならば家業の酒屋の仕事は忙しい盛りだ。

「ママ、実は例の話なんですが。謙介に手伝ってもらったらどうかと思って」

僕はギアをドライブに入れるとアクセルを軽く踏み込んだ。

「陽ちゃん、あの話、平木君に喋ったの」

言葉の端に困惑の色が見て取れた。

「すんません。でも、こいつ、勉強の方は俺と同じでさっぱりなんですが、悪知恵は妙に働くんですよ。それに無駄金を使うということにかけては天下一品。それで昨夜相談に乗って貰《もら》ったら、なかなか面白いアイデアを思いついてくれたもんで、直接ママに話して貰ったらどうかと思って」

「いやあね」ママは短い吐息を漏らしたが、「喋っちゃったんならしょうがないわね。それに三人寄れば文殊の知恵とも言うし……まあいいわ。それで、平木君、どんな面白い手を考えついたの」

「事情は陽一から聞きましたけど、要はあれでしょう、山野社長が大金を散財するように仕向けりゃいいんですよね」

「そういうこと」

「ママの懐には一銭も入らなくてもいいんスよね」

念を押すように謙介は言った。

「今回の話はね、お金の問題じゃないの。プライドの問題よ」

「だったらそんな難しいことじゃないスよ。俺、金を稼ぐのは天才的に下手スけど、陽一が言ったように無駄金を使うのは誰にも負けませんから」

妙に力を込めて、謙介は胸を張った。

「一つだけ言っておきますけど、半端なお金は駄目よ。億単位のお金を使わせるような手じゃないとね」

「分かってます。ただ、それだけの金を引っ張ってくるとなれば、尋常な手では駄目ですよ。法に触れる、つまり罪を犯すことになりますけど、それでもいいスか」

「それはしかたがないでしょうね。ただこれだけは言っておきますけど、法を犯すにしても、私たちが捕まったんじゃ元も子もない。つまり金を引き出す手段は違法行為でも、決してバレない。その点では完全犯罪じゃないといけないのよ」

「金を直接受け取らないと言うのなら、方法はありますよ」

摩耶は黙って前を見据えていたが、

「いいわ、話して聞かせて」

姿勢を崩すことなく先を促した。

「確かオリエンタル製薬と言えば、数年前に発売した育毛剤が大当たりした会社でしたよね」

「そう。育毛剤市場は六百億とも七百億とも言われているの。オリエンタル製薬が発売した育毛剤は、もともとアメリカのメーカーが開発したものなんだけれど、そこと技術提携をしていた会社が山野のところだったというわけ。それも初めて発毛効果が学会でも認められた代物だったということもあって、発売と同時にハゲや薄毛で悩む殿方がこぞって買い漁《あさ》り、あっという間に市場シェアだんとつのトップメーカーに躍り出たの。これからだって、団塊の世代がこの市場に加われば、一説には市場は一千億にまで伸びるだろうと言われていて、山野にしても笑いが止まらないといったところかしら」

「ねえママ、ハゲにとって一番恐ろしいのは何だと思います」

「そんなこと聞くまでもないことじゃない。ハゲや薄毛に悩む殿方にとって、一番恐ろしいのは自分の髪の毛がなくなってしまうことよ。だからみんなこぞって植木に水をやるように、育毛剤を頭に振りかけているんじゃない」

「ですよね」謙介は、我が意を得たりとばかりにニヤリと笑うと、「もしもですよ、オリエンタル製薬が出している育毛剤を使ったら、髪が生えるどころか、たちまちつるっぱげになるなんてことが起きたら、どんなことになると思います」

「そりゃ、大変なことになるわよね」

「あのね、ママ。オリエンタル製薬で出している育毛剤ね。中身を脱毛剤に入れ替えて、山野社長のところに送り付けたら、どんなことになると思います」

「中身を脱毛剤に入れ替える？」

「どうやら、オリエンタル製薬はあの育毛剤を発売するにあたって、異物が混入されるなんてことはあまり考えていなかったようなんですね」

謙介はブルゾンのポケットから、くだんの育毛剤を取り出した。ここに来る道すがら、薬局で購入したものだ。摩耶は助手席で体を捩《よ》じるように動かすと、それを手に取りしげしげと見詰めた。

謙介から今回の話を持ちかけられて、僕も改めて気がついたのだが、風邪薬や胃腸薬といった飲み薬に関しては、異物混入を恐れて外箱の包装も、薬本体もまた、カプセルの一つ一つが厳重にアルミ箔《はく》で包装されており、誰かが一度開けてしまえばたちどころに分かるようになっている。それに比べて、軟膏《なんこう》やクリームといった外用薬や化粧品については、お粗末極まりない包装がなされている。

「容器の状態を確かめるためにパッケージの封は切っちゃいましたけど、慎重に開封すれば、奇麗に剝《は》がすことができます。それに中のボトルにしたところで、キャップを丁寧に外せばすぐに外れる」

「中身を育毛剤じゃなく、脱毛剤に入れ替えて送り付けるって言うの」

「早い話が企業恐喝です」謙介はいとも簡単に言い放つと続けた。「こいつは効きますよ。だって考えてもごらんなさいよ。自社の主力商品がですよ、全く逆の効果を発揮するっていうんですから。客が後生大事にしている髪の毛が、たちまちのうちにばっさり抜けるなんてことになったら、大変でしょう」

「でも、山野だって馬鹿じゃないわ。そんなものが送り付けられた時点で、何らかの対策を打ち出すに決まってる」

「そうですかね。ママ、考えてもみなさいよ。異物混入の恐れがあるとなれば、オリエンタル製薬は今店頭にある在庫を全て引き揚げて中身を廃棄するか、チェックしなければならなくなるんですよ。当然それをやるにあたっては、消費者に対して、リコールの理由を告知しておかなければならなくなるでしょう。そんなことになれば、いくらオリエンタル製薬がしかるべき対策を打ったと言っても、客の誰がそんな物騒な商品に手を出すもんですか。異物混入の恐れがあると分かっただけで、消費者はたちどころに買うのを止めちゃうに決まってますよ。それに対策を講じると言うのは、製造ラインの工程を変えることを意味するんじゃないですか。となればそのコストだって馬鹿になりませんよ」

ふう〜んと鼻を鳴らすと摩耶はしげしげとパッケージに見入った。

「なるほどね、育毛剤の中身を脱毛剤に入れ替えるか……面白いアイデアね」

摩耶は白い歯を覗《のぞ》かせながら笑いを漏らした。

「これは効くかも知れないわね。山野の慌てる顔が目に浮かぶようだわ」

「会社が受けるダメージを考えれば、まず間違いなく山野社長は金を出すでしょうね」

謙介は断言した。

「それで、もしも山野がこちらの思惑通りに金を出したとして、どうやって散財させるつもり」

「その手も考えてありますよ」

「聞かせてちょうだい」

摩耶は、目に笑いを浮かべ前を見据えたまま、鼻歌を口ずさむような口調で言った。

謙介はそれから長い時間をかけて、昨夜僕と二人で練り上げた計画を詳しく話した。

摩耶は、黙ってそれに聞き入っていたが、時折、へえっとか、なるほどといった相槌《あいづち》を打つ様子から徐々に乗り気になっていることが窺《うかが》い知れた。

「面白いわ。これいけるかも知れない」

果たして謙介の言葉が終わると、摩耶はプランを頭の中でシミュレートするかのように一人何度も肯《うなず》いた。

「山野は無駄金を使い、あなたたちの下には大金が転がり込む。こんないい手はないわ」

「だけど、山野に一泡吹かせることができても、僕たちが大金を手にできるかどうかはちょっと……何しろ、ヤーさんが絡んでいることですし、それに俺、今朝追い込みをかけられたばっかかですから」

謙介は今朝あった出来事を過去に遡《さかのぼ》って説明した。だが意外にも摩耶はニコリと笑うと、

「その点は心配しなくて大丈夫。私に任せてちょうだい。少し考えがあるの」

「それじゃあ……」

「やりましょう。これ実行に移しましょう」

摩耶は初めて後部座席の謙介を振り返ると言った。

「ところであなた、その闇金に幾らの借金があるの」

「あと三十八万スけど……」

「それ、私が肩代わりしてあげる。アイデア料とこれからのお手伝い分としてね」

「本当スか」

「その代わり、山野を窮地に陥れるために、しっかり働いて貰《もら》うわよ」

「やります。山野社長だけじゃなく、自分の恨みを晴らすためなら、俺やります」

「そう、それじゃ早々に準備に入って」

「はい。それで、山野社長には幾ら要求したらいいんスか」

「そうね、五億……」

「五億！」

金額を聞いて思わず僕は急ブレーキを踏みかけた。いくら何でも吹っかけ過ぎと言うものだ。

「やるんなら、この際徹底的にやりましょうよ。それにあなたのプランが言う通りの展開

になると言うなら、お金が大きいほど成功の確率は高くなるわけじゃない」

摩耶は、唖然《あぜん》とする僕たちを尻目《しりめ》に、エルメスのケリーバッグの中から、財布を取り出して札を数え、それを謙介に手渡すと、

「それじゃ、平木君、これ三十八万円ね。私の復讐《ふくしゆう》を手伝ってくれる報酬は、計画が成功すれば自然とあなたたちの懐に入ってくる。それでいいわよね」

爽やかな笑みを浮かべ、さらりと言ってのけた。

＊

摩耶はいつものように青山の病院で降りた。謙介もまた、手にしたばかりの三十八万円を闇金に返すためにそこからやつらの事務所に向かった。

一人になった僕は、すぐに車を走らせ、銀座に向かった。

オリエンタル製薬が販売している育毛剤と脱毛剤を仕入れるためだ。晴海通りにある量販店に入ると目当てのものはすぐに見つかった。さすがに発毛効果が実証された数少ない製品だけあって、数ある育毛剤の中にあって、オリエンタル製薬のそれは陳列棚の二列を占めていた。

問題は、脱毛剤の方だった。一口に脱毛剤と言っても、さまざまなタイプのものがあることを僕は初めて知った。クリーム状のもの、シート式のもの、フォーム状のもの……。

これらは液状の育毛剤とは質感が違って、目的にはそぐわない。数ある商品を子細に見て、僕はローション式の脱毛剤を選んだ。これはロールオン式になっており、腋《わき》の下、腕、足に効果があると説明書きに記してあった。

こいつなら大丈夫だろう。

育毛剤を二本に、脱毛ローションを七本購入した。

髪を育てる薬と全く逆に作用する薬を同時に購入するなんて、考えてみれば奇妙な話だ。レジで勘定を済ませる間に、店員が不審に思うのではないかと、一瞬不安にかられたが、ごった返す客を捌《さば》くのに大変なのだろう。客が何を買ったかなんてことにいちいち注意を払っている様子もない。

勘定は一万円近くになったが、これで山野のやつに五億もの散財をさせることができると思えば安いものだ。

その夜は、摩耶ママも久しぶりに上機嫌で店に出た。

横山社長が取り巻きを連れてやってくると、相変わらずのきっぷの良さで、シャンパンからワインと、高価な酒を次々に空けた。山野というパトロンをなくして、営業をかけたものか、他にも馴染《なじ》みの客が、三組ほどやってきた。

店が終わり、いつものように広尾のマンションに送る車中で二人になると、さっそく摩耶はこの日の首尾を訊《たず》ねてきた。

「陽ちゃん、どうだった。目当てのものは準備できた」

「はい、山野社長のところの育毛剤と、脱毛ローションはここにあります」

僕は助手席に置いた紙袋をそのまま後部座席の摩耶に手渡した。

がさごそと音をたてて、紙袋の中を探る気配がする。突如車内灯が灯《とも》されると、

「なるほどね、脱毛ローションを買ったわけね」

「脱毛剤って、あれほどたくさんの種類があるとは思いませんでした。今じゃクリーム状のものとかシート式とか、いろいろあるんスね」

「育毛剤ってトニックのようなものが多いから、中身をすり替えるといっても難しいかなって思っていたのだけど、これなら大丈夫ね」

「質感はかなり似ていると思いますよ。それにオリエンタル製薬が出している育毛剤は、ボトルの先に突起がついていて、それを直接地肌に押し付けて、中身を皮膚に擦り込むようにできていますから、仮に中身をすり替えられた製品が出回ったとしても、使用者はすぐには気がつかないでしょう。違和感を感じるとしても、頭皮をマッサージする時。つまりその時点では、手遅れってわけです」

「手遅れどころか、もしも本当に使ったら、マッサージしている間に髪がばらばら抜け始めるわよ」

「脱毛剤ってそんなにすぐに効果が現れるんスか」

「ものの数分ってところね。そう、まるで髪が根元から溶けるように、見ている先から抜け始めるわよ」

「ギャハハ」僕は思わず下品な笑い声を上げた。ハンドルを握っていなければ、腹を抱えて転げ回っていたことだろう。「そんなことになったら、髪の毛一本を後生大事にしている人間にとっちゃ、大事件ですよね」

「だから、この計画、うまく行くって踏んだんじゃない。一度や二度使ったとしても、何ともないというならともかく、とにかく使ったら最後、取り返しのつかないことになるんですもの」

「でも本当に山野社長、こっちの思惑通りに条件を呑《の》みますかね」

何しろ謙介の考えたことだ。それに摩耶は五億もの金を吹っかけると言うのだ。

「まさか、警察にタレ込むなんてことは……」

「大丈夫よ。平木君、勉強の方はどうか分からないけど、犯罪を考えさせたらあの子、天才よ」摩耶は、含み笑いを漏らしながら続けた。「異物混入の恐れがある。しかも中身が脱毛剤にすり替えられたなんて言ったら、彼が言うように店頭からの商品回収、中身のチェック、容器の改良、とてつもない経費がかかる。それに製薬会社にとって何よりも恐ろしいのは、製品への信頼をなくすことですからね。要求金額は、法外と思うでしょうけど、主力製品の命運がかかってるんですもの。それに私たちが直接お金を受け取るわけでもないしね」

「それで、オリエンタル製薬との接触はどうしましょうか」

「そうね……まず最初に、中身をすり替えた育毛剤を会社、山野宛に送り付ける。もちろん脅迫文を添えてね。その文面は昼の間に考えたわ」

摩耶はバッグを探ると、一枚のペーパーを取り出したが、運転している僕にはすぐに読むことができない。

「ちょっと読むから聞いてね」摩耶は断りを入れると、「『要求文。オリエンタル製薬殿。現金五億円を用意しろ。要求を呑まなければ、一緒に送ったお前のところの育毛剤、街でばらまくぞ。中身は脱毛剤が入っている。嘘だと思うなら、お前の研究所で分析してみろ。すぐに結果は分かるはずだ。毛生え薬を使って毛が抜けたら冗談じゃ済まんだろう。成田空港の薬局に行ってみろ。これと同じ物がすでに置いてある。要求を呑めるようなら、三月一日の毎朝新聞朝刊に育毛剤の広告を載せろ。その時、連絡先の専用電話番号を掲載しろ。後の指示はその番号を通じて通告する。警察に通報したら、それまでだ』。まあこんなところでどうかしら」

「成田空港の薬局に現物を置くんスか」

「脅迫文を発送したその日に、あなたか平木君のどちらかが、成田まで行って、現物を置く。その方が現実味が増すってもんだわ」

「何で成田なんです」

「あそこの薬局は小さいけれど、比較的物が揃っているの。それに人の出入りが多いのに監視カメラがないの」

「よくそんなことを知ってますね」

「そりゃあ、何度も海外旅行をしていれば、気がつくことだって多いわよ。でもまさか、こんな時に朧《おぼろ》げに覚えていることが役に立つとは思わなかったけれど」

「脅迫文はいいとして、その後の連絡はどうしたらいいんです」

「公衆電話を使いましょう」

「それなら、番号表示は出ないし、短い時間なら逆探知の可能性もぐっと低くなりますね」

「広告が出たら、平木君が最初の電話をする。そこから先も公衆電話を使えばいいでしょう。新聞への広告といい、公衆電話といい、原始的な方法だけど、今の時代、へたに最先端の通信手段を用いるよりはいいと思うの。第一、私にしても、あなたたちにしても、最先端の通信技術に知識はないものね。素人が不確かな知識で手を出すと、どこから足がつくとも限らないわ」

確かに摩耶の言う通りだった。今の時代なら、他に連絡を取る手段はいくらでもあるには違いないが、そっちの知識は僕にしても謙介にしてもさっぱりときている。

「とにかく、これから先の準備は、二人で進めてちょうだい。それからヤクザ屋さんのことは心配しなくていいからって平木君に言っておいてね。ただ指示があるまで動いちゃ駄目よ」

「何かいい手があったんですか」

「あなた裏社会の話なんか聞かない方がいいと思うけど」

摩耶の言葉には、たちまちにして興味を封じ込める凄《すご》みがあった。

「分かりました。さっそく準備は今夜から始めます」

僕は慌てて答えた。

「それから、中身をすり替えた育毛剤の発送だけど、これも成田からにした方がいいわ」

「はあ」

「コンビニや郵便局は監視カメラがあるけれど、あそこの宅配サービスはカメラがないの。薬局に現物を置く時に一緒に発送したら手間も一度で済むわ」

「分かりました」

犯罪の計画を話し合っているうちに広尾に着いた。

「じゃあ、陽ちゃん、よろしくね」

摩耶は、そう言い残すとマンションの中に消えて行った。

深夜になって、家に帰ると、謙介が一人炬燵《こたつ》に入ってテレビに見入っていた。昨夜とは打って変わって、すっかりリラックスした顔をしていて、そこからでも借金の返済がうまく行ったらしいことが窺《うかが》えた。

「よう、お疲れ」

謙介は煙草を銜《くわ》えたまま言った。

「借金、どうだった。うまく行った？」

「ああ、三十八万、耳を揃えて返してやったぜ」

「そいつあ、良かった。とりあえずその件はカタがついたわけだ」

「と言っても、お前には返さなきゃなんねえ借金が残っているけどな」

「催促するつもりはねえけどさ、俺も懐が寒いし、できるだけ早く返してくれよな」

「心配するな。今回の計画がうまく行けば、でかい金を掴《つか》むことができるさ」

「お前の言う通りにことが運べば、の話だけどな。そう言えばママ、ヤーさんのことは心配しなくていいからってさ。ただ指示があるまで動くなって」

「何かいい手があったのかな。でもママが言うんなら間違いないだろうな……」謙介は暫《しばら》く考えていたが、「まあ、任しておけって、絶対うまく行くって」

明るい声で言った。

「せいぜい期待しているよ。ところで、摩耶ママと、実行計画について話をしたんだけどさ」

僕は、早々にさきほど聞かされた手順を話した。

「そんなところだろうな」

全てを聞き終えたところで、謙介は肯《うなず》いた。

「それで、現物は？」

「ここに持っている」

僕は紙袋の中から、育毛剤、脱毛剤、それにラテックスの手袋を取り出してテーブルの上に広げた。

「それじゃ、さっそく取りかかるか」

謙介は立ち上がると、キッチンに向かった。

「何をするんだ」

「パッケージのセロファンには前と摩耶ママの指紋がべっとりだろう。作業に入る前に、そいつをしっかりと拭《ふ》き取っておかなけりゃな」

洗面器に水を入れ、謙介が戻って来た。彼は、僕が病院から貰ってきたラテックスの手袋をはめると、洗剤をタオルに少し垂らし、洗面器の水で希釈して箱を包んだセロファンを丁重に拭《ぬぐ》った。

本当に悪知恵だけは働くやつだ。

「カッターナイフあるか」

「あるよ」

机の中からカッターナイフを取り出して渡すと、謙介は、箱を包んだセロファンの上部の接着面に鋭い刃を立て、丁重に、細心の注意を払いながら、刃の先端で弾くように剝《は》がして行く。息が止まる。深い吐息が漏れる。その度に薄いセロファンの合わせ目が徐々に剝がれて行った。

「陽一、お前は脱毛剤の栓を開けてくれ」

「分かった」

こっちの作業は随分と楽なものだった。樹脂でできた容器の先端には、ロールがついており、本体とその部分は一見固く接着されているようだったが、力を込めて捻《ひね》るとねじこみ式になっているそれは、意外なほど簡単に外れた。

七本の脱毛剤の容器を開け終えた時には、謙介も最初の一本のセロファンの開封を終えていた。

「よし、うまくいったぞ」

「こっちもＯＫだ」

「それじゃ、いよいよ、中身をすり替えようか。鋏《はさみ》をくれ」

「よしきた」

鋏を受け取った謙介は、育毛剤のキャップを外した。容器の先端には、樹脂でできた栓、その中央に小さな乳首を思わせる突起がついている。これを地肌に押し付ければ、そこから中の薬品が滲《にじ》み出てくるという仕掛けだ。鋏が容器と栓の合わせ目に入った。てこの原理を応用して、それを持ち上げる。力を入れると、じりじりと栓が上部に持ち上がった。

やがて、栓がポンと小さな音を立てて容器から外れた。

中に詰まった育毛剤に含まれる香料の匂いが鼻をついた。

「これでよし。中身を捨てるぞ」

謙介は、一気に育毛剤の液体を洗面器の中にぶちまけた。狭い部屋の中はその匂いでいっぱいになった。再びキッチンに向かった謙介は、容器を丹念に洗うと、今度はアルミホイルを手に戻って来た。器用に薄いアルミホイルで漏斗を作ると、すでに蓋《ふた》を開けてある脱毛ローションを流し込んだ。三本半ほど流し込んだところで、容器が満たされた。机の上に置いた蓋を閉じる。ぱちりと音がして容器が密閉された。

どちらからともなく、思わず溜息《ためいき》が漏れた。

「脱毛剤の威力ってもんをちょっと試してみるか。陽一、脛《すね》をだせよ」

「いやだよ、俺。それにそんなに毛深くないもん」

「度胸のねえやつだな。いいよ俺が試してみる。送ったはいいが、効き目がねえんじゃしかたがねえからな」

謙介は、そういうとジーンズの裾《すそ》を捲《めく》った。脛毛が露《あらわ》になった。そこに脱毛ローションが入った容器を押し付ける。とろみを帯びた液体が滲み出してくる。

「どう？　何ともない？」

「ああ、別に」

謙介は手袋をはめたままの手で、脛を擦り始めた。二度三度……。変化は傍目《はため》にも露骨に現れた。密生した脛毛が、根元から溶けるようにずるりと抜け落ちた。まるでホラー映画の中で、腐敗した死体から頭髪が抜け落ちるような不気味さだった。

「すげえ！」思わず僕は唸《うな》った。「こいつはいいぞ。こんなもんが育毛剤の代わりに混入したなんてことになったら、山野のやつ卒倒するぞ。うん、いける、いけるぞ、これ」

謙介は自ら発案した計画の見事さに、うっとりするような声を上げると、

「もういいや。効果の程が確認できれば、充分だ」

慌ただしく立ち上がると、バスルームに駆け込んだ。

第五章　復讐

実際に計画が実行に移されたのは、それから三日後のことだった。

実のところを言えば、すぐにでも脅迫文を添えたブツを山野の許に送り付けることができたのだが、摩耶から待ったがかかったのだ。

それがなぜなのかは分からない。いくら理由を訊《たず》ねても、「こういうことはね、タイミングが肝心なのよ」と言うばかりで、詳しいことは喋《しゃべ》ってはくれなかったが、彼女にはそれなりの計算があるようだった。

脅迫文は学生時代に使っていたパソコンを使って作成した。いくら三流大学の出身とはいえ、今どきの学生にとって、パソコンは必需品だ。レポートを作成するにしても、就職のエントリーをするにしてもパソコンがなければどうにもならない。

内蔵しているワープロソフトは、広く使われているもので、万が一にでも山野が警察に垂れ込んだとしても、ここから足がつくとは思えない。もちろん、脅迫文を印刷したプリンターには機種によって、それぞれ癖があるだろうし、印字に使用するインクの質からタイプを特定することはできるだろう。それにしたって少なくとも万という単位で市場に流れ、しかも購入してから、約五年ほどの時間が経っているのだ。どこの誰が買って行ったのかなんてことを特定することは不可能だろう。僕が文面をパソコンに打ち込み、プリントアウトされた脅迫文を、ラテックスの手袋をはめた謙介がピックアップし、買ってきたばかりの封筒に入れた。もちろん紙をプリンターにセットする際にも同様の処置を取った。

つまりここからも指紋を採取することもできはしないわけだ。

梱包《こんぽう》に使ったカートンは、育毛剤の中身をすり替えた翌日が、ちょうど資源ゴミの回収の日に当たっていたので、深夜の街を徘徊《はいかい》し、ゴミ置き場から適当なものを拾ってきてそれに当てた。真冬と言うこともあって、手袋をはめて夜の街をうろついていても怪しまれることはない。季節もまた、僕たちの計画を実行に移すには最適だったと言うわけだ。

部屋に持ち込んだカートンを、ラテックスの手袋をはめた謙介が組み立てる。そこに緩衝材となる紙を丸めて押し込んだ。こいつもまた、資源ゴミとして出された雑誌を破って使った。確か数ヶ月前のマンガ週刊誌だったと思うが、それだって発行部数が数十万部はあるだろう。この作業も謙介が行なった。

最後の仕上げにガムテープで蓋《ふた》を閉じると、あとはそいつを発送するばかりとなった。

そして三日目の早朝、まだ布団の中に入っている間に、机の上に置いておいた携帯電話が鳴った。

「陽ちゃん、私」

「はい」

液晶画面に表示された名前から、掛けてきた相手は事前に分かっていた。摩耶の声を聞いて、眠気が吹っ飛んだ。

「今日、やるわよ。あなたでも平木君でも、どちらでもいいわ。成田に行って、例のブツを送り付けてちょうだい」

「分かりました」

「でも、成田に行くのに、車を使っちゃ駄目よ。Nシステムがナンバーを記録しているから、もし、山野が警察に通報するようなことがあれば、足がついちゃうかも知れないから」

「電車を使えばいいんですね」

「そういうこと」

時計を見ると、時刻は午前八時を回ったところだ。これから電車で成田に向かうとなれば、錦糸町《きんしちょう》の駅から総武線快速を使うのが最も早い。

「すぐに出ます。たぶん昼前には成田に着けると思います」

「明日には、山野の元にプレゼントが届くわけね」

「ええ、夕方までに出せば、確実に」

「とんだ週の始まりってわけね。山野の慌てる姿が目に浮かぶようだわ」

「でもママ、俺、この三日間の間に考えたんスけど。今のタイミングで、こんな脅迫をしたら、真っ先に疑われるのはママじゃないスか。大丈夫スかね」

おそらくこうした恐喝をするとなれば、真っ先に疑われるのは怨恨《えんこん》の線だ。山野個人、あるいはオリエンタル製薬が、日頃から誰かに恨みを買うようなことがあれば別だろうが、たいていの場合、考えの行き着く先は決まっている。

「大丈夫よ。あなたも意外と心配性ね」意外にも摩耶は受話器の向こうで笑い声を上げた。「だいたいね、金額が金額よ。五億。いくら銀座の女を愛人にした揚句に別れ話を切り出したと言っても、そんな法外な金を要求する女なんているもんですか。そりゃあ、最初は疑ってかかるかも知れないけれどね。要求した金の受け渡し方法を知った瞬間に、そんな疑いは吹っ飛んじゃうわ。それにね、製薬会社っていうのは、意外とトラブルが多いところなの。あまり表には出ないけれどね」

「トラブル？」

「あれだけ多くの製品を出しているんですもの。薬が効かないならともかく、人によっては思わぬ副作用を訴えてくる人だっているわ。医者が処方したものなら別として、売薬の場合は効き目も千差万別ですからね。あなた、お客様相談センターって知ってる」

「ええ、医薬品に限らずどんな製品にも必ず書いてありますよね」

「世の中にはいろんな人がいてね。何かと言うと、そこに電話をしてきては、文句を言う人が後を絶たないのね。その多くはいわゆるクレーマーってやつで、少しでも何かしらの金品をふんだくろうと目論《もくろ》んでいる連中なんだけど、そんなセクションに回された人は、それこそノイローゼ寸前になることが多いって、山野、前にこぼしていたことがあったもの。もちろん会社は表面上、誠心誠意対応するんだけれど、中には電波系って言うのかしら、どう考えても精神状態がショートしている人も少なくないらしいわ。まあ、そういう意味では、どこで恨みを買ってるか分からない商売なわけ。思い当たる節は考えれば考えるほど多いんじゃないかしら」

「ならいいんですけど」

「とにかく、実行は今日よ。準備ができたらすぐに成田に向かってちょうだい」

摩耶は自信満々といった態《てい》で、言い放つと電話を切った。

「ママからかよ」

炬燵《こたつ》の中に下半身を潜り込ませ、会話の一部始終を聞いていた謙介が訊ねてきた。

「ああ、実行は今日だそうだ」

「そうか、それでどっちが行く。俺か、お前か」

いざそう問われると、僕は少しばかり気後れした。いよいよ法を犯す。その恐怖がそこはかとなく込み上げてきた。成田の到着ロビーに行って、パッケージを宅配で送る。薬局に行って、中身をすり替えた育毛剤を陳列棚に置く。どちらも単純極まりない作業だが、一人では何となく心もとない。できることなら、すり替えの作業は謙介にやってもらいたかった。少なくとも、僕よりは謙介の方がずっと度胸は据わっている。

「二人で成田に行くっていうのはどうだ」

「二人で？　たかだか、ブツを発送して、薬局で偽毛生え薬をすり替えるだけだぜ」

「いや、正直、いざとなると何となく……」

「怖いのかよ？」

僕はこくりと肯《うなず》いた。

「しょうがねえやつだな。女学生の連れションじゃあるまいし」

「二人で行って役割を分担すれば時間も短くて済むだろう」

「いいよ、毒を食らわば何とやらだ。それに俺とお前は共犯者だからな」

「すまんな」

謙介はニヤリと笑うと立ち上がり、着替えを始めた。僕もベッドを抜け出し、外出の支度を整えた。

それから二人で錦糸町の駅にタクシーで向かい、成田行きの総武線快速に乗った。日曜の午前中ということもあって、車内は閑散としていた。謙介が膝《ひざ》の上に載せている紙袋の中には、カートンと、すり替え用の育毛剤が入っている。

役割はすでに決まっていた。山野宛のパッケージを送付するのは僕、薬局ですり替えるのは謙介だ。

成田空港の地下にある駅から、出発ロビーに上がる。大きなスーツケースを手にした人たちでロビーはごった返していた。薬局は銀行や郵便局がある一階下のフロアー、宅配便のカウンターはそのまた一つ下の階の到着ロビーにあるはずだった。

「それじゃ、俺は薬局に行く。お前は宅配カウンターだ。いいな」

「分かった」

謙介はそう言い残すと、まるで散歩に出掛けるような気軽さでエスカレーターに向かって歩いて行った。中身をすり替えた育毛剤は、ブルゾンの中に入れてあるはずだった。一人になった僕は、紙袋を手にその後に続いた。革手袋の中の手に、じっとりと汗が滲んでくる。

こいつを発送すれば、後戻りはできない。先にエスカレーターに乗った謙介は、目的の階で降りると、こちらを振り返ることもなくフロアーの奥に向かって歩いて行く。更に一つ下のロビーに降りると、ここもまた大きなスーツケースや、土産の入った袋を手押し車に載せた旅行者でごった返していた。

宅配窓口はすぐに見つかった。

「荷物を送りたいんですが」

カウンターの窓口で僕は言った。

「着払いでしょうか、先払いですか」

カウンターの中にいる女性が事務的な口調で訊《たず》ねてきた。

「先払いでお願いします」

女性は軽く肯くと、送り状を差し出してきた。

紙袋の中から箱を取り出す。ぶ厚い送り状にオリエンタル製薬の住所と、山野の名前を念のため代表取締役社長の役職名と一緒に書き込んだ。革手袋をはめているせいで、文字がぎこちなく歪《ゆが》んだものになった。最後に差出人の名前の欄に『本人出し』と書いた。

もしも子細に記載事項をチェックされたら、どうしようと、一瞬不安が過《よぎ》った。また前《ぜん》立腺《りっせん》が疼《うず》き始めた。

誰がどう見たって、目の前にいる自分がオリエンタル製薬の社長でないことは、すぐに分かってしまう。もしも、山野が警察に知らせるようなことにでもなれば、きっとこの女性が真っ先に聴取をされるに違いない。

やっぱり、眼鏡をするとか、サングラスを掛けるとか、変装の一つもしておいた方が良かったかな。

一瞬、そんな思いに駆られたが、カウンターの中の女性は、差し出した送り状を子細に見る様子もなく、何重にも重なった紙の一枚を抜き出すと、差し出してきた。

料金をキャッシュで支払った僕は、それをポケットの中にねじ込むと、すぐにその場を立ち去った。

時間にすればものの五分も経っていないだろうに、背筋にはべっとりと汗が滲《にじ》み、シャツがへばりつく不快な感触があった。今度は上りのエスカレーターに乗りながら、そこでアパートを出てからずっとはめっぱなしにしていた手袋を脱いだ。指先まで汗でべったりと濡《ぬ》れた手を、ブルゾンの胸元で拭《ぬぐ》った。

出発ロビーに謙介の姿はまだない。緊張感から解放されたせいで、急に煙草が吸いたくなったが、謙介の首尾が気になって、僕はその場から離れることができなかった。

軽やかなチャイムの音に続いて、搭乗案内のアナウンスが流れる。何度目かのアナウンスが流れたところで、エスカレーターの降り口に謙介が姿を現した。

「うまく行ったか」

「ああ」謙介はニヤリと笑うと、「煙草、吸いてえな」

と言った。

喫煙エリアには、搭乗待ちの旅行者がたむろしている。

あんなところで、やばい話をするわけには行かない。

「随分時間がかかったじゃねえか」

「ママの言った通り、監視カメラはねえんだが、その分、店が想像していた以上に狭いんだ。店員の目を盗んでブツを置くタイミングを見計らっているうちに、時間が経っちまったんだよ」

「まさか気付かれたりしてねえだろうな」

「そんなヘマをするかよ」謙介は不遜《ふそん》な笑いを宿しながら言った。「こっちがタイミングを見計らっているうちに、客がやってきてな。その応対に気を取られている間に、オリエンタル製薬の育毛剤が置かれた棚の一番奥に潜り込ませた。大丈夫、絶対気付かれたりしてねえ。それでそっちの首尾は」

「全然問題なし。明日の午前中にはオリエンタル製薬本社にブツは送り届けられることになっている。差出人は社長本人ってことにしてあるからな。まず間違いなく開封されるこだ」

「よし、これで計画の第一段階は終了ってわけだな。ママに電話を入れておいたらどうとなく、山野の手元に届くだろうさ」

「ああ、そうだな」

僕はブルゾンのポケットから携帯電話を取り出すと、摩耶に電話を入れた。

「あっ、ママすか。陽一っス」

「陽ちゃん、どうだったうまく行った」

「ええ、ブツは無事山野社長のところに送りました。明日の午前中には手元に届くはずです。薬局の方もうまく行きました」

「これで準備完了。あとは山野がどうでるかね」

「山野社長、こっちの思惑通りに動きますかね」

「動くわよ。大丈夫、それは心配しなくていいわ」

「俺たちはこれからアパートに帰ります」

「ご苦労様。山野の驚く顔を見たい気もするけど、楽しみは三月一日の朝刊までとっておくことにするわ」

摩耶はそう言うと、ころころと鈴を鳴らすような声で笑った。

＊

「はい、岩崎です」

携帯電話にさくらからの電話が入ったのは、それから一週間の後のことだった。

「陽ちゃん、私」

前に彼女から電話を貰《もら》ったのは、いつのことだっただろう。

今では手の届かないところに行ってしまったさくらの声を聞いただけで、僕の胸の片隅に疼くような痛みが走った。

心なしか、さくらの声に元気がないような気がした。

「久しぶり。元気だった」

「ええ、まあ……」

「どうしたんだ、いったい。君から電話なんて珍しいじゃないか。何かあったの」

「単刀直入に聞くわ。最近あなたのお店に山野社長、行ってない？」

「山野社長？　いや、君が店を移ってからは、一度も来ていないよ。何でそんなこと聞くんだ」

「このところ、電話をしても、『仕事が忙しい』って言って、お店に来ないばかりか会ってもくれないんだもの」

「会ってくれないって、たかだか一週間程度のことだろう。うちの店に来てた頃だって、毎週ってわけでもなかったと思うよ」

「でもその前までは、お店に来るのは週一でも、私とは少なくとも週二回は会っていたのよ」

週二回会う。それが何を意味するかに説明はいらない。つまり最低でもさくらは山野のやつに週二回は抱かれたと言うことだ。六十に差しかかった男が、それほどの回数をこなせるものかは分からないが、僕は脳天を突き破りそうな怒りと嫉妬《しっと》に駆られた。

もっとも、そこまでさくらに入れ込んでいる山野が、ぴたりと会うのを止めた。その理由が何であるかに説明はいらない。自分たちが送り付けた、例のブツ。それをどうするかで、頭がいっぱいなのに違いない。

「さくら、もしかして、お前、山野社長と摩耶ママがよりを戻したとでも思ってるんじゃないのか」

電話の向こうで、さくらが押し黙った。

「それなら、心配はいらないよ。さっきも言ったように、山野社長は店には来ていないから」

「だったらいいんだけど……でも何か様子が変なのよね。いつも何かに追われているように、落ち着きがないし。昨日は会社が大変な時なんだなんてことを口走るし……」

「君のお父さんの工場への注文はどうなってる。今まで通りの仕事を回してくれてるんだろう」

「それは約束ですもの。相変わらず大きな注文を貰っているわ。でも、私の仕事とそれとは別よ。このままじゃ今月のノルマの達成は覚束《おぼつか》ないわ。当然……」

言いかけたところで、さくらは言葉を濁した。

さくらにしても歩合制のホステスだ。毎月彼女のもとに落とす金は当然のことながら、愛人としての彼女への手当が含まれている。それが実行されないとなれば、山野に体を開く意味がない。ノルマが達成できないとなれば、店での居心地も悪くなるだろう。

僕は、さくらもすっかり銀座の女になってしまったのだなあと、遠いところに行ってしまった寂しさに襲われると同時に、少し気の毒になった。かといって、まさか本当のことを話すわけにも行かない。

「会社が大変な時？　妙だな、オリエンタル製薬の業績は好調なんだろう。株価だってこのご時世にあって安定している方だし」

「陽ちゃん、詳しいのね」

「ボーイとは言ったって、銀座で働いている男だぜ。経済新聞くらい読むさ」

一瞬、ぎくりとしたが、慌てて僕は言葉を繕った。

「とにかく、その程度のことならそんなに心配することはないって」

「でもね、陽ちゃん。社長こうも言ったわ。『とにかくここを乗りきらないと、お前にも充分な手当を払ってやることもできなくなる』って」

「分かんねえな。会社で何かよほど重大なことが起きているのかな」

「もしも、今社長の身に何かあったら、私の努力は水の泡だわ。何のために、あの男の愛人になったのか……」

さくらの決意を思うと、気の毒な気がしたが、摩耶をいとも簡単に切り捨てた山野のことだ、さくらに飽きれば次の女に走るに決まっている。それにさくらにしたところで、愛人なんてあやふやな立場に身を置くことは、早く止めるに越したことはない。奇麗な花も、枯れる時が来る。銀座で働いてまだ一年足らずだが、それでもこの間にかつては一世を風《ふう》靡《び》したと言われるママが、今ではしがない店を細々とやっている姿は腐るほど目にしてきた。さくらにしたところで、このままこの世界に身を置いていれば、いずれはそんな日がやってくるに違いない。

衰えは確実にやってくる。それも徐々に……。気がついた時にはもう遅い。

山野が大金を失いパトロンとして、さくらに注ぎ込む財力を失う。そうなれば、さくらも銀座を離れ、元のように家業を手伝い、やがては誰かのもとに嫁ぎ、幸せな結婚生活を送ることだってできるかも知れない。でも、その相手は僕じゃない。少なくとも、山野と愛人関係にあった。その事実を、僕は忘れることはできない。

さくらを元の道に戻してやる。勝手な言い草かも知れないが、それが彼女への最後の愛情の証《あか》しだと僕は思った。

「とにかく、そんなに気にすることじゃないさ。仕事にけりがつけば、またいつものように店に姿を見せるようになるさ」

僕はそう言うと、電話を切り、着信履歴に残ったさくらの番号を消去した。

さようなら、さくら――。

＊

机の上に置いた携帯電話が、けたたましい音を立てて鳴った。部屋の中はまだ暗い。ベッドの中で跳ね起きた僕は、電話を耳に当てた。

「もしもし陽ちゃん、新聞見た？」

相手は摩耶だった。口調から興奮した様子が伝わってくる。

「いや、まだっスけど」

「やったわよ。今朝の毎朝新聞の三面にオリエンタル製薬の広告が載っているの。電話番号もバッチリ書いてあるわ」

「本当スか」

電話の鳴る音で目覚めた謙介が灯《あかり》をつけた。蛍光灯が瞬き、部屋の中が明るくなった。時計を見ると午前五時だ。声の様子からすると、摩耶は一睡もしないで朝刊の到着を待っていたらしい。

「ここまでは計画通りね。さっそく第二段階に入るわけだけど……」

「ママ、この電話、何を使ってるんです」

僕は、摩耶の言葉を遮って訊《たず》ねた。

「あなた盗聴を心配しているの？」

図星だった。今回の件で、一番最初に疑われるのは摩耶だという疑いは拭《ぬぐ》い去れなかった。警察に通報していなくても、興信所という存在がある。コードレス電話や、携帯電話でも、電波を発する電話からの会話は、盗聴される恐れがある。僕はそれを心配したのだ。

「大丈夫よ。私だってその程度の知恵は働くわ。自宅の親機から電話しているから、盗聴される心配はないわ」

「それならいいんスけど」

「いよいよこれからは平木君に本格的に働いて貰わなければならなくなるんだけど、一番早い競輪開催日はいつ？」

「ちょっと待って下さい」

受話器を離した僕は、

「ママからだ。今朝の毎朝新聞にオリエンタル製薬の広告が載ったそうだ。それで、一番早い開催日はいつかってさ」

「それはとっくに調べてある。京王閣《けいおうかく》が今日から三日間だ。二日目の準決勝がもっともいいから実行するなら明日がいいんだが……」

「京王閣が今日から三日間。明日がベストだそうです」

「そう、それじゃこうしましょう。朝、一度、オリエンタル製薬に電話を入れて五億準備ができたかどうかを確認する。その時に現金を一億ずつ、五つに分けて準備するように指示をする。その後の指示は追って連絡すると言うのよ」

「最終的に京王閣に向かうよう、命令するのはいつにするんです」

「明日よ」

「分かりました。だけど、ノミ屋への仕掛けはどうするんです。いきなり明日買いを入れたら、変に思われるんじゃないスか。謙介もそこのところを心配していて……」

「平木君、妙なところに頭が働くのね」受話器を通して摩耶の含み笑いが聞こえてきた。「心配しなくていいわ。手はちゃんと打ってあるから。今日から若田《わかた》という名前で六レースから十レースまで、一つの目に十万円ずつ、思い通りの車券を買いなさいよ」

「若田……ですか」

「そう、実行当日もその名前でノミ屋に電話しなさい」

「でも……」

「心配することはないわ。いくら損しても、あなたたちには迷惑がかからないようになっているから。ただし、購入する車券は勝負の時までは五通り以内よ。いいわね」

「分かりました。若田の名前で六レースから十レースまで、一つの目に十万ずつ五通り以内ですね。それで、明日はどんな段取りにしましょうか」

「そうね、勝負するのは最終の二レースだったわね」

「そうっス」

「最初のレースに二億。次のレースに三億でどうかしら。それまでは、平木君はいつものように十万円ずつ五通りの車券をノミ屋から買う。山野が指示した金をぶち込んだところで一気に勝負に出る……」

「了解しました」

「それから平木君に伝えてちょうだい。一目の賭《か》け金の上限は五十万円になったけど、払い戻しの上限は二百倍まで受ける手筈《てはず》になったって」

「どういう意味スか」

「平木君に訊《き》けば分かるわ。とにかく、山野に五億の金を使わせれば私の復讐はお終《しま》い」

摩耶は電話の向こうで、ふっと軽い笑いを漏らすと、「あとは平木君の腕一つ。陽ちゃんは気合いを入れて、山野のところへ電話をしてちょうだい。せいぜい悪ぶってね」

その言葉を最後に、摩耶は電話を切った。

僕は、摩耶の指示を謙介に伝えた。

「何だって！　払い戻しを二百倍まで受ける手筈になってる。ママそう言ったのか」

謙介は興奮の色を露にして言った。

「それって、何か意味あんの？」

「大ありさ。ノミ屋だって馬鹿じゃない。連中なりにパンクしねえよう独自のルールを設けているのさ。つまり、賭け金の上限も決まっていれば、配当はどんなにつこうが百倍で足切りだ。それが今回は払い戻しを二百倍まで受ける。どうやらママの背後にはそうとうなバックがついたな」

　上気した顔に不敵な笑いを宿した。

「バック？」

「尻持《ケツも》ちってやつさ。何しろ相手はヤクザだろう。俺たちの思うような展開になって、金を本当に支払って貰《もら》えるかどうかなんてことは分かりゃしねえ。何しろ今回の場合金額が金額だからな。本当にノミ屋が飛んじまうかも知れねえんだ。逃げられないために、何らかの手を打った。そう考えるしかねえだろう」

「まさか……」

　一瞬、横山の顔が浮かんだ。摩耶の客の中でスジ者と言えば彼しかいない。彼女はきっと今回のプランを横山に話し、何らかの手を打ったに違いない。僕はそう確信した。

「何だよ」

　謙介が怪訝《けげん》な表情で問い返してきた。僕は思いついた通りのことを話して聞かせたが、

「まっ、そんなところだろうな」意外にも謙介はあっさりと言い放つと、「ママの馴染《なじ》みなら、大丈夫だろう。俺たちにとって、ママが尻持ちみたいなもんだからな。見てろよあのノミ屋。ぶっ潰《つぶ》してやる」

　立ち上がった。

「どこへ行くんだよ」

「決まってるじゃないか。連絡は全て公衆電話を使う。そうじゃなかったのか」

「そうだけど」

「だったら、少しでもここから離れたところの方がいい。それも、人通りの多いところの方がかな」

「どこがいいかな」

「そうだな」謙介は少し考えていたが、「東京駅がいいだろう。人通りも多いし、公衆電話もたくさんある。少し早いが、これから電車で出掛けて、朝飯を食えばちょうどいい時間になるだろうさ」

それから着替えを済ませた僕は、連れ立って月島駅に向かった。早朝の電車はまだ、それほど込み合っていなくて、東京駅の地下の喫茶店でモーニングサービスを取りながら、僕たちは少し時間を潰した。

時計が午前九時を指したところで、

「そろそろ、やるか」

予想紙に赤ペンを走らせていた顔を上げると、謙介が言った。

支払いを済ませて店の外に出ると、地下の商店街は開店の準備がすっかり整い、人通りも増していた。二人で適当な公衆電話を探して歩くと、地下街の外れに目当てのものが見つかった。携帯電話が普及した今の時代に公衆電話を使う人間はそう多くはない。まるで人目を避けるように地下街の片隅にひっそりと置かれた三台の公衆電話、その一台を僕は手に取った。

もしもオリエンタル製薬が警察に通報していれば、逆探知で場所を突き止めることは難しくとも、録音は必ずしているはずだ。犯人に直接繋《つな》がる手がかりがないとなれば、いずれはテレビやラジオといった媒体を通して、録音テープが公開されないとも限らない。声色を遣うことは考えていたけれど、相手にはどう聞こえているかは分からない。もしも謙介が脅迫電話をかけて、それが公開され、ノミ屋が聞いたら、警察には分からなくとも連中が気がつく可能性だってある。そんなことになれば、追い込みをかけられ、こちらの命がない。当然、電話をかけるのは僕の役目となった。

いよいよボタンをプッシュする段になって、僕は再度人目がないか、周囲を見渡した。

地下街の外れは閑散としている。ふと正面にあるガラス張りのショウウインドウに目が行った。

アイデア商品を売る店だった。

僕は閃《ひらめ》くものがあって、一度持ち上げた受話器を元に戻した。

「どうした」

謙介が問いかけてくる。

「あのさ、確か声を変えるガスってあったよな」

「声を変えるガス？」謙介は少しの間考えを巡らしていたが、「ああヘリウムガスのことか。吸うとドナルドダックのようになるやつな」

「あれを使おう。きっとあの店になら売っているはずだ」

「そいつぁいいアイデアだ」

謙介は一も二もなく賛成した。

睨《にら》んだ通り、その店で目的のものは入手できた。僕は、いちばん近くにあるトイレを見つけると、個室の中でボンベの中のガスを吸った。ドアを開けると謙介が立っており、

「どう、この声」

瞬間、謙介が腹を抱えて笑い出した。

「誰が聞いても、ドナルドダックだ」

「笑うな、馬鹿」

我ながら情けない声になったと思いながらも、僕はトイレを出ると、また公衆電話のところに戻り受話器を取り上げた。緊張で手が少し震えた。謙介が何気ない仕草で背後に立ち、壁となって死角をつくる。僕は手袋をはめたままブルゾンのポケットからハンカチを取り出すと、念のために受話器を覆い、メモしてきた番号をプッシュした。

呼び出し音が鳴る。二度、三度……。

四度目で受話器が持ち上がった。

「オリエンタル製薬でございます」

緊張した男の声が聞こえた。

「要件を伝える」

僕は更に喉《のど》を狭めて頭のてっぺんから振り絞るような甲高い声を上げた。まるでオカマになったドナルドダックが喋《しゃべ》っているような裏声になった。背後で、謙介が噴き出すのが分かったが、そんなことに構っている暇はない。一刻も早く、要件を伝え、電話を切ることだ。

「金は準備できたか」

「もしもし……当社に育毛剤を送られた方ですね。今あなた方の要求をかなえるべく、現金を準備しているところですが、何ぶん五億もの現金を準備するとなると……」

「一度だけしか言わない。五億を明日の早朝までに準備しろ。それを一億ずつに分けて次の指示を待て。要求が実行されない時は、脱毛ローションにすり替えた育毛剤を全国の薬局にばらまく。また明日電話する」

それだけ言うだけでもとてつもなく長い時間に感じた。汚らわしいものに触ってしまったかのように、受話器をフックに叩《たた》きつけた。

「よし、十五秒だ」

腕時計を見ていた謙介は、そう言うなり腹を抱えて笑い出した。

「何だ、今の声。まるで『我々は宇宙人だ』とでも言い出すのかと思ったぜ」

「馬鹿なこと言ってる場合かよ。さっさとここを離れることだ」

顔が熱くなるのを感じながら、僕は小走りに駆け出した。それに謙介も続いた。

「大丈夫かな。まさか警察が逆探知なんかしていねえだろうな」

「そんなに短時間で、逆探知なんてできねえんじゃないの。ほらよく、テレビのドラマなんかでやってんじゃん。『奥さん、電話はできるだけ長く引き伸ばして下さい』なんてさ。十五秒なら大丈夫さ」

「でもさ、最近じゃ通信技術が進歩してるからな。もしかして一瞬にして、かけた場所が分かったりしてさ」

今更ながらに、ことこの点については何一つ下調べをしていないことに気がついて、この瞬間にも背後から肩を叩かれるような思いに捕らわれ、歩調が速くなった。

「俺ら、文系だし、そんな知識は持ち合わせていねえもんな。大学でもろくに勉強してなかったし」

「とにかく、早く家に帰ろう」

「ちょっと待て」

早足になった僕と肩を並べながら、謙介が何かを思いついたように言った。

「ちょっと薬局を覗《のぞ》いてみようぜ」

「薬局？」

「もしもオリエンタル製薬が、警察に知らせていれば、当然被害を想定して製品を密《ひそ》かに回収にかかっているんじゃねえの」

どうして謙介はこうしたことになると、妙に頭が回るのだろう。

「そう言えばそうだな」

僕はすっかり感心した。

「もしもだぜ、それをやらねえで、被害者が出たら、オリエンタル製薬はもちろん、事前に通告を受けていた警察にだって、責任の一端はあるってことになるわな。いや連中が届けを出していたら、警察が回収指示を出すに決まってる」

「よし、行ってみるか」

背後を振り返り、行く先に不審な人間の影がないかを気にしながら、僕たちは薬局を探した。それはすぐに見つかった。八重洲《やえす》の地下街の一角にあるかなり大きな薬局だった。中に入ると、まっすぐに育毛剤の棚に向かった。何種類もの同種の薬品の中にあって、オリエンタル製薬のそれは、ここでも二列の棚を専有していた。

回収はされていない――ということは――。

「おい、どうやら、連中、警察には通報していねえようだな」

「そのようだな」

「とにかく、家に戻ったら、すぐに逆探知のことを調べてみよう。こいつはこれから先、本番になってどういう手段を取るか、もう一度考え直さねえとなんねえことかも知れねえからな」

もちろん、異存はなかった。少なくともあと三回はオリエンタル製薬に連絡を取らなければならないのだ。今回は、どうやらうまく行ったようだが、何しろ五億もの金を出すとなれば、土壇場に来て連中の気が変わらないとも限らない。用心するに越したことはない。

薬局を出た僕たちは、一目散にＪＲのホームを目指して、再び早足で歩き始めた。

＊

アパートに帰り着くとすぐ、僕はパソコンに飛びついた。

もしも警察が逆探知をしていた場合、それに要する時間はどのくらいなのか。本来ならば事前に調べておかねばならないことを、今になって改めて確認する気になったのだ。

『逆探知に要する時間はどのくらいですか』

もちろん電話局や警察なら正確な答えは持っているに違いないが、知ってはいても教えてくれるはずがない。こうした裏情報とも言うべきものは、インターネットで検索してみるに限る。

さっそく検索サイトを立ち上げ、キーワードに『逆探知』と入れてみた。驚くほどのヒットがあった。こんなものをサイトにアップして何の役に立つのか全く理解できないが、どうやら世の中には、物好きな人間が多いものらしい。少なくとも今日のところは、ネットオタクに感謝しなければならない。

最初のページの一行目にそれらしい文言が並んでいる。サイトを開くと、八行ほどの文章が表示された。

一読仰天した。

このサイトの情報が正しければ、それなりに逆探知に時間が必要なのは、従来のクロスバー交換機を経由される場合で、最近では電子交換機やデジタル交換機が増えてきて、これを経由する場合はどこからかかってきたのか瞬時にして判明してしまうものらしい。

冷たい汗が背筋を伝って流れ落ちて行った。前立腺《ぜんりつせん》が疼《うず》いた。

「おい、謙介、こいつを読んでみろ」

謙介が背後から画面を覗き込むと、

「ひええっ、本当かよ。俺たちマジ危ねえことやってたんだな」

悲鳴を上げた。

「どうするよ、公衆電話からかけてもたちどころにこっちの場所が分かっちまうんじゃ、明日の連絡に公衆電話を使うわけには行かねえ。それに当日だって、買う車券を特定するのも避けた方が無難だぜ」

「お前の言う通りだ」

「困ったな。リアルタイムでやつらにコンタクトが取れねえとなると、計画はここで頓挫《とんざ》しちまうぜ」

「締め切り三分前が勝負だからな……」

謙介は考えていたが、

「やっぱり携帯電話を調達するか」

「携帯？」

「ああ、俺も実際に接触したことはねえんだが、プリペイド式の携帯を闇で売ってる連中がいるんだ」

「それって歌舞伎町の話かよ」

「歌舞伎町にもそういった連中がいることは知っているが、あそこはまずい。俺もそれなりに顔を知られているからな」

「だったら、どこから調達するんだ」

「やっぱ渋谷……かな」

「渋谷？」

「あそこは、不良外国人の巣窟《そうくつ》みたいなところだ。その点では歌舞伎町とそうは変わらねえんだが、新宿は中国人、渋谷はイラン人とテリトリーが分かれている。俺に土地勘はないけど、その分面も割れてない。やばい品を買うなら、やっぱ渋谷だろう。ヒット・アンド・アウエーってわけさ」

「つまり通りすがりの人間が、一度きりコンタクトを取って姿をくらますってわけ？」

「そういうこと」

「だけどさ、そんなにうまくプリペイド式の携帯が手に入るかな」

「それは、実際に行ってみないことには分からねえが、たぶん大丈夫だと思うぜ。何しろ、シャブやハッパなんてもっとやばい代物を、今じゃ中高生にまで売りつけているっていうじゃねえか。携帯なんてちょろいんじゃねえか。もっとも相手だって、買い手の身元はそれなりに疑ってかかるだろうが、ほれ、この通り、俺は金髪にピアスだろう。どう見たって堅気には見えねえものな」

　確かにそう言われてみれば、やばい品物を調達するのに、謙介の外見はうってつけだ。

「でも、プリペイド式の携帯って闇値でなんぼするんだろう」

「さあな、それは実際に売人にコンタクトしてみねえと分からねえけど、やっぱ正規商品の値段が基本になるだろう。ネットで検索してみろよ」

「分かった」

　今度は検索サイトに『プリペイド式携帯電話』と入れてみる。画面が変わると五千件からのヒットがあった。価格を調べると、思いのほか値幅が広く、一万円から、高いものだと五万円ほどする。

「この分だと、闇値で五万から十万ってところかな」

「この値段、何によって違うのかな」

「何か高いのは番号代みたいだな」

「番号代？」

「語呂《ごろ》のいい番号ってこと。でもこんなもんは、どうでもいいことさ。とにかく繋《つな》がりゃいいんだ。謙介悪いけど、俺の口座から十万ほどおろしてくれるか」

　十万円を用立てれば、銀行口座は底をつくが、今日店に出れば、摩耶からは二十万円の金が入ることになっていた。それに理由を話せば、彼女のことだ、この程度の金は用立ててくれるに違いない。

「それじゃ善は急げだ。悪いけど、お前、渋谷に行ってくれるか」

「ああ」

「今日はこのまま店に出る。携帯が手に入ったら、連絡をくれ」

「分かった」

僕はパソコンの電源を落とすと、ベンツのキーを持って立ち上がった。

＊

謙介から電話が入ったのは、ちょうど開店前のスタッフミーティングが行なわれている最中のことだった。期末に入って、売上目標を達成するために、店長の訓示にも熱が籠《こも》り、ミーティングは長引いていた。

ポケットの中で震える携帯電話の氏名表示を見て、中座して外に出ようかとも思ったが、一番下っ端の自分がそんなことをできるわけがない。

僕は苛立《いらだ》ちを覚えながら、長い訓示が終わるのを待ち、店の外に出た。早くも夜の帳《とばり》がおり始めた銀座の街は、ネオンに一斉に灯が入り、華やいだ雰囲気に満ちていた。

携帯電話を取り出し、液晶画面を見た。メッセージは残されてはいなかった。すかさず謙介の携帯に電話を入れてみる。呼び出し音が鳴り、

「おう陽一、例のブッ手に入ったぜ」

　謙介が威勢のいい声を上げた。

「随分時間がかかったじゃねえか」

「何だかさ、いざ渋谷に来てみたら、肝心のイラン人が簡単に見つからなくてさ。最近警察の取り締まりがきついらしくて、以前のようにうろうろしてねえんだ、これが」

「それで、この時間に」

「うん。やっぱ、後ろ暗いビジネスをやってる人間ってのは、行動原理が同じなんだな。日の高いうちは、姿を消していても、闇に紛れてってやつだな」

「それで、いくらだった」

「三千五百円分のカードがついたやつで、五万円。まあ、適正価格だろうな。それで、そっちの方は何かあったか」

「それが、ママ、今日はまだ店に出てきていないんだ」

「連絡はついたんだろう」

「それが、携帯に何度か電話をしたんだが、出ねえんだよ」

「何かあったのかな」

「分からない」

「今日は店に出ることになってるんだろう」

「そのはずだ」

「とにかく、こっちは準備完了。今日の車券も買ってある」

「収支はどうだった」

「うん、十五万円の益」謙介は少し誇らしげに言うと、「明日のレースな、面白くなるぞ。今日の予選レースは荒れまくって、力のないやつが準決勝に進んだからな、明日の番組を見てみねえと分からねえが、かなりスジが読みやすい展開になるぞ」

「それはグッドニュースだ」

「とにかく、俺はこれからお前のアパートに帰る」

「俺も店が終わってママを送ることになったら、すぐに戻る。たぶん二時前には帰れると思う」

「それじゃな」

「ああ」

電話を切り、再び店に戻りかけた僕の視線に、歩道を歩いてくる摩耶の姿が飛び込んできた。

「あっ、ママ」

「陽ちゃん」

摩耶は和服を着込んだせいで、歩幅が小さくなった足を速め、近づいて来ると、

「ちょっと……」

歩道の隅に僕を誘った。

「どうしたんスか、何かあったんスか。昼から電話を入れてたんスけど、全然携帯が通じなくて」

「それがね、山野が急に会いたいって言ってきたのよ」

「山野社長がスか」

ギクリとした。やっぱり、状況から考えれば今回のようなケースは怨恨《えんこん》の線と睨《にら》むのは、玄人でも素人でも同じことだ。となれば真っ先に疑われるのは、愛人関係を打ちきられた摩耶だろう。

「まさか、気付かれたんじゃ」

「そうじゃないのよ」摩耶は形のいい唇に微《かす》かに笑いを宿すと、「山野のやつセコイったらありゃしないの。最初電話がかかって来た時にはさすがにおどろいたけどね。あいつの要件何だったと思う」

「いや見当もつかないっス」

「手切れ金の増額を申し出てきたのよ」

「えっ！　それじゃ今回の恐喝、ママの仕業だと……」

「そうじゃないの。これから会社としてクイーンを継続的に使う、今まで自分が使っていた以上の金を落とす。その代わり、手切れ金として約束した一千万円を達成した後は半分を自分にキックバックしてくれないか、そう言うのよ」

「それ、どういうことスか」

「決まってるじゃない。私たちが要求している金額は五億よね。もしも、オリエンタル製薬が会社として、そんな大金を捻出《ねんしゅつ》するとなれば、当然決算の時に使途不明金が発生することになるわ。いくらあの会社がオーナー会社といってもよ、仮にも一部上場企業ですからね。そんな巨額の使途不明金を発生させれば、株主総会で追及されることになる」

「あっ、それで当面、五億の金は自分で用意する。その代わり、その分を接待費として徐々に会社から捻出して、ママの売上から山野にキックバックさせる……」

「そういうこと、たぶん、さくらちゃんにも、同じことを頼んでいるに違いないわ。普段は奥さんに財布を握られていて、どうお金を捻出するかとおもっていたけど、事情が事情だもの、奥さんの個人資産から出すことにしたようね。これで山野にしても、大手を振って銀座で遊ぶ口実ができたってわけよね」

「しかし、気の遠くなりそうな話ですね。五億ですよ、五億。それを取り返そうとしたら……」

「そうでもないわよ。製薬会社なんて、お医者さんとのお付き合いが多いところですもの、営業マンが使う経費枠の上限をちょいと広げてやれば、二年や三年で取り返せるんじゃないかしら。もちろん全社というわけにはいかない、東京地域限定でね」

「それで、ママ、その条件を呑《の》んだんスか」

「結果から言えば、答えはイエス。でもね、その前に、何でそんなことを言い出したのか、その理由を問い詰めたってわけ」

「山野社長、理由を正直に言ったんスか」

「言ったわ」摩耶はクスリと笑うと、「山野のやつ、そうとうまいっていたわ。見る影もないってのはあのこと。育毛剤の中身が脱毛ローションにすり替えられて、五億の金を要求されていることも喋《しゃべ》ったし、かといって、これを公にすれば、売上絶好調の商品を店頭から回収しなければならないどころか、そんなことをすれば商品生命を絶たれたも同じ。警察に言うわけにも行かないって。もう泣きそうになって、頭を下げたわ」

「やっぱり、警察には言ってなかったんスか」

「こちらの思惑通りね。あの様子だと、山野、明日は間違いなく、競輪場に金を持ってやってくるわね」

「それならいいんスけど」

「それで、そちらの首尾はどう。電話の件がうまく行ったことは、山野の話から分かったけれど」

「いや、順調と言えば順調なんスけど……」

僕は、公衆電話からの逆探知が今の技術からいけば、一瞬にして分かってしまうこと、その対策として謙介が渋谷に行って、プリペイド式の携帯電話を闇で購入したことを話して聞かせた。

「そう、それはご苦労さまだったわね」摩耶は、労《いたわ》るように言うとバッグの中を探り、「これ、約束の二十万、それと、これは携帯電話の購入代金ね」

と、封筒を差し出した後、財布の中から無造作に札束を摑《つか》み出した。

ざっと見たところでも十万円はありそうだった。

「いや、これは多いスよ。謙介は五万しか払っていないって言ってたんスから」

「いいのよ、これからオリエンタル製薬の社員たちが、暫《しばら》くの間は大挙して押しかけてきて、大金を使ってくれるんだから。これはとっときなさいよ」

「でも……」

「いいから、早く仕舞いなさいよ。こんなところでみっともないわ」

「すんません。助かります」

僕は頭を下げると、金をズボンのポケットの中にねじ込んだ。

「とにかく、明日が楽しみね。あなたたちも一儲《ひともう》けできるわけだし、何だか私も一緒に行ってみたくなっちゃった」

「そんなママが行って、もしも顔を知った人間に見られたら、それこそ大変なことになります。絶対に止めて下さい」

「分かってるわよ。冗談よ冗談」

摩耶は白い歯を見せて笑うと、

「それから今夜は横山社長がお見えになることになっているから、陽ちゃんお願いね。今や、あの人は私の一番のお客さんなんだから」

「分かりました」

摩耶は、ポンと一つ僕の二の腕の辺りを軽く叩《たた》くとビルの中に消えて行った。

＊

ついに実行の日の朝が来た。

朝六時。身支度を整えた僕と謙介は、アパートを出ると月島駅から、新宿に向かった。駅に着いたところで、一度地上に出ると、僕は謙介が調達してきたプリペイド式の携帯電話を取り出した。確か黒澤明の『天国と地獄』だったろうか。犯人の声の背後に聞こえた電車の音から、居場所が特定されたというストーリーを思い出し、特徴的な音がないところを探すつもりだった。

山野は警察には知らせず、秘密裏に今回の恐喝の始末をつけるつもり、という摩耶ママの言葉を信じないわけではないが、念を入れるに越したことはない。もしも、山野がママを怪しいと睨んでいたら、わざとあのようなことを言って、罠《わな》をしかけるかも知れない。仮にそうだとして警察が動いていたら、携帯電話の中継器から電話をかけた位置が特定されることだってあるだろう。もちろん、だからといって闇で手に入れた携帯電話の持ち主、つまり自分たちが特定されるとは思えないが、へたにアパートの近くから電話をすれば、その周辺に住んでいる関係者が徹底的に洗われる可能性だってある。

しかし、そんな心配はどうやら杞憂《きゆう》に終わった。いつもは人でごった返しているはずの新宿の駅前は閑散としており、車の数もそう多くはない。

ターミナルビルの片隅で、通行人から死角になる場所を選び、携帯電話を手にした。すかさず僕はブルゾンのポケットからヘリウムガスの入ったボンベを取り出すと、それを口に押し当て思いっきりガスを吸い込んだ。

「電話をかけるぞ」

声がドナルドダックのように裏返った。それを聞いた謙介がまたしても噴き出しながら肯《うなず》いた。

「笑うな、馬鹿野郎」

謙介は、ますます顔を赤くして、必死に笑いを堪《こら》えている。

それを無視して、最初に184の非通知設定を押し、続けて所定の番号を押した。すぐに受話器が上がった。時刻は午前八時。どうやらオリエンタル製薬の人間は、二十四時間待機していたらしい。

「五億、準備できたか」

「言われた通りに、一億ずつ、五つのバッグに入れて待機している」

緊張した声が答えた。

「よし、それを五人の社員に持たせろ。これからすぐに京王閣に向かえ」

「京王閣？」

「競輪場だ。追って電話する」

「分かった。京王閣だな。これからすぐに社員を向かわせる」

僕は、相手の言葉が終わるとすぐに回線を切った。プリペイドカードは三千五百円分しかない。電話はあと二回。充分過ぎる金額だが、会話はなるべく短く済ませるに限る。

「よし、動くぞ」

僕たちはその場を離れると、今度は京王線の乗り場に向かった。

土曜日の早朝の車内は空《す》いていたが、一目で同じ目的地へ向かうと思《おぼ》しき人間たちの姿が目についた。何しろ脇目もふらずに、赤ペン片手に一心不乱に予想紙に見入っているのだ。通勤電車の車内で新聞を読んでいるサラリーマンの姿はごく自然の光景として目に溶け込むものだが、真っ白い紙に黒い文字。それも予想紙は独特のレイアウトである。一目でそれと分かる代物だ。そこはかとない違和感を感じていると、

「こいつら、ラッキーなやつらだぜ。何しろ、今日の第九レースと十レースのほとんどが十万車券以上になるんだからな」

謙介が耳元に顔を近づけてくると、含み笑いを漏らしながらそっと囁《ささや》いた。

電車が調布《ちょうふ》の駅に着くと、京王多摩《けいおうたま》センター行きの電車の車内は博打《ばくち》うちの貸し切り電車のようになった。身なりもさることながら、どいつもこいつも酷《ひど》くくたびれ果てているように見える。どす黒く艶《つや》をなくした顔色。時々激しく咳《せ》き込むやつもいる。まるで肺病か肝臓病みが集団で病院から抜け出してきたみたいだ。その一方で予想紙に目を走らせる瞳《ひとみ》に異様なまでの力が入り、何やら殺気立った空気が車内を満たしていた。

ギャンブルと無縁で暮らしてきた僕には、他の博打場がどんなところか知らないけれど、テレビでは競馬中継を何度か見たことがある。鮮やかな緑色の芝生。集まってくる観客にしたって、老若男女、それこそあらゆる年代の人間が集まっていた。それにレースの前には、ジャケットに白い乗馬ズボン、黒革のブーツを履いた誘導員がいた。確かその役目をする人は、白馬に跨《また》がっていたはずだ。同じギャンブルでもどこか貴族的な雰囲気が競馬にはあった。それにあの世界には、馬主という存在がいて、何千万、何億という馬を所有する人間がいる。名誉と財力、それに社会的な地位がなければ馬主にはなれない。同じギャンブルとは言っても、いったいこの客層の違いは何なのだろう。

「大丈夫かよ」

初めて見る筋金入りのギャンブラーたちの様子に、僕は気圧《けお》されるものを感じて言った。

「何が」

「何がって、配当が十万以上ばかりになって、まさかこいつら暴動なんか起こしゃしねえだろうな」

「まさか」謙介は笑って答えた。「暴動ってよりも、最初は何が起きたか理由が分からずに、あっけにとられるだけだろう。もっとも、それが二レース続けば、盆と正月が一緒にきたような騒ぎになるだろうけどな。だって連中にとっても、全然悪い話じゃないもの。まあ、問題は連中が幾らの元銭を持って来ているかだな」

「それ相応の金は持って来てるんだろう」

「いやあ、どうかな」謙介は小首を傾げると、「まあ、競輪場に行ってみれば分かるさ」

意味あり気な言葉を吐いた。

電車はほどなくして京王多摩川に着いた。乗客が一斉に電車を降り、改札口へと向かう。京王閣まではいくらの距離もなかった。入場券を買い、中に入ると、近代的な設備の競輪場とはどう考えても相応《ふさわ》しくない身なりの人間で埋め尽くされていた。植栽のコンクリートに腰を下ろし、煙草をふかしながら予想紙に目を走らせるくたびれた老女がいる。ずらりと並んだモニターのオッズを熱心に見つめる男たちがいる。小さな台の中で、しきりに何事か呪文《じゅもん》のような言葉を吐きながら、客を誘う予想屋がいる。そこに百円を支払って、小さな紙片を受け取る人がいる。

「なあ、あの予想屋ってのは当たるもんなのかい」

ギャンブルは初めての僕は訊《たず》ねた。

「う〜ん。まあ、そうそう簡単に当たるもんじゃねえな。だけど、あのおっさんたちも、あれで飯を食っているわけだし。少なくともスジを読む参考ぐらいにはなるかも知れねえな」

「でも、一枚売って百円だろう。それで生活が成り立つの」

「当たればご祝儀が入るからな」

「ご祝儀？」

「だいたい相場は配当の一割ってとこかな」

「的中させたやつがわざわざ戻って来てそんなものを払うのかい」

「あのな、博打うちってのはさ、ゲンを担ぐもんなんだよ。予想屋のお陰とはいえ、車券を的中させて金を手にした。いわゆるお福分け、厄落としってやつさ。ついた運を誰かに分けてやることで、更に大きな運が摑《つか》める。それが暗黙のルールってわけ。金ってもんは握ってばかりいたんじゃ駄目だ。使わねえと入ってこねえ。そんなもんさ」

たぶん、謙介の言い分は正しいのだろうが、ギャンブルで借金取りに追い込まれるハメに陥った人間の言葉である。説得力に欠けること甚だしい。

「だけど、あの人たち、貰《もら》ったご祝儀をちゃんと申告してんのかね」

「申告って、税金のことか」

「ああ」

「博打で儲《もう》けた金をいちいち申告する馬鹿がどこにいるよ。あのおっさんたちにしたところで、貰ったご祝儀はポケットに入れて終わりに決まってるじゃねえか。どでかい車券を当てた人間にしたところで同じこと。つまんねえこと言ってんじゃねえよ。さあ、行くぞ」

謙介は、先に立って歩き始めた。

行く手の視界が開けると、金網で囲まれたバンクが見え始める。車券売り場の前は、まだ第一レース開始前とあって閑散としている。その前にある売店の軒先にぶら下がっているメニューを見て、僕は仰天した。

『焼酎《しょうちゅう》』『ホッピー』『モツ煮込み』――。

　野球場でもアルコールを売ってはいるが、ビールがせいぜいだ。博打場に酒、それも焼酎なんか置いたら、金を賭けてただでさえも熱くなっている客が、酔いに任せてどんな行動に出るか分かったもんじゃない。

　それがまだ朝のうちだというのに、中年の親父たちが早くも焼酎片手に煮込みを食っている。

「何だか、すげえ場所だな」

「何たって競輪をやるのは、最低の人間って言うやつもいるくらいだ。どうだ、なかなか香ばしい場所だろう」

「最低の人間ねえ」

「でもな、だからこそ競輪には人間のドラマがあるんだ。競馬や競艇なんてものとは全く違う極めて人間臭いギャンブルなんだ。競輪の面白いところは、何と言っても闘うのが人間だという点だな。だからある程度の確率でレースの展開が読める。馬畜生や、機械を操るのが人間でも、そう簡単に思い通りの働きをしてくれるとは限らねえ。この魅力は他の公営ギャンブルではとうてい味わえねえ」

　謙介は、水を得た魚のように俄《にわか》に生き生きとして、楕円《だえん》形のバンクが一望に見渡せる位置にくると、金網に沿ってゆっくりとゴール地点に向かって歩き始めた。スタート地点はその少し後方になっている。客の入りは、施設の規模からすると閑散としていて、特に外の観覧席は数えるほどしか人がいない。しかし、このゴール地点だけは別で、予想紙を持った人間たちでごった返していた。

「俺たちが、張るのは九レースからだ、まだ充分に時間はある。少し、ここで競輪場の雰囲気に慣れておくことだな」

謙介はニヤリと笑うと、

「俺はノミ屋に電話してくるわ」

僕を一人残して、人込みの中に消えて行った。

何だか急に心細くなった。酷く場違いなところに、紛れ込んでしまったような気がした。二人の役割は初めから決まっていて、予想を立てるのは謙介、オリエンタル製薬に電話をするのは僕。

気を紛らわそうと、電光掲示板を見た。配当倍率を示す色は赤が二つだけ、それを除けば半数は白、残りは黄色である。最初は表示された色の違いの意味が分からなかったけど、よくよく見ると、倍率一桁《ひとけた》台が赤、二桁から三桁の倍率が白。それ以上、つまり十万以上の車券は黄色で表示されることが分かった。このレースの一番人気は、⑥―②で五・三倍だった。最低人気の予想配当は、⑦―①の千五百七十七倍、つまり百円が十五万七千七百円に化けることになる。

掲示板の右下の隅には、投票総数と書かれた欄があって、そこには八千七百七十二という数字が表示されていた。僕は、ここに来る道すがら、謙介がたれた投票総数がレースの分配金の基になるという講釈を思い出した。車券購入単位が百円だから、このレースの場合賭け金の総額はその百倍。つまり八十七万七千二百円にしかならない。それをしかるべき計算方式で、倍率を計算し分配するのだ。

たったそれだけかよ。こんなんじゃもしもここに……。

そう思ったところで、表示が消えた。暫《しばら》くすると、『レーサーズ・ゲート』と書かれた門から、色とりどりのユニフォームに身を包んだ選手が颯爽《さっそう》とバンクに姿を現すと、スタートラインについた。後輪がゲージに固定された。ヘルメットを直し、大きく深呼吸をする肩が上下する。前方を睨《にら》む目に、勝負師の鋭さが宿った。

絶え間ない練習で発達したそれは女性のウエストほどはあり、露出した大腿筋《だいたいきん》はオイルでも塗っているのだろうか、磨き抜かれたような輝きを放っている。

美しい……。

一線に並んだ選手たちの姿を見て、僕は心の底から熱いものが込み上げてくるのを禁じえなかった。感動と呼んでもいいだろう。夜の仕事に身を投じ、虚飾に綾《あや》取られた日々を送る自分には、この選手たちの姿が何だか神々しくさえ思えてくる。

選手たちを間近に見た周囲の客の興奮も頂点に達しつつあった。

「頼むぞ、宮内《みやうち》！　今日はお前一つだからな」

「たらたらやってんじゃねえぞ！」

歓声とは違う。怒号、哀願……人間の欲と、希望が入り交じった声が交差する。各コーナーにいる審判員たちが準備完了のサインを送る。号砲が鳴った。周囲の相手を見ながらペダルを踏み出す選手たちの大腿筋が膨れ上がった。ハンドルを握る手に力が籠《こも》るのが分かった。やがて集団はゆっくりとしたペースで一列の長いラインを形成し始めた。一周四百メートルの楕円形のバンクを、九色のユニフォームに身を包んだ選手たちが駆けて行く。車列は途中でめまぐるしく入れ替わった。その度に、周囲から罵声《ばせい》とも哀願、あるいは激励とも取れる言葉が上がる。目前を一陣の風のように集団が通り過ぎると、ギアとチェーンが触れ合う音だろうか、シャーッという鋭い音が聞こえる。

レースはこのバンクを五周したところで決する。やがて四周目にさしかかると、集団の速度が今までにも増して上がった。コーナーを回る際に選手たちの肩が触れ合い、めまぐるしいポジション争いが始まった。そしていよいよ最終周に入る直前、激しく鐘が乱打された。

場内の興奮は頂点に達する。凄《すさ》まじい速度で選手たちの足が回転する。脚力だけが動力とはとうてい信じられないほどのスピードだった。

いよいよ集団は最終コーナーにさしかかった。その直前に、中盤にいた選手が自転車をぐいと外に振ると、前を行く三人に一気に迫った。

「よし！　池田《いけだ》、行け！　一気にまくれ！」

すぐ背後から聞こえた絶叫に振り向くと、いつの間にか謙介が戻ってきていた。

「差せ！　まくりきれ！」

再び目を転ずると、集団はコーナーを回りかけていた。ゴールまでの最短距離を目指して、横に広がった選手たちが急速に収束する。抜かせまいとして、選手たちの肘《ひじ》が、肩が触れ合う。

その時、全く予期せぬことが起きた。先頭争いをしていた二人の選手が縺《もつ》れ合うようにしてこけた。バッシャーン！　先頭集団の四人があっという間もなく巻き込まれた。

「あ～あ～あ～。落車だあ！」

謙介が情けない溜息《ためいき》を吐いている間に、バンクを縺れ合いながら滑って行く集団をかろうじて躱《かわ》した後続の選手たちが、ゴールを駆け抜けて行った。

溜息と騒《ざわ》めきが場内に充満した。

「①—⑨だ……」

謙介の声が聞こえた。

「謙介、取ったの？」

僕は、小さな声で訊《き》いた。

「駄目……だって岡野《おかの》が落車するなんて……それに巻き込まれた選手たちを中心にして買っていたから、全然掠《かす》りもしなかった」

「掠りもしないって……そんな調子で大丈夫かよ」

「何が？」

「だってさ、こんな調子じゃノミ屋の儲《もう》けになるだけで、本来の目的が果たせないじゃないか」

「大丈夫、心配すんな。まあ見てろって」

「でも、お前、今心底情けねえ声を吐いたぜ」

「そりゃ、やっぱ、レースが決着する瞬間だけは、血が騒ぐさ。百円だろうが、十万だろうが、それが泡と消えるか、それともお友達を連れて帰ってくるかだからな」

その気持は何となく分かるような気がした。

実際、気がつくと掌《てのひら》の中はじっとりと汗ばんでいた。一銭も賭けていない、この僕がこの有り様なのだ。たった今、初めて目にした競輪の面白さに、すっかり興奮してしまっていたのだ。仮に百円でも車券を買っていたなら、熱中の度合いはこの比ではなかったに違いない。

ゴールライン付近に陣取っていた観客の間に満ちていたどよめきの中から、突如罵声が上がった。

「岡野！　このばか野郎！　何でこけやがんだ」

「くず！　この役立たず！」

場内は一転、殺気立った。もしも、バンクと観客席との間に、金網がなかったら、落車した選手たちに向かって、飛びかかって行く観客は一人や二人ではあるまい。バンクに叩《たた》きつけられた選手たちの中には、太腿《ふともも》から血を流している者もいれば、ユニフォームが裂けてしまった者もいる。一人はよほど酷《ひど》いダメージを受けたのか、折り重なった自転車の下で、踏みつぶされた虫のように頼りなくもがいているというのに、そんなことにはお構いなしだ。最初に落車した岡野という選手は、どうやら自力では立ち上がることができない様子で、すぐ傍に待機していた係員が車輪の付いた担架を押して駆け寄ると、慎重に彼をその上に乗せた。

それでも興奮の頂点にある観客たちの罵声は止むことがない。

この車券一枚に現ナマが賭《か》かっているのだ。熱くなるのも無理はないが、落車した選手にしたところで、わざとコケたわけでもあるまい。勝負にはこうしたアクシデントはつきものというものだ。こんなことがあるのも計算のうちだろうに……。

暫くして、電光掲示板にレースの配当が表示された。

「何だあ、初《しょ》っぱなから五千七百円もつくのかよ。畜生、岡野のやつ、何であんなところで落車なんかしやがるんだ。素直に行ってりゃ、③—⑥で決まり。それでも千八百円はついたのに……」

外れ車券が宙に舞った。

これほどまでにいきり立つ連中は、いったいどれくらいの金を張っているのだろう。

やがて、一レース目の選手たちが姿を消したところで、ふとそんな思いに駆られた僕は、投げ捨てられた車券に目をやった。

「何だよ、どいつもこいつも、一つの目に百円とか二百円とかしか買ってないじゃん。あんなに偉そうに容赦ない罵声を浴びせて、それはないだろう」

半ば呆《あき》れてそう言うと、謙介は苦笑いを浮かべて、

「あのな、ギャンブルやるやつのほとんどはさ、金なんか持ってねえの。百円が千円になり、千円が一万円になる。ささやかな夢を買ってんの」したり顔で言うと、「でもさ、考えてみろよ。今どき百円でさ、人をここまで罵《ののし》れるなんてことできるところがあるか？　まあ、まっとうな生活をしている人間は、こんなところにきやしねえから、ストレスも溜《た》まってんだろうさ」

と続けた。

「しかし、これじゃ選手もかわいそうだよ。どこの誰とも知らねえ連中に、あそこまで言われてさ」

「ところで、お前、そろそろオリエンタル製薬に確認の電話入れろよ」

ふと時計を見ると、新宿駅で電話をしてから、そろそろ三時間が経っている。

「じゃあ、ちょっと俺、行ってくるわ」

「ああ、俺はまたノミ屋に電話しなけりゃならんからな」

謙介と別れて、僕は一人で背後にそびえ立っている特観席のある建物の中に入った。声を変えるためにはまた例のヘリウムガスを吸わなければならない。人目を避けるためには、やはり一人になれるトイレがいいと思った。

ガラス張りの特観席に入りトイレを探す。階段状になった室内は小さなテーブルのついた椅子がしつらえてあり、席の半分ほどが埋まっていた。

第二レースの投票をするために、自動投票機の前には長い列ができている。その傍らには、一レース五十万円以上の車券を買う大口ギャンブラーのための特別投票窓口が設けられていた。重賞レースではない今日は、大金を注ぎ込む客もいないらしく、ガラス張りの窓口はカーテンが下ろされたままだった。

トイレはすぐに見つかった。中に入ると、小便をしている男が二人ほどいたが、個室は空いていた。僕は中に入って鍵《かぎ》を閉めた。

「第二レース締め切り三分前です」

アナウンスが聞こえた。

外で二人の男が立ち去る気配がした。僕は、ブルゾンのポケットからヘリウムガスを取り出すと、一気に中のガスを吸い込んだ。番号をプッシュする。呼び出し音が一度鳴ると、すぐに受話器が上がった。

「京王閣に向かった連中はどうなった」

「すでに競輪場に入ったという連絡があった」

「よし、五人の男たちに連絡しろ。特観席に入って待機しろとな」

「特観席？」

男が問い返してきた。

「特別観戦席のことだ。すぐに分かる」

「分かった」

僕は回線を切った。返す手でもう一つ、いつも自分が使っている電話を取り出し、謙介を呼び出した。

「謙介、オリエンタル製薬の連中は、これから特観席に入る。準備は全てＯＫだ」

「了解。あとは第九レース直前までそのままでいい。すぐに戻ってきてくれ」

「分かった。すぐ戻る」

最後に水洗トイレの水を流し、僕は個室を出た。

ゆっくりと、特観席を眺めながら、出口へと向かう。

その時、入り口から五人の男が、緊張した面持ちで特観席の中に姿を現した。どれも地味なスーツを着込み、大事そうに膨らんだボストンバッグを抱えていた。

どう見ても、競輪場には相応《ふさわ》しくない姿の男たちだった。第一、客のほとんどは、普段着にしても決して趣味のいいとは言えない服を着ていて、髪にしたって寝起きといったぼさぼさ頭の人間がほとんどだ。たまにスーツを着ている人間もいたけれど、汗と垢《あか》に塗《まみ》れてただでさえ安物の吊《つ》るしと分かるそれが、更に見窄《みすぼ》らしさに拍車をかけている。ネクタイなんてしちゃいない。襟元が汚れたワイシャツのボタンを外し、銜《くわ》え煙草で予想紙に見入っている。まるで人生の崖《がけ》っぷちにいるようなおっさんがほとんどだ。それが五人の男たちときたら、丸の内のオフィスからそのまま来ましたって恰好《かっこう》だ。立派に見えるどころか場違いを通り越して、滑稽《こっけい》でさえあった。だけどこの際そんなことは関係ない。

あのバッグの中に一億ずつ、都合五億の金が入っている。

何だか胸がわくわくしてきた。

その姿に一瞥《いちべつ》をくれて素知らぬ顔で建物を出ると、寒風吹き荒《すさ》む外へと建物を後にした。

＊

「連中現れたぜ。いよいよだな」

ゴール前の観客席にいた謙介に、僕は背後から声をかけた。

「ああ、準備完了。あとは祭りが始まるのを待つだけだ」

「ノミ屋への電話は？」

「大丈夫、車連単を五枚ほど買っておいた」

「いくら注ぎ込んだんだ」

「指示通り、十万円ずつだ」

「前のレースも同じか」

「ああ」

「すると、現時点では五十万円のマイナスってわけだな」

「そんなもの損のうちに入るかよ。祭りが始まればカスみたいな金さ。九レースまではいくら負けがこんだところで惜しくも何ともありゃしねえ」

確かに、手元に金がなくとも勝負に加われるのがノミ屋を使うメリットの一つには違いない。見せ金を用意する必要もない。要はその日一日のトータルで勝ち越せばいいのだ。

「それより、ママには状況報告は済んでいるんだろうな」

「あっ、しまった。オリエンタル製薬への電話に気を取られていて、すっかり忘れていた」

「しょうがねえやつだな」

謙介は舌打ちをしながら場内を見渡すと、

「よし、場所を変えよう。あそこなら人気がない」

第一コーナーの辺りに視線を向けた。そこは電光掲示板の背後にあるちょっとした広場だった。今日の番組は一番グレードの低いFII戦のせいで、観客の入りは今一つときている上に、その多くはゴールラインに集中している。第一コーナー近辺にも、金網にへばりつくようにしてバンクに熱い視線を注いでいる熱心なファンがいるだけだ。

やがて、第二レースの出場選手たちが『レーサーズ・ゲート』をくぐって、バンクの中に姿を現した。再び熱い声援が場内を包んだ。広場の周囲に人影はなかった。早々に携帯電話を取り出して、摩耶の電話番号をプッシュした。

「お前、使う電話間違えるなよ」

「分かってるって」

もしもプリペイド式の電話を使えば、後で警察沙汰《ざた》になった際には、いかに非通知にしていようとも、オリエンタル製薬の特定電話番号に掛けた携帯を検索すれば、たちどころに足がついてしまう。そこから摩耶に電話を掛けたことが分かれば、自分たちの正体が摑めないとしても、彼女の線から足がつく。

「もしもし」

　電話を待ちかねていたかのように、摩耶が早口で答える声が聞こえた。

「陽一っス」

「陽ちゃん。どう、うまく行ってる」

「バッチリっス！　さっきオリエンタル製薬の社員が五人、場内に入りました。全員大きなボストンバッグを提げています。あとは九レースと十レースにぶち込む目を指定してやればいいだけっス」

「そう、いよいよね」

「はい」

「いくらの戦果を上げられるか、ここから先は平木君の腕次第といったところだけど、どう、もうレースは始まっているんでしょう」

「ええ、第一レースが終わって、これから第二レースが始まるとこっス」

「それで、最初のレースは取ったの」

「それが、ちょっと思わぬアクシデントがあって……最初のレースは……」

　僕は少し口籠《くちごも》りながら、第一レースの展開を説明した。

「まあ、ギャンブルに絶対ってことはないからね。せいぜい頑張ることね。あなたたちには、大金を摑む二度とないチャンスよ。しっかりね」

山野に五億もの無駄金を使わせるのがよほど愉快でたまらないのだろうか、摩耶はいつになくはしゃいだ声で言うと、回線を切った。

それから第九レースが始まるまで、謙介は一レースにつき車連単で五通り、十万ずつノミ屋から若田の名前で買い続けた。成果のほどはと言えば、第三レースで十六・四倍の車券を当てただけだった。注ぎ込んだ金は、それまでに四百万円。払い戻しは百六十四万円。ノミ屋からの払い戻しが四十万円だから、差し引き百九十六万円のマイナスだ。

第八レースが終わり、暫《しばら》くすると、電光掲示板に第九レースのオッズがずらりと並んだ。

一番人気は、⑦—④の六・七倍、七十二番人気、つまり最低人気は⑧—⑥で、実に、千六百六・九倍という途方もない倍率だった。

観客席のある建物の中に姿を消していた謙介が戻ってきた。

手には細長い紙片が握られている。彼は歩きながら、何事かをその紙に書き込んでいる。

「何だそれ」

「こいつは次のレースのオッズだ。観客席にはさ、オッズプリンターってやつがあって、その時点での全オッズを無料でプリントアウトしてくれるサービスがあるのさ。何しろ二番人気から三十一番人気までを間違いなく買わなきゃなんねえんだ。電光掲示板なんか見ていたんじゃ追いつかねえ」

小さなスペースの上を赤ペンがめまぐるしく動く。その度に数字が書き込まれて行く。

謙介のペンが止まった。

「陽一、電話だ。オリエンタル製薬に電話して、⑧―⑥に二億ぶちこませろ。締め切り十分前にと指示することを忘れるな」

「でも十分の間に、オッズの順位が変わっちまうことはねえのかよ。買い漏らしが出たりしねえの？」

「多少の順位の入れ替えはあるだろうが、三十一番人気以降の目が、それよりも上にくることはまずねえだろう。心配すんな」

「分かった」

僕はちらりと電光掲示板の投票数を見た。さすがに第一レースとは違って、九レース目ともなると、投票総数は格段に上がっていた。現時点のそれは九万を超している。おそらくこの分だと、最終的には十万近く、つまり賭け金の総額は一千万にはなるだろう。

そこにオリエンタル製薬の連中に、最低人気の⑧―⑥を二億買わせる。賭け金の総額は二億一千万に跳ね上がる。その二十五％を胴元が自動的に天引きし、残りの七十五％が、投票数に応じて配当に回されればどんなことになるか。たちまちオッズは変わり、一番人気の⑦―④が二番人気になるのは当然だが、二番人気以降の倍率はおよそ二十倍跳ね上がる。つまり本来の本命でも百三十四倍。百円買っても、一万三千四百円の万車券だ。これが謙介が描いた絵図だった。

もっとも、こうした手口はとりたてて新しいものと言えるものではないらしい。ノミ屋潰《つぶ》しとしては古典的なものだと謙介は言った。もちろん競馬や競艇、オートレースといったオッズが投票数で決まるものにことごとくこの手口は通用する。それでは何ゆえに競輪でなければならなかったのか。謙介が精通したギャンブルだということもあるが、最大の理由は、賭け金の少なさにある。特に、FⅡと呼ばれる格下のレースは賭け金の総額が極めて小さく、オッズをコントロールしやすいのだ。車券の組み合わせは、車番連勝単式で七十二通り。本来の一番人気ですら、万車券になるとすれば、あとは推して知るべし。ほとんどの車券が、十万、百万車券になる。

企業恐喝と言うのはたいていが金目当てと相場は決まっている。その際の最大の問題は、金の受け取りをどうするか、という点にある。山野が警察にチクリでもすれば、まず間違いなく現場に警察官が張り込んでいて御用になる。だけど、この手口は別だ。金は胴元に払われるだけ。車券を買うのは、一般の客。その全ての人間をチェックし、身元を洗うなんてことは不可能だ。つまり山野は摩耶の願い通りに金を失い、一般の客は盆と正月が一度にやってきたかのような大騒ぎになるだけだ。ノミ屋は何が起きたか分からずに青くなり、僕らは完全な安全圏からそれを見ている……。古典的な手口であるだけに効果は確実で、謙介は復讐《ふくしゅう》を遂げ、僕らは大金を手にすることができるというわけだ。

いよいよこれからその祭りが始まる。病院から抜け出してきたようなギャンブラーたちが、一斉に高額配当を示すオッズが並んだ電光掲示板を見たら、いったいどんな騒ぎになるのだろうか。

その光景を思い描くだけでも胸が高鳴ってくる。

広場の周囲には、身の丈は優に越す植栽があり、ヘリウムガスを吸う姿を隠すには好都合だった。

バンクの方に背を向け、ボンベの中のヘリウムガスを吸い込んだ。

「謙介、声、大丈夫かな」

ドナルドダックのような情けない声が漏れた。

「大丈夫」

謙介がまた噴き出した。

「だから、笑うなって言ってんだろう。これからが本番なんだから、少しは緊張しろよ」

「何だかさ、緊張って言うより、わくわくしてしょうがねえんだよ」

その気持は僕にしたところで同じだ。視線を交したまま、僕たちは呵々《かか》とひとしきり腹を抱えて笑った。

「とにかく、早く電話しろ。俺はノミ屋に買いを入れるから」

そう言うと謙介は背を向け、少し離れたところからノミ屋に電話を入れ始めた。

「オリエンタル製薬です」

今度も呼び出し音が一度鳴っただけで、すぐに受話器が上がった。

「京王閣で待機している社員にすぐに連絡を入れろ」

「どうすればいいんだ」

「第九レースの⑧―⑥の車券を二億買え。締め切り十分前が合図だ。いいな」

「車券を買うのか？」

全く想像だにしていなかったのだろう。男の声が裏返った。それはそうだろう。普通、金を用意させた企業恐喝と言えば、まさにその金目当てというのが相場だ。連中にしたところで、こちらの目的は五億の金にあると確信していたに違いない。五つのバッグに小分けした五億の金を、京王閣に持ち込ませ、いったいどうやって受け取るつもりなのか。その方法を必死で考えていたことだろう。

それが車券、それも一つの目に二億注ぎ込めなんて指示が来ることは想像だにしていなかったに決まっている。

「そう、今も言ったように、第九レース⑧―⑥、締め切り十分前に二億だ」

「ちょっと待ってくれ。そんな――」

「要求を呑《の》まなければ、例の育毛剤をばらまくぞ。すごく良く効くよね、あの育毛剤。塗って五分も経たないうちに毛が溶けちゃうんだもん。本気だよ、俺たち」

電話口を塞《ふさ》ぐ気配がした。どなるように何事かを早口でまくし立てる声が聞こえる。おそらく背後に控えていた社員、あるいは山野に今の指示を伝えているに違いない。

だがもはやそんなことはどうでもよかった。要求は充分に伝わったはずだ。

「どうだった」

ノミ屋に電話をかけ終えた謙介が訊《たず》ねてきた。

「連中、すごく慌てていたよ」

「まあ、そりゃそうだろうな。まさか車券を二億買えなんて指示が来ることは考えてもいなかっただろうからな」

「でもさあ、本当に連中、金を用意してきたのかな。まさか、密《ひそ》かに警察に連絡していて――」

一転、そこはかとない不安が頭を擡《もた》げてきた。

「いや、それはないね。もし、そうだったら、まず最初に商品を店頭から引き揚げるとか、使用しないように社告を出すとかするだろう。万が一にでもだぜ、他の場所に中身を入れ替えた商品が置かれていて、被害者が出たりしたら、それこそ会社の信用問題だ。それにママに山野社長が言ったことも合わせて考えればそれはないな」謙介は断言すると、「それにな、あれからいろいろ調べたんだけどさ、やっぱ育毛剤って製薬会社にとってはかなり美味《おい》しい商売らしいんだな。タイガー製薬って知っているだろう」

「ああ」

タイガー製薬と言えば、製薬会社と言っても、薬品だけじゃなく一般家庭用品、つまり洗剤とか練り歯磨きとか幅広い製品を市場に送り出している最大手の一つだ。

「あの会社も育毛剤を出しているんだけどさ。前に一度、新製品の育毛剤を市場に出すに当たって、試験データを捏造《ねつぞう》して厚生労働省に届けたのがバレちゃったことがあったらしいんだな。その時には、全製品を店頭から回収して、二度とこの市場には参入しないって、公言したんだが、それから三年もした頃に、製品名を変えて再び販売を始めたんだ。そこからでも、この市場がどれだけ美味しいか分かるだろう」

「そんなことがあったんだ」

「前にも言ったが、育毛剤の中身が脱毛剤にすり替わってる、いやその可能性があるなんてことが、公になってみろ。誰がそんな危ない製品に手を出すかよ。その時点で、商品生命は終わっちまう。五億でカタがつくなら安いもんだ。まあ、結果はすぐに分かるさ」

謙介は、自らに言い聞かせるように言うと、煙草を銜《くわ》え、白い煙を吐いた。

「それで、お前、今度はいくら買ったの」

「とりあえず、妥当な線を三枚、十万円ずつ」

「そんだけ?」

「あのな、本番はオッズが動いてからだ。その時点で、でかく賭《か》ける。オッズが動く前に変な賭け方したらノミ屋に怪しまれるだろうが」

「それもそうだな」

「とにかく、オッズを確認しよう。連中が二億ぶち込めば、信じられないような光景を目の当たりにできる。その瞬間を見ようじゃないか。いや、歴史的瞬間を何としても見たいんだ」

謙介は吸いかけたばかりの煙草を投げ捨てると、先に立ってバンクの方に歩き始めた。

『投票締め切り十分前です』

その時、場内にアナウンスが流れた。

見上げるような形で、電光掲示板を見た。赤で表示された目の二つを除けば、半分ほどは白、残りは黄色で目立った動きはない。思わず時計を見た。すでに投票締め切り十分前が告げられて、一分は経過しているだろう。

心臓が音を立てて、強い拍動を刻む。じりじりするような時間が流れた。再び腕時計を見る。小さな円盤をなぞって行く秒針がいやに速く感じる。

ふと謙介の方を見ると、すぐにでもノミ屋に電話ができるよう、携帯電話を握り締めている。

電光掲示板の数字が小刻みに変わるが目立った動きがない。

駄目か……。

そう思いかけた瞬間だった。電光掲示板に表示されたオッズが一斉に動いた。今まで黄色で表示されていた最低人気だった⑧―⑥が赤の表示に変わった。ほとんど全ての表示が十万車券以上を現す黄色になった。

「来た！」

僕は叫んだ。

謙介がすかさず携帯電話を耳に当て、人気のない方へと小走りで駆ける。

場内にどよめきと、驚きに満ちた歓声が上がった。しかし、それは一瞬のことで、不気味なほどの静寂が訪れた。観客を見ると、誰もがぽかんと口を開け、惚《ほう》けたような表情で掲示板を見詰めている。何が起きたのか全く理解できないといった様子だった。

そりゃあそうだろう。絶対来ないと誰もが踏んでいる目が一番人気、しかも配当は一倍。つまり的中したとしても、元銭が戻ってくるだけだ。本当はテラ銭を抜かれれば、〇・七五倍になるのだろうが、最低払い戻し金額は一倍を下回らないというのが競輪のルールだという。

ようやく正気に戻った観客たちは、周囲の人間たちと何やら理解不能といった態《てい》で、しきりに言葉を交し始めた。騒《ざわ》めきが、場内を満たして行く。

「買えたぜ」

謙介が携帯を片手に戻ってきた。

「どんな目を買ったんだ」

「二番人気から三十一番人気まで、二十万ずつ……」

「大丈夫かよ。賭け金だけで六百万だぜ」

「陽一、オッズをよく見ろ」

謙介は、視線を電光掲示板に向けると言った。

「この時点で、二番人気以下のオッズはどれも今までの二十倍以上に跳ね上がっている。一番人気は一倍。これはどう考えてもきやしない。二番人気は、百二十八倍。三番人気は二百十倍。四番人気は三百三十六倍。三十番人気に至っては千三百七十倍だ。つまりだ、大本命の二番人気が来たとしても、百二十八倍つまり二千五百六十万円の配当がつくってわけだ。元銭が六百三十万円。それにノミ屋からのバックの十％を加算すると、ざっと二千万円の儲《もう》けになる。こんなチャンスは後にも先にもこれっきりだ」

「でもさ、こんなチャンス後にも先にもこれっきりなんて言ったらさ、ここに来ている人たちだってそうだろう。皆が一斉にでかく張り始めたら、オッズ下がっちゃうんじゃないの」

「あのな、さっき外れ車券を見たろう。重賞レースならいざ知らず、こんなFII戦みたいな格の低いレースはそもそも盆が小さいの。それにそんな纏《まと》まった金を持ってきているやつなんていやしねえ。まあ、競輪が好きで好きでしかたがねえやつが、暇つぶしに小金を手に来てるのがせいぜい。でかく張ろうにも張れねえさ。オッズはそう大きく動かねえよ。第一、このレースに注ぎ込まれた賭け金総額だって、一千万がいいとこなんだから」

異様な興奮と緊張感に包まれながら、いよいよレースが始まった。二番人気以降は万車券だ。こんなレースは日本競輪史上始まって以来のことだろう。もっとも、後に控える最終レースはもっと凄《すご》いことになるのだけれど……。

スタートラインに並んだ選手たちも、気のせいか前のレースとは違った様子が見て取れた。

中でも、一番人気となった8番と6番の選手は、すでに控室でオッズを確認したのだろうか、緊張の色を隠し切れずに何度も肩を上下させ深呼吸を繰り返している。

「何だか、8番と6番の選手、緊張してねえ」

「そりゃ、すげえプレッシャーかかってるだろうさ。どこの誰かも分からねえ人間が、オッズ一倍になるほどの大金を自分たちに賭けてるんだもん。きっと『何で俺?』『ほんとかよ』程度のことは思ってるだろうさ」

謙介は薄ら笑いを浮かべながら言った。

係員たちがそれぞれのポジションで、不動の姿勢をとった。スターターはピストルを前に差し出し、ちょうど選手を狙い撃ちするように構えた。その背後では、鐘を鳴らす係員が木槌《きづち》を掲げて静止した。

「構えて」

号令がかかった。一瞬の間を置いてピストルの先端に閃光《せんこう》が走った。ガシャンという車輪が外れる音と共に、まず最初に先頭誘導員がゆっくりと加速して行く。九人の選手たちは、相手の出方を窺《うかが》いながらペダルに固定した足に力を込める。集団は徐々に加速しながら、車列を整え始める。第一コーナーにさしかかった頃には、誘導員を先頭に直線になった。

車列はさしたる動きを見せずに、粛々と進む。レースは四百メートルのバンクを五周。総走行距離は二千二十五メートルである。異様なまでの静けさが場内を包んだ。誰もが一言も発せず、息を殺してレースの成り行きを見守っていた。二周目に入ったところで、集団に動きが出始めた。後方の選手が、徐々にスピードを上げ二人の選手を引き連れて前に上がった。最後尾になった選手が、ラインを変えてそれに続いた。車列の中盤にさしかかったところで、それより前に出きれずに動きが止まった。

近くにいた男が、

「ばか野郎。前に出るならもう一つ前だろう、植野《うえの》よっ！」

本来の一番人気だった7番、4番の選手は、どんづまって罵声《ばせい》を浴びせた男の思い描いたように前に出られないでいるらしい。

「植野、このタコ！　このレースは本来の本命が来たって、万車券になるんだ。しっかり踏め！」

しかし、何事も思うように行かないのがギャンブルというやつだ。

植野と呼ばれた選手が、前に出ないうちに、内側を並走していた選手が一瞬の隙をついて、車を右に振って外側に出た。それに二人の選手が続き、再び車列は一直線になった。コーナーにさしかかると、後方から三台目の選手が、ラインを変え前に出始めた。7番が続く。4番もその背後にぴたりとつけ、せり上がってくる。ゴールラインを通過し、三周目にさしかかる。車列は二列になってますます加速し、凄《すさ》まじいスピードでメインスタンド前を通過し、再びコーナーへと吸い込まれて行く。激しいポジション争いが始まった。順番がめまぐるしく変わった。そしてついに最終周にさしかかろうとするその時、鐘が激しく打ち鳴らされた。

選手たちは全員、サドルから腰を上げどんどんと加速して行く。胴体とほぼ同じ太さはあると思われる太腿《ふともも》が前にも増して膨張する。足がめまぐるしいスピードで回転する。

素人目には何がどうなるのか、さっぱり展開が読めない。謙介には結果が読めているのだろうか、買った車券が的中するのだろうか、と不安が過《よぎ》る。

いや読めているはずがない。三つや四つの車券を買っているならともかく、三十もの車券を買っているんだもの。何がどうなるのか分かるわけがないに決まっている。

バックストレッチに入ると、中盤の選手が後続を引き連れて、前に上がってくる。気配を察した三番手がそれに合わせて行く手を塞《ふさ》いだ。それを更に後方から追い抜こうと、最終コーナーのバンクの斜度を利用して、最後方から三人の選手が大きく外に膨らんだかと思うと、猛然と距離を詰めてきた。直線に入ると最後尾に置き去りにされた一人を残して、集団はほぼ横一直線になった。ここからは本当の脚力勝負だ。これまでの展開で脚を使い果たした選手が負ける。そう、陸上競技の百メートル競走と同じことだ。それまで息を呑《の》んでレースの展開を見守っていた観客が爆発した。閑散とした場内のどこにこれほどのエネルギーが潜んでいたかと思われるほどの熱量が一気に弾《はじ》けた。大外から赤いユニフォームに身を包んだ選手が伸びてくる。『差す』という表現がぴたりとくるような鋭さだ。

集団が風となってゴールラインを通過した。

溜息《ためいき》と歓声がどっと上がる。

「何番が来た。一着は赤だろう」

その瞬間だけは確かに見届けた。

「ああ、3番だが、二着は分からねえ」

「3番は買ってるんだろう」

「買ってはいるが……」謙介は手にしていたオッズを見ると、「全てというわけじゃねえ。二つばかり穴があるけど、たぶん大丈夫だと思う」

「たぶん？　それじゃその穴が来ちまったら外れじゃん」

「がたがた言うな。とにかく結果を待て。たとえこのレースに外れても、もう一レースチャンスはある。それに正確に言えばだ、穴は一つだけだ」

「一つだけ？」

「お前、見てなかったの？　どんけつは7番だっただろう。こいつははっきりしている。③―⑦は買ってないもの」

言われてみれば、最下位は橙色《だいだいいろ》のユニフォームを着た選手だった。

「確定」

いきなりアナウンスが流れた。場内を満たしていた喧騒《けんそう》がピタリと止んだ。不気味なまでの静けさが支配し、誰もが息を殺して一心に耳を傾けている。何やら殺気さえも漂ってくるようだった。

「一着、3番……二着……」

神様……僕は思わず目を閉じて祈った。

「4番」

津波のような歓声と溜息が上がった。

続いて配当が、告げられる。

「車番連勝単式、七万四千五百円……」

「やった！」

僕は、思わず謙介の手を握っていた。この時点で、ノミ屋から目論《もくろ》み通り約四千万円をぶんどった。もっとも、窓口で二十万円をぶち込んでいたら、約一億五千万からの配当になっていたわけだが……。

オッズ表を見ると、③―④は十六番人気だ。もし当たり前に賭《か》けていたなら、こんな車券に謙介は手を出していただろうか。だけどそんなことはこの際どうでもいい。本来の本命から三十番人気まで、虱潰《しらみつぶ》しに張る。謙介の作戦が功を奏したことは間違いない。

「よおし、本番は次のレースだ。派手に行くぞ」

謙介は顔をくしゃくしゃにしながらも、少しばかり緊張の色を浮かべて言った。

「残りの三億を次のレースで一気に賭けさせる」

「やっぱり二番人気から三十一番人気まで、順番に行くのかい」

「当たり前だ。ノミ屋への貸しは前のレースを清算すれば、ざっと三千二百万。一つの目に五十万ずつだ。それなら万が一外れたとしても借金は残らねえ」

「ちょっと、そりゃいくら何でも無茶苦茶じゃねえの」

「なあに、泣いても笑ってもこいつが最後だ」

「でもさ、とりあえず今のレースでは、普通じゃ考えられない張り方をしても競輪場が受けてくれたけど、こんな馬鹿なことが二度も続くと、さすがに不審に思われて、窓口で拒絶されちまうんじゃねえか」

今更ながらこんなことを言い出すのも変な話だとは思ったけれど、よくよく考えてみれば、誰がどう考えたって、何かが起きていると考えるのが普通だろう。だって、誰もが絶対に来ないと踏んでいる目に、しかもその目が来たとしても、一倍、つまり元金が返ってくるだけだ。世の中には退屈してスリルを味わいたいっていう人間もいないではないだろうが、これじゃまるでロシアンルーレットをやっているのと同じようなものだ。

「あのな、自転車振興会にはさ、公正課っていうのがあって、異常投票があった場合は調査するってことにはなっているんだが……」

「やっぱり」

「彼らが動くのはレースが終わってからだ。それに彼らの目的は、それが八百長に繫《つな》がっていないかどうかを調べるだけだ。第一、誰がどの目に幾ら賭けようと、レースを止めるわけには行かねえだろう。だいたい考えてもみろよ。こんな場面でレースを中止したらそれこそ暴動になるぞ。それに胴元にしても、本来が総売上一千万そこそこのレースが、一気にGI並の売上になるんだ。その二十五％は、黙っていても懐に入る。彼らにとっても、悪い話じゃない」

そう言われれば謙介の話ももっともなところがあった。そう、困るのは誰でもない、無駄金を注ぎ込むオリエンタル製薬の社長の山野、それにノミ屋のヤーサンだけだ。

「陽一、それより次のレースだ。泣いても笑っても、もうこれっきりだ。さっそくオッズを確認するぞ。目が決まったらお前の携帯に電話を入れるから、ここで待っていてくれ」

謙介はそう言うと、オッズ表を手に入れるために観覧席のあるガラス張りの建物に向かった。

一人取り残された僕は、バンクから離れ、また電光掲示板の裏手にある広場に歩いた。車券売り場の前に来ると、とてつもない人込みができていた。誰もが今目の前で繰り広げられた、信じられない光景に興奮の色を隠しきれないでいる。肺病や肝臓病みの集団のように見えていたおっさんたちが、生気を取り戻したかのように生き生きとしている。夢よもう一度といった態《てい》で、オッズが表示されたモニターと予想紙を交互に食い入るように見詰めていた。

おっさんたち、祭りはまだ終わっちゃいないんだよ。もう一度、今度はもっとでかい山がくる。

僕は込み上げてくる笑いをかみ殺しながら、その傍らを通り過ぎた。

興奮や喧騒とはかけ離れた広場に来ると、煙草を銜《くわ》えた。火を点《とも》して、煙を一つ吸った。冬の冷気が肺の中に流れ込んでくるのが、火照った体に心地よかった。

謙介が前のレースが始まる前に言った言葉が脳裏を過った。

FⅡのようなレースにわざわざ出掛けてくるのはよほどの競輪好きさ。重賞レースならともかく、それほど大きな金は動かない。オリエンタル製薬が大金を賭けたお陰で本来の最低人気が一番人気に変わり、他の目が跳ね上がったとしても、どんと大金を注ぎ込むほどの金なんか持ち合わせちゃいないさ。間違いなく二番人気以降の目は、大変な配当がつくに決まっている。

確かに、謙介の言うことは本当だろう。

地乗りの選手たちが一旦《いったん》引き揚げたバンクに人影はない。メインスタンド前にたむろしていた観客のほとんどは、オッズを確認し車券を買うために建物の中に引き揚げている。

吸い終わった煙草を地面に放り投げ、足でそれをもみ消したところで携帯電話が鳴った。

「陽一、④—⑥だ」

「了解、④—⑥だな」

指示を繰り返すと、

「どうやら、おっさんたち、夢よもう一度とばかりに車券を買い控えているみたいだな。発売票数が異常に低いが、こいつは間違いなく誰もが手を出さない目であることは間違いない。今のところ七千五百八十五倍をつけている」

「凄《すご》いね、もしもこいつがくれば、百円買って七十五万八千五百円の配当ってわけか」

「まあ、そういうこったが、なんぼ金を持ってたってこの車券にだけは手を出さねえさ。もっとも、ギャンブルには絶対って言葉はねえからな。百円捨てたつもりで、それこそ一生に一度あるかないかの幸運を夢見て買う人間が一人や二人はいるかも知んねえけどな。いわば掛け捨ての保険ってやつだ」

その時『第十レース投票締め切り十五分前です』というアナウンスが場内に流れた。

「急げ、陽一。これが最後だ。でかい花火を打ち上げようぜ」

「了解。そっちもうまくやれよ、謙介」

「任せておけって」

僕は電話を切ると、プリペイド式携帯を取り出して、オリエンタル製薬に電話を入れた。

「オリエンタル製薬です」

「今度は第十レースの④—⑥に残りの全額、つまり三億円を注ぎ込め。これで最後だ」

「第十レースに残りの全額の三億だな」

受話器の向こうで男が念を押して来る。

「そうだ。これで全てが終わる。こちらの指示を実行しさえすれば、もう二度とあんた方を脅すこともない。電話もこれで終わりだ。勘弁してやるよ」

最後の脅し文句は、電話をする前に考えていた。精一杯ドスを利かせたつもりだったけど、やっぱりドナルドダックのような声じゃしまらない。

電話の向こうで、またしても男が何かを言いかけたが、僕はそれを無視して電話を切った。

再び静かな時間が訪れた。

思わず腕時計を見ると、秒針が異常な速さで時を刻んでいく。じりじりとする時間が流れた。

今ごろ謙介は、オッズを見ながらノミ屋に電話をしているところだろう。果たして前のレースで甚大な損害を受けたノミ屋が謙介の賭けを受けるだろうか。そんな不安が脳裏を過《よぎ》る。

何だかいてもたってもいられなくなって、僕はガラス張りの建物に向かって歩き始めた。第一コーナーの後ろにある車券売り場の人込みに混じって、オッズが表示されているモニターを見た。投票締め切り十分前の表示が出ている。ずらりと並んだオッズの下には、投票総数が出ていて、その数は一万五百とある。つまり売上はまだ百万を少し上回っただけに過ぎない。もしも、こんなところに三億もの金を注ぎ込んだら、いったい他のオッズはどれほどになるのだろうか。

本命はすぐに分かった。赤で表示されたオッズは二つあって、③—⑦が七・四倍。二番人気はその裏目の⑦—③が九・〇倍だ。ここにオリエンタル製薬の連中が三億をぶち込めば、間違いなく、現時点の最低人気の④—⑥は一倍になり、二番人気以降は白と黄色、つまり万から百万車券のオンパレードになることは間違いない。

誰もが息を殺してモニターを見詰めている。異常なまでの緊張感と期待感がひしひしと伝わってくるようだった。突然モニターが黄色一色になった。それと同時に、場内から野獣の咆哮《ほうこう》にも似た歓声が上がった。まるで博多《はかた》山笠《やまがさ》の山車《だし》が駆け出す前、カウントダウンの声を聞きながらスタートをじっと待ち、号砲と共に今まで溜《た》めに溜めていたエネルギーを一気に爆発させ、飛びだして行く瞬間にも似た熱気に場内は一瞬にして満たされた。

窓口に投票カードを手にした観衆が一気に殺到する。祭りがいよいよ始まったのだ。興奮はたちまち頂点に達し、順番を争って、つかみ合いをする人間も一人や二人の話ではなかった。身の危険を感じさえする雰囲気に、僕は人込みを離れた。

このレースだけは間近で見たいと思った僕は、一人ゴールラインに向かって歩いた。ふと背後を振り返ると、電光掲示板にすでにオッズの表示はなく、大きく『一分前』と投票締め切り時刻を告げる文字が黄色く光っているだけだった。

最終オッズがどうなるのか、それはレースが終わってからのお楽しみというやつだ。とにかく賭《か》け金の総額が跳ね上がることは間違いないだろうが、それにしても、通常では考えられない高額配当になることは間違いない。

この間にも、時間は優に十分を過ぎているはずだったが、締め切りを告げるアナウンスはない。おそらく殺到する客を捌《さば》いてしまわないことには、本当に暴動になりかねないと考えているのだろう。

そうこうするうちに、一人二人と、車券を買い終えた客がスタートライン、ゴールラインへと集まり始めた。

「いったい、何が起きてるんだ。今日は本命が来たって、すげえ配当になるぜ」

「まさかノミ屋潰《つぶ》しじゃねえだろうな。絶《ぜ》ってえこねえ目に金を注ぎ込んで、配当を吊《つ》り上げる……」

「馬鹿言え、あんだけオッズを吊り上げようとしたらなんぼかかるか。そんなことやっても元が取れねえだろうが」

「しかし、すげえぜ。さっきメインスタンドの指定席にある高額車券の窓口を見たらさ、でけえバッグを抱えた男が三人来てよ、札をばさばさ出しやがんの。ありゃ三億はあったな」

「三億！　何者だそいつらは」

「分からねえ。けどよ、窓口の周りは黒山の人だかりよ。それを見た連中は血相を変えて、車券を買いに走ったね。何しろ買った車券が④―⑥だぜ。④―⑥」

「そんな目を買っても絶対来やしねえって。それとも何か、まさか八百長じゃねえだろうな」

「来たって一倍だぜ。そんなことして何の得になるってんだよ」

少しどきどきした。特にノミ屋潰しの言葉が出た時には、寒風に晒《さら》されすっかり冷えきった背中に更に冷たいものが流れたような気さえした。

やはり、この世界に乏しい持ち金を長年注ぎ込んできた人間には、それなりの勘が働くものらしい。

「しかし、こんなことになるんなら、サラ金から借金してでもよ、金を持って来るんだったなあ。こんなチャンスは二度とねえだろうからなあ」

隣にいる男がつくづく残念そうに言った時、バンクの中に制服を着た係員が整列を始めた。彼らがそれぞれの配置につくと、『レーサーズ・ゲート』が開き、選手が姿を現した。

場内が俄《にわか》に活気づく。声援が飛ぶ。いや罵声《ばせい》と言ってもいいだろう。

「柏田《かしわだ》あ。おめえは今日は頑張らなくていいぞ。何ならコケちまってもいいぞ」

「用無し！　柏田！」

柏田と言うのは確か、はからずも一番人気となってしまった4番の選手である。何とも現金なものだ。

おそらく出走前に控室でオッズを見たのだろう。どの選手も緊張の色を隠せないでいる中、柏田の顔は蒼白《そうはく》で、口元が引き攣《つ》っている。いかに常日頃から客の金と夢を背負ってバンクを駆ける勝負師とはいえ、やはり自分に掛けられた期待の大きさに、押しつぶされそうになっているに違いない。

「大丈夫だよ。なんぼＦⅡ戦とはいっても、五十のおっさんが勝てるわけねえだろうが」

その言葉を聞いて僕は少し驚いた。柏田と呼ばれた選手の肉体は、傍目《はため》には他の選手と遜色《そんしょく》がないように見えたからだ。その年齢まで、これほどの肉体を維持するとなれば、日頃からどれほどの訓練と節制を強いられる生活をしてこなければならなかったことだろう。こうして自分の子供ほどの年齢差のある選手たちと、何のハンディキャップもなしに、ガチンコで闘える。それだけでも凄《すご》いことだと思った。こんな歳まで現役を続けていられるのは、それなりの戦績を残しているからに違いない。ひょっとすると、という気持が頭を擡《もた》げてくる。

自転車が車止めに固定される。一列に並んだ選手たちは、コースに一礼すると、今度は観客席の方に礼をし、自転車に跨がった。

　車券を買ったそれぞれの選手たちに、今度は一転して声援が飛んだ。

　各コーナーの入り口と出口、それぞれ四ヶ所に設けられた、審判席から白旗が上がる。

　スターターがピストルを構える。鐘の脇に立った係員が木槌を構える。

「構えて」

　という声に続いて号砲が鳴った。ガシャッ……。後輪が外れ、選手たちが一斉にスタートを切った。展開はゆっくりと進んだ。第一コーナーから第二コーナーを抜けたところで、車列は一列になった。もう誰も叫ぶ者はいない。皆息を殺して展開を見詰めている。

　謙介は二番人気から三十一番人気までを買うと言ったが、少なくとも4番の柏田が来れば終わりだ。

　周回を重ねるごとに、目の前に置かれたボードが捲《めく》られ、そこに書かれた数字が小さくなって行く。順位が何度か入れ替わる。あと二周目にかかり、メインスタンド前から第一コーナーへと車列がさしかかったところで、突然柏田のスピードが上がった。車列を離れ、外側から先頭に向けてぐんぐんと出て行く。中盤から先頭に向けて、物凄いスピードで順位を上げて行く。

「うおおおお」

　場内から歓声が上がる。柏田のスピードは落ちない。第三コーナーにさしかかると、鐘が鳴った。あと三人抜けば、彼がトップに立つ。先頭誘導員が、コースを空けた。それを待っていたかのように全員のスピードが上がった。みるみるうちに、柏田が後方へと置き去りにされる。

「あ〜あ、やっぱりね。勝負に出たはいいけれど、終わりだね。脚使いきっちゃったね」

「柏田、ご苦労！」

「それでよし！」

目の前を通り過ぎて行く集団に向かって、少し安心したような声が飛ぶ。集団は三つのラインとなって最終周に入った。こうなると素人目には、誰が有利なのか分からない。ただ一つ確実なのは、恣《しい》意的に一番人気にさせられた4番の柏田の目はないということだ。

集団はいよいよ、最終コーナーを回り直線に入った。横に広がりゴールへ全力疾走で駆けてくる。選手たちの姿勢が低くなる。歓声が絶叫へと変わる。確か二番人気は③—⑦、三番人気は裏目の⑦—③だったはずだ。橙色のユニフォームに身を包んだ選手が大外から突っ込んでくる。先頭に迫る。黒と赤、それに緑のユニフォームが並んだ。選手の腕が伸びる。

絶叫がどよめきに変わった。

「⑦—⑥だ！　⑦—⑥！」

誰かが叫んだ。

二車単の⑦—⑥が何番人気になっているのかは分からない。果たして謙介はこの車券を買っていたのだろうか。レースの興奮の余韻がまだ冷めやらない観衆をかき分けるようにして、僕は金網を離れた。

　その時、携帯電話が鳴った。

「陽一？」

　謙介だった。

「今どこにいる」

「メインスタンドの指定席だ」

「それで、どうなった。今の車券取ったか」

「もちろん取ったさ。普通だったら買わねえ車券だけどな。三分前のオッズでは二十四番人気で、二千百九十三倍ついていた」

「それで五十万買ったんだから……ノミ屋からの配当は上限二百倍だから一億かよ！　前のレースで稼いだノミ屋への貸しが約三千二百万だから実質元手はなし。それに戻しが十%だから、約一億千八百万だ！」

「そういうことだ」

「当然ノミ屋は受けたんだろうな」

「ああ、相当びびっていたけど、取る時はきっちり、自分がやばくなったからって呑《の》めねえってわけには行かねえだろう。これもママが用意した尻持ちの力だな」

「ノミ屋、これで潰《つぶ》れるな」

「たぶんね。前のレースでの成り行きをみて、でかく賭けてきたのは俺だけじゃねえだろうからな。他にも同じような賭《か》け方をしたのはたくさんいるだろうさ。もっとも問題はノミ屋に支払い能力があるかどうかだけど。とにかく再起不能だろうね」

「それにしても、危なかったな。二十四番人気なんて、ちょっと間違えば、終わりだった……」

「こんな無茶ができたのも、事前に三億、誰がどう考えたってこねえって目にオリエンタル製薬の連中が張るって分かっていたからさ。そうじゃなきゃ、とても買えはしなかったさ」

謙介は、いつになくしおらしい口調で言うと、

「とにかく、これで俺たちの仕事は終わりだ。早々に立ち去ることにしようぜ。出口のところで待っている」

謙介はそう言うと、電話を切った。

＊

京王多摩川の駅は京王閣から吐き出された競輪帰りの客でごった返していた。

異常なまでの配当がついたレースに、誰もが興奮を隠しきれないでいる。たった今終わったレースの余韻がホームを満たしていた。

僕たちは言葉を交すこともなく、やってきた電車に乗り込むと、調布の駅で特急電車に

乗り換えた。特急電車は新宿までの途中、明大前《めいだいまえ》に停まるだけだ。三人掛けの席の隣に人がいたせいもあって僕らは無言のまま短い時間を過ごした。

新宿駅に着くと、謙介は、

「少し早いが、一杯引っかけるか」

と誘った。

もちろん異存などあるはずがない。現金を手にしたわけではないが、レースの結果は大勝だ。さくらの弱みにつけこんで愛人にした山野にも大損害を与えてやることができた。何だか胸につかえていた異物がようやく胃の腑《ふ》の中に収まった、そんな爽快《そうかい》感があった。

「祝杯というわけだな。よし行こう！」

歌舞伎町の入り口にある居酒屋に入り、ビールと三品ほどのつまみを頼んだ。

「なあ、陽一よ。お前、今回儲けた金、どう使うつもりだ」

「どうって、まだそんなことは考えてないよ」

その言葉に嘘はなかった。たった三分そこそこ、いや二レース分の時間を合わせても、七分ほどの時間で、とてつもない大金を手にしたのだ。まさか自分がこれほどの金を手にする機会に恵まれようとは考えたこともなかった。

「今回の配当を二人で山分けすれば、俺たちには約五千万ずつの金が入ることになる。もっともお前には三百二十万円の借金があるから、取り分はお前の方が多いけどな」

僕は有頂天になっていた。謙介の顔にも達成感が満ち溢《あふ》れていたが、そのどこかに少しばかり漂う影があるのが気になった。

「五千万円かあ」

考えてみれば大金には違いないが、今一つ実感が湧いてこなかった。事業をやるなんてことも今まで考えたこともなかったし、かといって格別欲しいものがあるわけでもなかった。だけど、お金がこれほどまでに心に余裕を持たせるものだということを僕は初めて知った。

「お前は何か使う当てがあるのかよ」

僕は逆に謙介に問い返した。

「俺か？」

謙介は少し押し黙った。

「借金を返してもまだ随分な金が手元に残る。ギャンブルの軍資金には当分こと欠かないだろう」

「そこなんだよなあ」

一転、金色に染めた髪を掻《か》き上げながら謙介は溜息《ためいき》を吐くと続けた。

「何だかさ、急に熱が冷めちまった気がすんだよ」

「熱が冷めた？　それどういうこと」

暇があるとギャンブルにうつつを抜かしてきた謙介の言葉とは思えなかった。そりゃあ、博打《ばくち》うちにとって、金なんていくらあっても充分ということはない。レート次第で、手にした金を一夜にしてすっちまうこともあれば、何倍にもすることだってできる。

「あのさ、なんか俺、空《むな》しくなってきちまってさ」

「空しい？」

そんな言葉は今まで謙介の口から聞いたこともなかった。

「今回の一件で俺たちは大金をせしめはしたさ。だけどさ、何かこう、いつもなけなしの金を注ぎ込んで、三つや四つの目に賭けて、そいつが来るかどうか、車券を握り締めてレースの展開を見守る——。そんな興奮なんかありゃしなかったんだよ。だいたいね、三十もの目に賭けてさ、こいつが当たらねえはずがねえ。来なかったところで、俺の懐が痛むわけでもねえ。そう思うとさ、あれほどのめり込んでいた競輪も、全く別物に見えてきてさ……急につまんなくなっちまったんだよ」

目の前になみなみと注がれたビールが運ばれて来た。本来なら乾杯と行くところなのだろうが、謙介の言葉を聞いた直後だとそんな気持にもなれず、僕たちは無言のままそれに少し口をつけて、再びテーブルの上にジョッキを置いた。

「こんなことで手に入れた金を元手に、ギャンブルをやったところで、またあの興奮が味わえるんだろうか。いや、そうじゃないよな、きっと。泡銭《あぶくぜに》の使い方なんて、決まってる。所詮《しょせん》は当たるべくして当てて得た金。元銭にしたところで、俺の懐を痛めたわけでもないんだもの」

どうやら謙介はこう言いたいらしかった。つまり、博打うちにとって、ギャンブルをする目的は金ではなく勝負の結果、つまり自分の運と読みが当たるか否か、そのスリルにあるのだ。たぶん多くの場合は外れるに決まっている。だけどその悔しさが次の勝負への意欲をかき立てると——。

「それで、お前どうするのさ」

「どうするって訊《き》かれても……」

謙介はジョッキを持ち上げると、軽く唇を湿らし、

「もう、俺、ギャンブルから足を洗うよ」

「マジかよ」

「だってさ、これから先、どんな形でギャンブルをしようとも、今回手にした金がすっからかんにならねえうちは、自分の金でやったことにはならねえだろう。そんな勝負、面白くも何ともねえもん」

謙介の言葉を聞いているうちに、何だか僕の中から大金をせしめて興奮していた気持もどこかに吹き飛んでいってしまうような気分になった。

五千万円は確かに大金だ。夢のような大金だ。だけど、そんな金を手にしたところで、今の僕には何をどう使っていいのか分からない。金があるには越したことはないけれど、汗水垂らして稼いだものでもなければ、自分の能力で手にしたものでもない。ブランド物の服を買う。車を買う。それもいいだろう。ベンツをキャッシュで買うことだってできもする。だけど、それで本当に満足できるのだろうか。もちろん名義は自分のものになる。

でもそれにしたって、何だかレンタカーを借りて乗り回している、そんな気持がずっとつきまとうんじゃないだろうか。

そう、分不相応な金は決して幸せな気分なんか、与えてはくれやしないに決まってる。そして一旦《いったん》覚えた贅沢《ぜいたく》からは決して逃れられはしない。今度はいつ金が底をつくか。その不安に怯《おび》えながら、これからの生涯をすごさなきゃならなくなっちまう。

そんな気がした。

そっとジョッキの中の金色の液体を口に含んだ。何だか、いつにも増してビールの苦さが口に染みた。気がつくと、店の中のテーブルはほとんど埋まっており、その間を忙しく動き回るバイトの女の子の姿がとても眩《まぶ》しく見えた。

時給を幾ら貰《もら》っているのかは分からない。たぶん多くとも千円まではいきはしないだろう。閉店が午後十一時だとして一日六千円、いや五千円を稼ぐのが精一杯といったところだろう。だけど、あの女の子が手にする金は、紛れもなく自分で稼ぎ出した金だ。それで分不相応なブランド物のバッグを買おうと、服を買おうと、彼女は目的を達成したという満足感を覚えるだろう。

そういった意味では金は人を幸せにしてはくれる。だけど、一番大切なのは、その金をどうやって稼いだかだ。

「なあ、謙介」

「何だよ」

「俺さ、お前の言うこと何だか凄《すご》くよく分かるような気がする」

「何も、俺に同調しなくていいんだぜ。お前はお前、俺は俺だからな」

「いや、そうじゃなくてさ。今回手にした金は神様が俺を試そうとしているような気がするんだな。チャンスはやった、これを元手にどう生きるか。手にした金を更に大きくするか、それとも泡銭に相応《ふさわ》しく、全て使い果たしちまうか……。もしも後者ならもう二度とチャンスはないって」

「そうだよな。五千万だぜ。何に使うか、それが決まるまでは、大事にしておかないとな」

「でも問題は、金をどこに保管するかだな」

「まさか銀行に預けるってわけにも行かねえしな」

「家の中に置いとくわけにも行かねえし……」

「いっそ、使い道が見つかるまで、銀行の貸金庫にでもぶちこんでおくか」

「そいつぁいい」

謙介の顔がぱあっと輝いた。

「あの貸金庫ってところに一度入ってみたかったのよ。何だかそんなものを持てただけで、すげえ金持ちになった気がするよな」

「じゃあ、異存はないな」

「もちろんだ」

謙介はまるで憑物《つきもの》が落ちたような清々《すがすが》しい笑いを満面に浮かべると、

「よし決まりだ。それで行こう」

すっかり泡が消えたビールジョッキを高々と掲げた。

僕たちはその日初めての乾杯をした。

エピローグ

京王閣で前代未聞の珍事が起きたことは、すぐに世間で大変な話題になった。新聞、雑誌、テレビとありとあらゆるメディアが取り上げ、いったい誰が何の目的でそんなことをしでかしたのか、さまざまな憶測が流れた。最終レースに三億を注ぎ込んだ時には、高額窓口の周りには黒山の人だかりができていたせいで、中には目撃者から人相を聞き取り、似顔絵にして報道する媒体もあったほどだ。

だけど、結局のところ、ことの真相はうやむやなままに終わり、二レースに五億もの金を注ぎ込んだのがオリエンタル製薬であることはもちろん、僕たちの計画が表沙汰《おもてざた》になることもなかった。人の噂も七十五日とはよく言ったものである。一月もしないうちに、日々洪水のように押し寄せるニュースに紛れ、三月の珍事は人々の記憶の中から忘れ去られた。僕たちの目論《もくろ》みは、たった一つのことを除けば全て読み通りになった。外れたただ一つのことと言うのは、ノミ屋の配当金のことだ。

レースが終わって三日ほどした頃、僕と謙介は摩耶を通じて若田という男から東京駅近くのホテルに呼び出された。指定された部屋に入ると、見るからにそのスジと分かる男が一人いた。口元に穏やかな笑みを浮かべてはいたが、眼光には有無を言わせぬ鋭さがあった。

「岩崎さんに平木さんですね」

歳の頃は三十の半ばというところだろうか。穏やかな声で言うと、

「まあ、そこに掛けて下さい」

傍らの椅子を勧めた。強《こわ》ばる体に鞭《むち》打って、言われた通りに椅子に腰を下ろし、相対したところで若田は足元に置いたバッグを机の上に置くと、おもむろにファスナーを引き開けた。中から無造作に詰め込まれた札束が見えた。

喉《のど》が鳴った。手が震えた。こんな大金を目の当たりにするのは初めてだった。

「私が誰か、素性は知らない方がいいと思います」

僕たちは自然に肯《うなず》いていた。

「ここに五千万あります」

「はあ……」

確か、ノミ屋からぶんどった金は一億、いや正確には一億千八百八十七万円だったはずだ。だけど、本物のヤクザを目の当たりにして、言葉を返す度胸は持ち合わせていなかった。思わず顔を見合わせた僕たちに向かって、

「分かっています。本来、あなた方が受け取る金は一億千八百八十七万のはずです。ですが、今回はこれで我慢して欲しい、何も言わずにこれを受け取って、全てを忘れてやって

下さい」

男の口調はあくまでも丁重だったけれど、有無を言わせぬ凄みがあった。

「そ、それは……五千万でも僕らにとっては大金ですから……」

「こちらの世界にも、いろいろ事情がありましてね。一億もの金は、そう簡単に用意できるものではないのです」

男はバッグの中を探ると、小さな小瓶を取り出した。透明な液体の中に、象牙《ぞうげ》色の塊が浮かんでいた。それが何かを悟った瞬間、僕たちは固まった。

「この通り、けじめはつけました。これで勘弁してやって下さい」

それは紛れもない、人間の指だった。つまりエンコ詰め。小指を落とすことで、残りの金をちゃらにしろということなのだ。

「わ、分かりました。ご、五千万で結構です」

どちらが言ったのか、それすらも思い出せない。僕たちは、バッグに入れられた、札束を手にほうほうの態《てい》でホテルを後にした。

あんなものを見せられた上で、文句なんか言えやしない。指を落とす以上のけじめを見せろなんて、堅気が言えるはずもない。

僕たちはそれから銀行に向かい、貸金庫の中に、全額を保管した。

僕は相変わらず、『クイーン』でボーイをやり、安月給の他に、摩耶ママから小遣いを貰《もら》う身になった。謙介はと言えば、家業の酒店の手伝いに汗を流すといった元の生活が始まった。さくらとはあれから会ってはいなかったけれど、『エムプレス』で歩合制のホステスとして頑張っているらしい。

全ては元に戻った。日々同じことの繰り返し。何の刺激も変化もない日々がこれからもずっと続く。それでも二千八百万からの現金が手元にあるだけで、心にそこはかとないゆとりだけは覚えていた。

事件が起きたのはそれから半年の後だった。

『オリエンタル製薬の育毛剤に脱毛ローション混入の疑い』

ゴシックの文字で書かれた見出しが新聞の三面記事にでかでかと載ったのだ。

心臓が止まりそうなほどびっくりした。まさか僕らと同じアイデアを使って、オリエンタル製薬から金を脅し取ろうとする人間がこの世に存在するなんて、偶然にしてもそうあるわけがない。

僕は貪《むさぼ》るようにその新聞記事を読んだ。何度も繰り返し読んだ。だけど読めば読むほど、わけが分からなくなった。記事によると、中身をすり替えた犯人は、ブツをオリエンタル製薬に送ったのでもなければ、何らかの要求を突きつけてきたわけでもない。警察に中身をすり替えた育毛剤だけを直接送り付けてきたのだと書いてあった。

その方法からすると、今回新たに犯行に及んだ連中の目的は、金目当てではないことは明白だった。となると、考えが行き着く先はただ一つ。オリエンタル製薬の育毛剤に決定的ダメージを与えることしかないように思えた。いったい誰が、何でそんなことをするのか。一瞬、摩耶の顔が脳裏に浮かんだけれど、そんなことをしても彼女には一銭の得にもなりはしない。だって、オリエンタル製薬は山野社長が約束した通り、営業の接待で頻繁に店を使うようになって、摩耶の懐にはかつて以上の収入が転がり込んでくるようになっていたのだ。今回の件でオリエンタル製薬の育毛剤が決定的ダメージを受ければ、当然これまでのように接待費を使うわけには行かなくなることになる。そんな子供でも分かる馬鹿なことをあの摩耶がしでかすはずがない。

だけど、育毛剤の中身を脱毛剤にすり替えるという手口は、僕らが考えたものだ。しかもオリエンタル製薬を狙い撃ちにしたところをみると、どう考えても僕たちのしでかした手口をまねたとしか思えなかった。

ことの真相を知っているのは、僕と謙介とママの三人だけ。でも、いずれの人間も再度の犯行に及ぶ動機はない。となればいったい誰が――。

果たしてオリエンタル製薬は、ただちに製品を店頭から回収。しかるべき安全措置を施すまで、販売を中止することを決定したという。安全措置を施すというのは、おそらく容器の構造を変え、回収した商品は全て廃棄するということなのだろう。その数がいったいどれほどになるのかは分からない。おそらくは何万、いや何十万という単位だろう。それ以上に製品が失う信頼を考えれば、たとえパッケージや容器にいくら安全措置を施したとしても、一旦《いったん》離れた客が再び購入してくれるとは思えない。オリエンタル製薬にしてみれば、稼ぎ頭の一つだった製品の息の根を止められてしまうことになるだろう。

誰かが僕らのまねをして、オリエンタル製薬を窮地に陥れようとしている。彼らに犯行のヒントを与えたのは僕たちだ――。

そう考えただけで、僕の心中に譬《たと》えようもない不安と、後味の悪さが込み上げてきた。謙介と二人合わせて五千万円の金を手にしたお陰か、しばらく止んでいた前立腺《ぜんりつせん》がまた痛み始めた。

「ねえ、陽ちゃん。あなたお店変わるつもりはない」

摩耶が突然そう持ちかけてきたのはそんな事件が起きてから二週間ほどした頃のことだった。

いつものように青山の病院に向かうベンツの車内で、後部座席に座った摩耶が言った。

「店を変わるって、どこへスか」

「私、決心したの」

「何をです?」

「自分の店を持つことにしたのよ」

「ママ、オーナーになるんスか」

「私もねえ、先々のことを考えると、いつまでも歩合の雇われママをやっているわけにも行かないと思うのよ。この辺で勝負に出ようと思うの」

摩耶が言わんとしていることは分からないではなかった。今のままでは、売上の四十二

%しか収入にはならない。これがオーナーママとなれば、少なくとも自分の売上は全て収入となる。もちろん経営者ともなれば、店の家賃、それにスタッフへの給与を支払わなければならないけれど、才覚一つで今まで以上の収入を得ることは不可能な話じゃない。それに摩耶だって、毎日歳をとっていく。まだ二十代。女盛りを武器に暫《しばら》くの間はやっては行けるだろうが、いずれ歳を取れば今のようには行きはしないだろう。だけどオーナーママになり、稼いでくれる若く有能な雇われママを手に入れることができれば、自分が店に出ずとも売上は折半。つまり寝ていても金が入って来るという寸法だ。首に縄をつけられて魚を取ってくる鵜《う》から鵜匠になることを摩耶は決心したのだ。

「いやあ、急にそんなことを言われて……俺、店を変わるなんてこと考えたことなかったし」

「陽ちゃんとは抜き差しならぬ縁があるしね、今度やる店ではあなたに店長をやってもらいたいの」

「俺が店長スか！」

僕は少し驚いた。だってまだこの道に入って二年目に入ったばかりだ。そんな僕に店長だなんて。

「今度の店はね、どんと大きく行こうと思うの。百人は入る大箱よ。内装も豪華に。かつて銀座が活況を呈していた頃のお店を再現しようと思うの」

「百人！」

思わずブレーキを踏みそうになった。そんな大きな店となれば、銀座でもそう多くはない。このご時世にそんな大箱を立ち上げるとは……。もちろん摩耶のことだ。それなりの勝算はあってのことだろうが、いくら銀座のトップとはいえ、いったいその資金はどうするつもりなんだろう。

何と答えたものか、言葉が続かなかった。

「陽ちゃん、あなたそんな大箱立ち上げて大丈夫かと思ってるんでしょう」

「いやあ……そんなことは……」

図星を指されて僕は口籠《くちごも》った。

「歩合制のママの目処《めど》ももう何人かはついているの。ホステスにしても、今スカウトさんにお願いしてスジのいい娘《こ》を見つけてもらうよう頼んであるわ。ただ、店長はやっぱり信頼がおける人じゃないとね。その点あなたなら大丈夫。お給料も弾むわよ」

「それはありがたい話なんスけど……」

あまりに急な話で、一向に考えが纏《まと》まらなかった。

「それにあなただから言うけれど、借り入れはなし。全部自己資金ですからね。開けたはいいけれどたちまち経営に行き詰まるなんてこともないわ」

「それ全部、自己資金でやるんスか。いったい幾らかかるんスか」

「そうね、ざっと四億ってところかしら」

ママは平然と言った。

「四億！　それ全部自分で？」

そりゃあ摩耶の年収が一億以上もあることは知っているけれど、銀座でトップを張っていくにはそれなりのコストがかかる。お客は限られているとは言っても、盆暮れ、誕生日の付け届け、毎日の美容院代、ましてやお父さんの入院費用だって莫大《ばくだい》なものだ。加えて収入がそのまま全部懐に入るわけじゃない。税金だって半分、いやことによるともっと持って行かれるに違いない。そんな中でどうやってそれだけの大金を捻出《ねんしゅつ》したのだろう。

「陽ちゃん。これは私からあなたへの言わば恩返しなの」

「何スかその恩返しって」

「誰にも言っちゃ駄目よ」

ルームミラー越しに後部座席を見た。摩耶は窓の外にちらりと視線をやりながら含み笑いをすると、

「あなた、今オリエンタル製薬が大変なことになっていること知っているわよね」

「そのことなら、俺、ずっと気になってたんス。だって育毛剤と脱毛剤をすり替える、しかもオリエンタル製薬を狙い撃ちにするなんて、俺からしてみりゃ、どう考えたって誰かが俺たちのまねをしたとしか思えませんもん」

「あれね、実は横山社長の仕業なの」

「えぇっ！」

驚いた。本当に驚いた。何で横山社長がそんなことをしでかすんだ。

ちょうど目前に迫った信号が赤に変わった。僕はブレーキを踏むと後部座席を振り向いた。

「横山社長はね、あなたも知っての通り、金融屋と言ってもそのスジの人でしょう。それで、オリエンタル製薬を脅す前に、ちょっと相談してみたのね」

「やっぱり！　いやそうじゃないかとは思っていたんスよ。ノミ屋の尻持《ケツも》ちやったの横山社長でしょう」

「そうよ」

摩耶は少しも悪びれる様子もなく言うと続けた。

「だって平木君の名前じゃノミ屋は車券を受けてくれないでしょう。たとえ受けてくれたにしても、しらばっくれられたらそれで終わりじゃない。それで横山社長に相談したわけ。そうしたらね、謙介君が使っているノミ屋ね、横山社長が関係している組とは対立関係にあるって言うのね」

「それで、横山社長が尻持ちをしたってわけですか」

「そう」ママはいとも簡単に言い放つと、「だってそのノミ屋に決定的ダメージを与えてやることができれば、自分たちのシノギが上がるんですもの。もっとも横山社長には直接関係ないことだけど、組の中で目をかけている子分の株が上がることになるんですって。それにあのノミ屋、金融屋もやっていたみたいだし、呑《の》んだ賭《か》け金の配当ができないほど追い込まれれば、それだって続けられなくなるでしょう」

「それでどうなったんスか。ノミ屋から金をせしめたんスか」

「金額ははっきりとは分からないんだけどね。支払いを延ばさなければならないほどのダメージを与えたらしいわよ。もちろん暫くしてから、全額耳を揃えて返してきたらしいけど、どうもあのノミ屋さん、支払いを少しの間待ってもらう代わりに、顧客リストをその子分さんに差し出したらしいわよ。もう横山社長はそれ以来ご機嫌よ。労せずしてお客さんをせしめることができたんですものね。そのお陰で横山社長、前にも増してお店で大きなお金を使ってくれるようになったし」

そういえば、このところ横山社長の来店が頻繁になり、一回の飲み代も以前より高額なものになっていることに僕はその時気がついた。

「で、何でまた再度オリエンタル製薬を窮地に陥れるようなことをしたんスか」

「それはね、株よ」

「株？」

「私たちが実行したプランではことが公にならないことを前提としていたけど、もしこのことが万人の知るところになればよ、オリエンタル製薬の育毛剤には誰も手を出さなくなるでしょう。当然業績は下がる。それに伴って株価も下がる。そこで空売りをかける――」

「そんなこと簡単にできるんスか」

経済学部出身とはいっても、株取引の授業なんて受けたこともないし、実際に株式投資をしたことがない僕には、その仕組みがとんと見当がつかない。

「簡単なことよ」摩耶はしれっとした顔で続けた。「ちょうど、この季節は中間決算が近いでしょう。オリエンタル製薬もついこの間決算見通しを出したばかりだったの。今期は中間で利益が三割アップ、育毛剤の売上も好調、増収増益の見込み。そのお陰で、このところ株価はずっと上がり調子だったのね。株式投資の儲《もう》けが、買値と売値の差にあることは知っているわよね」

「その程度のことは知っています。買った時の値段より、売った時の値段の方が上がっていれば、その差額が利益になる」

「でもその逆もまた儲けになるのよ。空売りがうまく行けばね」

「どういうことです」

「空売りをかけたい時はね、まず最初に証券金融会社から目当ての株を借りてこなきゃならないのね。もっとも実際の株の売買は証券会社が客の名義でやってくれるんだけど、これはちょっとした元手があれば誰でもできることなの」

「どのくらいの金が必要なんスか」

「証券会社に取引口座を開設して、保証金として一千万から二千万を積んでおけば充分。証券金融会社は、その金額の三倍までの株を貸してくれるわけ。つまり一億だったら三億、二億だったら六億までの取引ができるのね。空売りをかける前のオリエンタル製薬の取組《とりくみ》妙味《みょうみ》、これは貸借倍率《たいしゃくばいりつ》とも呼ばれるものなんだけど、手っ取り早く言えば買いと売りのバランスを示す指数は確か、一・一二倍だったから、とてもいいバランスを保って上昇を続けていたってわけ。そんな時によ、業績好調の育毛剤に脱毛ローションが混入しているなんてニュースが市場に流れたら、どんなことになると思う？」

「そりゃ、株価は暴落するに決まってるじゃないですか」

「そうよね。実際、オリエンタル製薬の株価は、ことが公になって、一気に七百円も値を下げたわ。横山社長は、証券金融会社から借りた株を限度額目一杯まで高値で仕込んだの。それから、脱毛ローションを警察と山野のところに送り付ける一週間前から、少しずつ売った。いよいよ発表されるだろうという頃合いを見計らって一気に売った。そしてニュースが流れて株価が七百円値を下げたところで、今度は買い戻しをかけたってわけ。証券金融会社との精算は、半年以内だから、実際には保証金以外のお金は動かない。つまり元手の三倍の金額の株を高値で売りはしたけれど、実際に支払う金額は精算した時点での株価だから、売った時点と買った時点での差額がまるまる儲けとなる。それが空売りの仕組みってわけ」

「そんなこと許されるんですか。それじゃ金のある人間なら意図的に株価を操作することだってできるじゃないですか」

「機関投資家と呼ばれるところなら、どこだってこうやって儲けているのよ。第一、空売りっていうのは、本来株価が上がり過ぎないためにある制度、いわば市場の調整機能なの。こんなシステムがなければ企業の業績が良ければ、株価は青天井になるじゃない。そんなことになればそのうち誰も株を買えなくなってしまうわ」

「それで、横山社長なんぼ儲けたんスか」

「それは内緒。だけど私も、それに便乗して銀行預金を担保に借金をして全額投資に回した。その結果、大箱を借金なしで持てるだけの現金を手にすることができた。それが今回の真相ってわけ」

蛇の道は蛇とは言うけれど、まさかそんな手があるとは考えもしなかった。とてもじゃないけど、摩耶や横山社長にはかなわないと思った。この世を生き抜いていくためには奇麗事ばかりでは立ち行かないことは分かっている。だけど、摩耶や横山社長のようにこの世の裏街道の間隙《かんげき》をついて富を築き上げることなど僕にはできないと思った。

要は悪さをするにも、それなりの才と器というものが必要なのだ。僕にはその才もなければ器もない。欲望に駆られ風俗に行っては性病に冒されたんじゃないかという妄想に駆られ、法外な治療費をふんだくられる。ストレスが重なって慢性前立腺《ぜんりつせん》炎を患う。そんな僕がママの手下になって店を仕切って行けるはずがない。

考えてみると、僕にはこの世界で生きて行くのがそもそも無理なのかも知れない。小さな器にはそれに見合った生き方というものがあるのかも知れない。

何だか僕はこの一年の間、身の丈に合わない野心を抱き、無理に背伸びをして生きてきたような気がして、全身から力が抜けて行くような思いに捕らわれた。

「どう、陽ちゃん。あなたが私の右腕になって働いてくれると嬉《うれ》しいんだけど」

ママはそんな僕の心情など知るよしもなく、再び訊《たず》ねてきた。

「ちょっとあまりに突然なことなんで、少し考えさせて下さい」

「そう、いい返事を期待しているわね」

信号が青に変わった。僕はアクセルを踏み込んだ。ベンツが加速するにつれて街の光景が刻々と変化して行く。青山墓地の横を抜けると、近代的なビルが立ち並ぶオフィス街が見えてくる。ちょうど昼食時にさしかかった街には、有名企業で働くサラリーマンの姿で溢《あふ》れ返っていた。かつて憧《あこが》れだったその姿も、いまは酷《ひど》くつまらないものに見えてきた。虚飾に彩られた街、そして自分が今身を置いている世界も……。

だけど、その一方で、『そりゃあないぜ、ママ』という思いが頭を擡《もた》げてきた。だってそうだろう。僕たちは本来、五千万ずつの金を手にするところをその半額で手を打ったんだ。そんな僕らを尻目《しりめ》に、ママと横山社長は、途方もない大金を摑《つか》んだ。僕にだって男の意地がある。このまま引き下がるわけには行かない。この二人に恩がないわけじゃないけど、それ以上に何だか心の片隅にずっと大切に仕舞っておいた、ちっぽけだけど最後のプライドがずたずたにされたような気がした。その時、僕は確かにこの二人への復讐《ふくしゅう》を誓ったのだと思う。

結局僕は、それから二週間後、店を辞めた。そして摩耶の新しい店の店長につく道を選んだ。

開店までは、三ヶ月の時間があった。その間を利用して、僕と謙介は、一つの計画を立てた。真壁社長の病床を見舞ったのだ。脳梗塞《のうこうそく》はだいぶ回復しており、右半身に麻痺《まひ》は残っていたけれど、それを除けば、普通の生活をできるまでになっていた。もちろんだからと言って、かつてのように銀座に出掛けることはできはしない。会社にしても口頭で指示を出し、なんとかやりくりをつけているのだと言った。

僕と謙介は、再び真壁社長に例のワインのすり替えを申し出た。謙介は、家に戻った当初は、こっぴどく親父に叱られはしたが、かつてのように歌舞伎町で酒を売り歩く身だ。僕はといえば、大箱の店長になる。二人がタッグを組めば、かつてのように偽ワインを売り捌《さば》くことはいとも簡単なことだった。

話を聞いた真壁社長に異存はなかった。いや、むしろ長い入院生活を続ける真壁社長は、現金収入の当てができたことをことのほか喜び、躊躇《ちゅうちょ》することなく僕たちの申し出に乗ってきた。ラベルの印刷はさくらに頼んだ。話を聞いたさくらもまた、一も二もなく飛びついてきた。すっかりホステスぶりが板についたさくらは、店の中に第二の僕をつくり、その男にすり替えの仕事をさせると言った。もちろん、さくらと僕は対等な立場じゃない。さくらにもそれなりの金は入るが、今回はワインを僕から仕入れるのだ。つまり、僕の手先となって働くことになる。これもまた、ささやかだけど、僕の純情を踏みにじったさくらへの復讐というわけだ。

そしていよいよ開店初日。真っ先に店に現れたのは横山だった。いつものように豪勢にシャンパンを空け、ワインを注文してきた横山に、僕は偽のワインを持って行ってやった。

「乾杯」

華やかな声が上がった。

「どうや、ママ。オーナーになった気分は」

横山がすっかり上機嫌で胴間声を上げた。

「最高ですわ。何もかも」

「今夜のワインは格別に美味《うま》いだろう」

「本当、人生で最高の味……」

僕は、その言葉を聞きながら、心の中でペロリと舌を出していた。フェイク——虚飾で彩られた街、そして人間たちに、これほど相応《ふさわ》しい言葉はないと思いながら。


（了）

解説

西上心太

fake [feik]
——v. ごまかす；偽造する（(up)）；ふりをする；【スポーツ】フェイントをかける。
——n., a. いんちき（の）；模造品；模造の；いかさま師。（「EXCEED英和辞典」）

金地金を対象にした現物まがい商法（ペーパー商法、オーナー商法）によって、全国の客に大きな被害を与えた豊田商事事件があってから、もうすでに二十年以上がたつ。もはやそんな事件なんか知らないという人の方が多いかもしれない。しかしその後も被害規模こそ違え、類似の事件が後を絶たない。数年前に「あなたも和牛のオーナーに」という広告を何かで見たが、なかなか面白いシステムじゃないの、とけっこう真剣に読んだ記憶がある。生来の不精ゆえ申し込むまでにいたらなかったのは幸いだった。もちろんこの事業も破綻《はたん》して、現物まがい商法であることが明らかになった。この他にもネズミ講まがいのマルチ商法も大いに盛んで、ときおり新聞種になっては、いまだにだまされる人がいるのだという認識を新たにする。

　そして一時より下火になったとはいえ、まだまだ手強《てごわ》くはびこっているのが、詐欺のダウンサイジングともいえる振り込め詐欺である。この詐欺は現物まがい商法と違い元手もさして必要とせず、被害者と顔を合わせることもないので、根絶させることは容易ではないだろう。

　そういう殺伐とした現実と一線を画したミステリの世界には、コン・ゲーム小説という人気ジャンルがある。"con game"とは取り込み詐欺・信用詐欺を意味する俗語であるが、コン・ゲーム小説は本来の狭い意味だけではなく、暴力的な手段を用いず、知能を使って大金をせしめようという詐欺師・ペテン師など小悪党たちが織りなす、化かし合い、だまし合いを描いた小説に対して使われることが多い。

　このジャンルは今も昔も、洋の東西を問わず傑作が多い。思い出すままに挙げてみれば才人作家ドナルド・E・ウェストレイクの『我輩はカモである』、ジェフリー・アーチャーの出世作『百万ドルをとり返せ!』、トニー・ケンリック『マイ・フェア・レディーズ』、ロビン・ムーア『ペテン師どもに乾杯』、パーシヴァル・ワイルド『悪党どものお楽しみ』などが思い浮かぶ。ポール・ニューマンとロバート・レッドフォードが共演した傑作映画をノベライズしたロバート・ウィーバーカ『スティング』もある。

　国内に目を向ければ、小林信彦『紳士同盟』、船戸与一『蟹喰い猿フーガ』、真保裕一『奪取』、石田衣良『波のうえの魔術師』、五十嵐貴久『Ｆａｋｅ』、三浦明博『罠釣師《トラッパーズ》』

などが即座に思い浮かぶ。かつてこの分野は手薄だといわれていたが、近年は翻訳物以上に目立つように思える。

詐欺は殺人・傷害などの強行犯同様、現実の社会では許せない犯罪であるが、こと小説の世界でこれほどもてはやされるのはなぜだろうか。

おそらくそれには二つの理由がある。まず一つは先述したように、暴力という手段を封印した知能ゲームというルールを（暗黙のうちに）設定して、その範囲内で作者がアイデアを競っていることが挙げられる。もし暴力がストーリー進行の重要なファクターになるような小説だったら、詐欺をモチーフにしていてもコン・ゲーム小説と認められないはずだ。

もう一つが被害者側の設定である。現実の被害者は、世故に疎くなったお年寄りなど社会的な弱者である場合が多い。だが小説においては、被害を受ける側がより大きな悪に設定されていたり、あるいは詐欺師側に同情をひく事情が用意されていることが多い。読者は被害者側に同情を寄せることなく、詐欺師側にスムーズに感情移入することができるのだ。

読者がしばし現実を忘れ、血を見ない頭脳戦を純粋に楽しむことができる――コン・ゲーム小説とはそんな楽しい小説なのである。

本書の主人公岩崎陽一は二十二歳の若者だ。山形の農家の次男坊で、三流大学の経済学部に入学し青春を謳歌《おうか》する。ところがいざ就職活動をという時に、三流大学の悲哀を味わうことになる。普通の会社はハナから相手にしてくれず、ようやく株式会社アクセスコーポレーションという正社員二十名の会社にもぐり込むことができた。ご大層な名前がついてはいるが、銀座で「クイーン」という高級クラブを経営する会社である。要するに陽一はボーイに雇われたのだ。薄給、長時間労働、昼と夜の逆転……、水商売のヒエラルキーの最下層に属した陽一は、夜の世界の厳しい洗礼を受けることになる。

しばらくして雇われママの一人として上条摩耶というホステスが移籍してきた。美貌《びぼう》と如才のなさを兼ね備えた彼女は、陽一とたいして変わらない年齢にもかかわらず、すでに超一流のホステスの地位を占めていた。出勤初日から、大手製薬会社社長の山野、横浜の貿易会社社長の真壁、ヤミ金融業者らしい横山という摩耶の上客が次々と現れては、一本何十万円もする超高級シャンパンやワインを何本も開けていく。

手取り十五万円の自分と、毎月一千万円を超える収入がある摩耶を比べて切なさを覚える陽一。だが摩耶の運転手を務めることになった陽一は、しばらくして彼女から頼み事をされる。真壁が仕入れたワインを、店の在庫と交換してくれというのだ。真壁からは感謝され、誰も被害を受けることもなく、自分には大金が転がり込む。ところがそれが単なる交換であるわけがなく、本物そっくりな瓶に詰めた安ワインとのすり替えだったのだ。やがて歌舞伎町で親の酒屋を手伝う親友の平木謙介も仲間入りし、ワインすり替え事業は拡大していく。ところがうまい話はそうそう続かない……。

この作品の魅力は三点に集約できる。まず一点が対照的なキャラクター造型だ。一言でいえばダメ男どもと、したたかな女性陣である。陽一はさくらというクラスメイトと四年間もつき合っていながら、いまだに手も握れないほど押しが弱い。その反動で風俗に行っては性病ノイローゼになり病院に駆け込むというていたらく。しかも基本的には真面目な性格なので、詐欺の手先を務めるストレスから、とうとう慢性前立腺炎《ぜんりつせん》という下半身の病気に罹《かか》ってしまう。痛みを軽くするため一人患部をマッサージする陽一の姿は情けなさ極まれりというところだろう。

親友の平木謙介は、酒の配達という肉体労働に励み、生まれた場所柄か、女にも強く、悪知恵も人並み以上に働く、まさに陽一とは正反対の性格だ。だがあぶく銭を得て気が大きくなり、博打《ばくち》で大きな借金を背負ってしまい蒼《あお》くなるなど、後先のことをあまり考えない少々軽率な男である。

一方の女性の方はすごい。難病に罹った父親の入院費をまかなうために水商売に入り、銀座では知らない者がいないほどの一流ホステスに成り上がる。さらにワインのすり替えという悪事に手を染めても、酒の味ではなく夢を買いに来ている銀座の客には些末《さまつ》なことだと開き直るほどだ。

陽一のガールフレンドのさくらも、同様だ。倒産寸前の父親の印刷工場を救うため、摩耶の妹分としてホステスになり、摩耶を見習ったかのように、ある行動を起こす。この女性陣は、男どもと比べ腹のくくり方が違うのだ。

二点目が作品のモチーフである〈フェイク〉のためのあの手この手である。読者の興味を削《そ》ぐので詳しくは書けないが、ワインのすり替えという単純でせこい手口から、公営ギャンブルのシステムを利用した裏技、さらにはグローバルな経済行為を利用（悪用）した大勝負という具合に、小から大へと、〈フェイク〉の度合いがエスカレートしていくのである。

最後の三点目が銀座の高級クラブという、誰もが憧《あこが》れる？秘密めいた場所を主な舞台にしていることだろう。なかなか知ることのできない、夜の銀座の表と裏がたっぷりと詳述されているのである。歩合給のホステスの懐具合、〈永久指名〉という独特のシステム、〈同伴〉する時の心得、そして女同士の争いなど、男性読者だったら特に知りたい情報が満載なのである。

血なまぐさい事件も起きず、暴力で人も傷つかない軽妙なコン・ゲーム小説。おまけに夜の銀座のノウハウも学べるお得な情報小説。その二つの要素が合体した作品が本書なのである。

だが本書を読んで夜の銀座に足を向ける諸兄よ、ご用心。

本書の面白さはギャランティ付きの本物だが、美しいホステスがあなたに囁《ささや》くかもしれない甘い言葉……。それが本物なのか、あるいは fake なのかは作者も筆者も保証できない。

本書は、二〇〇四年三月、小社より刊行された
単行本を文庫化したものです。

フェイク

楡 周平《にれ しゅうへい》

平成18年 8月25日　初版発行
令和7年 9月30日　40版発行

発行者●山下直久

発行●株式会社KADOKAWA
〒102-8177　東京都千代田区富士見2-13-3
電話　0570-002-301（ナビダイヤル）

角川文庫 14359

印刷所●株式会社KADOKAWA
製本所●株式会社KADOKAWA

表紙画●和田三造

●お問い合わせ
https://www.kadokawa.co.jp/（「お問い合わせ」へお進みください）
※内容によっては、お答えできない場合があります。
※サポートは日本国内のみとさせていただきます。
※Japanese text only

ISBN978-4-04-376502-7　C0193

角川文庫発刊に際して

角川源義

第二次世界大戦の敗北は、軍事力の敗北であった以上に、私たちの若い文化力の敗退であった。私たちの文化が戦争に対して如何に無力であり、単なるあだ花に過ぎなかったかを、私たちは身を以て体験し痛感した。西洋近代文化の摂取にとって、明治以後八十年の歳月は決して短かすぎたとは言えない。にもかかわらず、近代文化の伝統を確立し、自由な批判と柔軟な良識に富む文化層として自らを形成することに私たちは失敗して来た。そしてこれは、各層への文化の普及滲透を任務とする出版人の責任でもあった。

一九四五年以来、私たちは再び振出しに戻り、第一歩から踏み出すことを余儀なくされた。これは大きな不幸ではあるが、反面、これまでの混沌・未熟・歪曲の中にあった我が国の文化に秩序と確たる基礎を齎らすためには絶好の機会でもある。角川書店は、このような祖国の文化的危機にあたり、微力をも顧みず再建の礎石たるべき抱負と決意とをもって出発したが、ここに創立以来の念願を果すべく角川文庫を発刊する。これまで刊行されたあらゆる全集叢書文庫類の長所と短所とを検討し、古今東西の不朽の典籍を、良心的編集のもとに、廉価に、そして書架にふさわしい美本として、多くのひとびとに提供しようとする。しかし私たちは徒らに百科全書的な知識のジレッタントを作ることを目的とせず、あくまで祖国の文化に秩序と再建への道を示し、この文庫を角川書店の栄ある事業として、今後永久に継続発展せしめ、学芸と教養との殿堂として大成せんことを期したい。多くの読書子の愛情ある忠言と支持とによって、この希望と抱負とを完遂せしめられんことを願う。

一九四九年五月三日

ISBN 4-04-376501-0

ISBN 978-4-04-376509-6